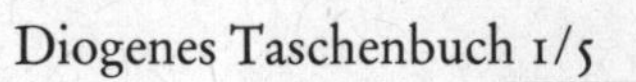
Diogenes Taschenbuch 1/5

Alfred Andersch

Die Rote

Roman
Neue Fassung

Diogenes

Die Erstausgabe erschien 1960;
die vorliegende Neufassung erschien erstmals 1972
im Diogenes Verlag

Veröffentlicht als Diogenes Taschenbuch, 1974

100/80/8/5
ISBN 3 257 20160 5

Der moderne Komponist schreibt seine Werke,
indem er sie auf der Wahrheit aufbaut.
Claudio Monteverdi
Die Vollkommenheiten der modernen Kunst, Venedig 1605

Inhalt

Freitag

Rapido und Betrachtung eines Hauses – Ursachen eines Wechsels von C-Dur zu Cis – Plötzlicher Entschluß einer Dame im Café Biffi zu Mailand – Auslegung von Giorgiones ›Sturm‹ – Das Licht raffinierter Leute – Montecatini-Sirene

Franziska, Spätnachmittag

Auf dem Bahnsteig der Stazione Centrale war es trocken, trocken unter dem dunklen Gebirge aus Glas, Rauch und Beton, aber der Rapido nach Venedig troff von Nässe, sie hatten ihn sicherlich erst vor ein paar Minuten aus dem Regen, aus dem Grau des Regen-Nachmittags, in die Halle geschoben, *Abfahrt 16.54, also fünf Minuten Zeit,* im Waggon war es noch kalt, so daß Franziska nur ihre Handschuhe auf den Platz legte und wieder hinausging, um nicht zu frösteln, aber statt dessen fror sie im Januarwind, der durch die Halle fuhr, *vielleicht bin ich schwanger,* es war ihr kalt, obwohl sie den Kamelhaarmantel anhatte, sie klemmte sich die braune Handtasche unter den Arm und steckte die Hände in die Manteltaschen. *Eine Zigarette, das erste, was ich tue, wenn der Zug fährt, ist, mir eine Zigarette anzünden.* Sie sah, wie die Nässe an den Flanken des Waggons, neben dem sie stand, im Rauch der Bahnhofshalle zu Inseln verdunstete, schmutzig kondensierte und sich dann plötzlich mit einem gelben Schimmer überzog, als die Lampen auf den Bahnsteigen eingeschaltet wurden. *Wenn Herbert in diesem Augenblick auftauchen würde, weil er mir nachgelaufen wäre, ließe ich vielleicht die Handschuhe da drinnen liegen und ginge mit ihm weg. Wenn er jetzt käme, so würde es bedeuten, daß wir vielleicht im letzten Augenblick einen Modus fänden. Wie feige ich manchmal bin.* Mailand Stazione Centrale war ein dunkler Ort, besonders im Regen, im Januar, im grauen Spätnachmittag, seinen Eingang bildeten riesige poröse Quadersäulen, Franziska war aus der Straßenbahn gestiegen und schnell in den Bahnhof hineingelaufen, in der Vorhalle fuhren die Taxis an, stoppten und glitten wieder hinweg, Rolltreppen führten nach oben, sie waren um diese Zeit noch nicht überfüllt gewesen, unbewegtes nach oben Schweben, Franziska hatte hinter einer alten mageren kleinen Frau gestanden, die in vier schweren Einkaufstaschen, abgewetzten geflickten Einkaufstaschen, Pakete und Flaschen trug, eine Falkin, Mäuler stopfend, arm, alt, unterernährt, mit einem spähenden Blick, oben verschwand sie sogleich in der Menge, die aus einem angekommenen Zug strömte, Franziska war zu einem Schalter gegangen und hatte gefragt, wann der nächste Zug ginge.

»Wohin?«

»Irgendwohin.«

Der Beamte hatte sie einen Augenblick lang angesehen, sich dann nach der Uhr umgewendet und gesagt: »Der Rapido nach Venedig. Sechs Minuten vor fünf.«

Venedig. Wieso Venedig? Was habe ich in Venedig zu tun? Aber es ist wie im Roulette, ich habe auf Zero gesetzt und es ist eine Farbe herausgekommen. Irgendwohin hieß Zero. Herausgekommen war Venedig. Vermutlich gab es keinen Ort, der Null hieß.

»Gut, geben Sie mir Venedig!«

»Rückfahrkarte?«

»Nein, einfach.« Sie sah auf ihre Armbanduhr. *Dreizehn vor fünf. Venedig war so gut wie jeder andere Ort, wie alle jene Orte, in denen Herbert mich nie vermuten wird. Herbert wird höchstens annehmen, ich sei nach Deutschland zurückgefahren, um ihn zu Hause zu erwarten.*

»Viertausendsechshundert«, sagte der Beamte und schob ihr das Billett hin.

Franziska reichte ihm einen Fünftausend-Lire-Schein. *Es ist zu teuer, die Reise nach Venedig ist zu teuer.* Als er ihr herausgab, sagte er: »Die Zuschläge müssen Sie im Zug lösen.«

Sie war erschrocken. Einen Augenblick lang hatte sie überlegt, ob sie ihm das Billett zurückgeben solle. *Ich kann mir ja irgend etwas näher Gelegenes aussuchen, Turin zum Beispiel, und mit einem gewöhnlichen Zug fahren.* Aber sie steckte das Billett ein, während der Mann ihr zusah. »Bahnsteig sieben«, sagte er höflich. *Eine Ausländerin. Irgendwohin. Sie sind verrückt oder Huren oder beides. Eine Ausländerin, die irgendwohin fahren will und Geld genug hat, um ein Rapido-Billett nach Venedig zu bezahlen. Ein Viertel meines Monatsgehalts. Eine verrückte Hure. Wie ihre Haare flattern. Eine Rothaarige. Keine Italienerin läßt ihre Haare so flattern.* Er sah ihr nach, bewundernd und obszön.

Das plötzliche Lampenlicht verwandelte den grauen Abend, der draußen vor der Abfahrtshalle lag, in etwas Dunkles, das noch nicht ganz Nacht war. Die Lautsprecher verkündeten, der Direttissimo aus Rom habe Einfahrt. Als Franziska in den Waggon eingestiegen war, setzte sich der Rapido auch schon in Bewegung, sanft und unwiderstehlich, als würde er von einer ungeheuren Feder gespannt, einer Feder, die ihn tatsächlich nach wenigen Minuten über die Geleise schnellte wie ein Geschoß. *Schnell fahren ist wunderbar. Manchmal habe ich Joachims Porsche auf hundertsechzig gebracht, wenn wir ins Theater fuhren, abends, auf der*

Autobahn zwischen Dortmund und Düsseldorf. Sie saß während der ersten Augenblicke, in denen der Rapido seine Schnelligkeit entfaltete, bewegungslos auf ihrem Platz, eingehüllt in die Geschwindigkeit des stählernen, lautlos und seidenweich den Abend durchschneidenden Pfeils. *Wenn du Kinder hättest, würdest du nicht so schnell fahren, hat Joachim jedesmal gesagt, wenn ich loslegte. Doch, habe ich geantwortet, genauso schnell. Außerdem habe ich keine. Ihr macht mir ja keine. Ihr seid ja so vorsichtig.* Gerade als sie Joachims wütendes Gesicht aus der Erinnerung verlor, kam der Zugschaffner. Er prüfte ihr Billett und sagte: »Differenza classe e supplemento Rapido.«

Während er die Zuschlagbilletts schrieb, wartete sie besorgt auf den Preis, den er nennen würde.

»Zweitausendfünfhundert«, sagte er und reichte ihr die Fahrscheine.

Sie nahm den einen der beiden Zehntausend-Lire-Scheine aus der Handtasche. Er hatte Wechselgeld. Als er gegangen war, lehnte Franziska sich mit geschlossenen Augen zurück. *Ich hatte Fünfundzwanzigtausend und etwas Silbergeld. Wenig, sehr wenig, aber zehn Tage hätte es gereicht. Jetzt sind siebentausend weg. Ich habe jetzt noch achtzehntausend und ein paar Münzen. Es ist Wahnsinn gewesen, diesen Zug zu nehmen. Es war nicht konsequent –, dieser Rapido, der nur Wagen erster Klasse führt, ist eine Täuschung,* er enthielt in seiner gepolsterten, geheizten, gut beleuchteten Schnelligkeit die Illusion, das, was sie getan hatte, könne mit Komfort umgeben, mit Eleganz getan werden. *Ich müßte auf einer Holzbank sitzen, eingeklemmt zwischen drei andere Leute.* Ihr schauderte bei diesem Gedanken, sie öffnete die Augen, erinnerte sich plötzlich ihres Wunsches zu rauchen und zündete sich eine Zigarette an. *Zweitausendvierhundert Lire wären zwei Nächte in einem billigen Hotel gewesen, also drei Tage Frist. Herrgott, was für ein Blödsinn! Schon der erste Schritt ist schiefgegangen. Ist es ein böses Vorzeichen?*

Sie war geneigt, es dafür zu halten, und nahm sich vor, vom Moment ihrer Ankunft in Venedig an scharf zu rechnen, *nicht mehr rauchen,* sie zählte die Zigaretten in dem Päckchen, das sie bei sich hatte, es waren noch zwölf Stück, *das reicht bis morgen abend, wenn ich mich zusammennehme,* dann las sie automatisch einige Überschriften in der Abendausgabe des ›Corriere‹, die der Mann, der in dem offenen Abteil neben dem ihren saß, ausgebreitet vor sich hin hielt, *ancora nessuna decisione nella vertenza Callas – Opera, Mosca alla conquista dei mercati stranieri, tre progetti per salvare il campanile di Pisa, l'abito da sposa della Mansfield (mit Bild)*, es interessierte sie alles nicht. *Ich habe überhaupt nichts zu lesen dabei. Das Buch, das ich gerade angefangen hatte, war unglaublich gut. William Faulkner, Wild Palms. Sehr intelligent, sehr wild, nein, das reicht nicht aus: ein rasendes Buch, eine in Raserei gegen das Schicksal erhobene Faust, aber man weiß, daß sie gesenkt werden wird, sich senken, doch Faust bleiben wird, ruhig aber gespannt neben dem Schenkel hängen wird, besiegt, aber wachsam. Eigentlich ist es unerträglich, daß ich das Buch jetzt nicht fertiglesen kann, aber es liegt in einem Hotelzimmer in Mailand. Herbert mochte es nicht. Er fand es unangenehm. Aber er kann auch nicht genug Englisch, um Faulkner verstehen zu können. Er macht sich nicht viel aus amerikanischer Literatur. Er findet sie überschätzt. Er liest gerne ›schöne‹ Bücher, die feinen, die gebildeten Leute, über deren Lippen niemals und unter keinen Umständen ein rauhes Wort kommt, ich glaube, heimlich liest er immer noch Rilke, hat aber Angst, sich zu blamieren, wenn er es offen zugibt. Am meisten Furcht hat er vor Dostojewskij, Beckett und den neorealistischen Filmen, ›Il Grido‹ fand er natürlich peinlich, dieser Ästhet, ich habe ihn auf der Straße stehengelassen, als er das sagte, wie wir in Mailand aus dem Kino kamen, er hätte ja nicht mitzugehen brauchen, ich habe ihm gesagt, er solle sich das ersparen, aber er war neugierig, wollte sehen, was ich sehe.*

Franziska bemerkte, daß der Herr, der den ›Corriere‹ las, sie manchmal mit einem Seitenblick beobachtete, ein älterer italienischer Geschäftsmann, *er sieht gut aus, ein bißchen dick, aber straff, von jener Eitelkeit, die ihn bis ans Lebensende zu einem sicheren kalten Herrn machen wird, bei uns in Deutschland sind die älteren Geschäftsleute nur sicher und kalt, aber nicht eitel, denn sie sehen nicht gut aus, hinter ihrer Sicherheit steckt nichts als Impotenz und Mikos und Neurosen, deshalb arbeiten sie so viel, aber die hier sind eitel und potent, sie arbeiten nur halb soviel wie die bei uns, aber sie machen die glänzenderen Geschäfte.* Sein Blick irritierte sie, *meine Haare sehen sicher furchtbar aus*, sie mußte sowieso auf die Toilette, seitdem sie auf dem Bahnsteig in Mailand gefroren hatte, sie nahm die Handtasche auf und erhob sich. Der Mann las mechanisch über eine Nachricht aus Novara weg, *merkwürdig, eine Frau ohne Gepäck, das ist doch sehr merkwürdig, aber diese Ausländerinnen sind ja verrückt, vielleicht hat sie eine Wohnung in Mailand und einen Geliebten in Venedig oder umgekehrt, die Rothaarigen sollen ja schärfer sein als die anderen, immerhin sehr merkwürdig, eine Frau, die gänzlich ohne Gepäck reist, wenn ich bei der Polizei wäre, wenigstens eine kleine Tasche für das Nachthemd müßte sie bei sich haben, aber vielleicht schläft sie ohne Nachthemd, ich möchte keine Frau haben, die nackt schläft, es gibt nichts Hübscheres als ein hübsches italienisches Mädchen in einem Nachthemd.* Franziska haßte es, in Zügen die Toilette zu benutzen, aber das Kabinett des Rapido war klinisch sauber; sie überwand ihren Ekel. Nachher kämmte sie sich vor dem Spiegel und zog sorgfältig ihre Lippen nach. Zurückgekehrt, sah sie zum Fenster hinaus, im Südwesten stand noch Helligkeit über dem Horizont, ein letzter Schein, der die Ebene dämmern ließ, der Regen hatte aufgehört, aber es mußte kalt sein, denn Franziska war gezwungen, mit ihren Handschuhen von Zeit zu Zeit die Scheibe abzuwischen, die sich immer neu beschlug. *Vielleicht bin ich schwanger.* Der Zug verlangsamte seine Fahrt, Häuser tauchten auf, Fabriken, glänzend erleuchtete, ganz neue Fabriken, Franziska hörte, ohne hinzusehen, daß der Mann, der den ›Corriere‹ gelesen hatte, aufstand, seinen Mantel anzog, den Koffer aus dem Gepäcknetz nahm, *also Verona, der einzige Halt des Rapido zwischen Mailand und Venedig, ich könnte aussteigen, wäre morgen früh in München, morgen abend in Dortmund, mit nur achtzehntausend Lire in der Handtasche bin ich eigentlich gezwungen zu kapitulieren, was soll nur aus mir werden?*, es wäre so leicht, bei Herbert zu bleiben. *Ich wäre verdammt, aber nichts ließe sich leichter arrangieren, als verdammt zu sein, ein Arrangement, mit leichter Hand getroffen, anläßlich eines – wie hatte Herbert sich ausgedrückt? –, anläßlich eines Betriebsunfalls,* sie schauderte, der Zug hielt, sie wendete den Kopf nicht, um den Mann, der den ›Corriere‹ gelesen hatte, aussteigen, andere Männer einsteigen zu sehen, sie sah weiter zum Fenster hinaus. Kurz nach der Ausfahrt Verona kam der Zug zwei, drei Minuten zum Stehen, jenseits der Geleise stand ein Haus. Es war vielleicht einmal weiß gestrichen gewesen, jetzt hing der Bewurf schmutzig und in Fetzen an ihm, im ersten Stock waren die Fenster mit grauen Holzläden verschlagen, *ob die Wohnung im ersten Stock frei ist?*, im Parterre waren die Läden zurückgeschlagen, aber alle

Fenster waren dunkel, um das Haus war eine Fläche aus Kies und Erde, Wäschestangen, an denen ein paar Hemden und Handtücher hingen, die Landstraße führte an dem Haus vorbei, irgendeine Nebenstraße, kein Auto fuhr darauf, sie glänzte schwach im letzten Licht des wässerigen Ebenen-Himmels, auch die Geleise spannten sich wie schimmelig phosphoreszierende Fäden an dem Haus vorbei, die Ausfahrtgeleise Verona an dem lichtlosen Haus, *es sind sicher Leute drinnen, sie machen nur kein Licht,* das Haus war ein Würfel, ein Würfel aus Trostlosigkeit und Verfall und geheimem Leben, Leben im Dunkel, mit runden Ziegeln auf dem beinahe flachen Dach, die Kamine, beschädigt, ließen Mörtel auf die runden Coppi rieseln, Flecken von Feuchtigkeit zogen sich über die Wände aus nackten Ziegeln, aus grauen Lappen von Bewurf, *ich habe mich immer nur für diese Art Häuser interessiert, ich wollte hinter das Geheimnis solcher Häuser kommen, ganz Italien besteht aus solchen Häusern, in denen Leute abends im Dunkeln sitzen und Geheimnisse bewahren, arme bittere leuchtende Geheimnisse, du bist romantisch, hat Herbert immer zu mir gesagt, wenn ich ihn bat, das Auto zu stoppen, weil ich mir eines dieser Häuser ansehen wollte, irgendwo, er hatte nie einen Blick für sie, er hatte immer nur Blicke für Kirchen und Palazzi, für seine Palladios und Sansovinos und Bramantes, den ganzen kunstgeschichtlichen Tinnef.* Der wieder anfahrende Zug riß das Haus aus ihrem Blick, dann wurde es endgültig Nacht draußen, und Franziska lehnte sich in ihren Sitz zurück. Sie zündete sich eine zweite Zigarette an. *Unglaublich, daß ich es mir so lange habe gefallen lassen.* Sie stieß den Rauch heftig aus dem Mund. *Weißt du, Franziska, San Maurizio ist ein vorzügliches Beispiel für den sensualistischen Spätstil von Solari. Du tätest mir einen Gefallen, wenn du dir's nachher mit mir zusammen ansehen würdest.* Sie erinnerte sich, wie er sein Cognacglas gehoben und daran gerochen hatte. *Ein Satz, eine Bewegung haben eine Entscheidung ausgelöst, auf die ich drei Jahre lang gewartet habe wie auf ein Gottesurteil.* Die Zigarette langsam aufrauchend, den Kopf an die Polster des Sitzes gelehnt, den Blick auf das dunkle Fenster gerichtet, das Fenster, das mit ungeheurer Geschwindigkeit an der Nacht entlangwischte, begann Franziska zu staunen.

Fabio Crepaz, Spätnachmittag

Fabio Crepaz blätterte mißmutig in der Partitur des ›Orfeo‹, er hatte die Violine abgesetzt und stocherte mit dem Bogen in den Seiten herum. Die Klagearie des Orpheus saß nun, sie wurde von zwei konzertierenden violini obligati umspielt, deren eine er, Fabio, zu führen hatte, technisch war alles in Ordnung, aber er wußte, daß Massari am Montag vormittag, auf der Probe vor der Generalprobe, abklopfen und ihn gequält und theatralisch anblicken würde: »Stile concitato«, würde er jammern, »wie oft soll ich es Ihnen noch sagen, Crepaz? Sie bringen alles so ... so ...«, er würde nach Worten ringen, »... so resignierend!«

»Aber wenn ich zu laut werde, Maestro, decke ich die Singstimme zu.«

»Sie sollen nicht laut werden, Sie sollen lebhaft, bewegt, leidenschaftlich werden!« Massari würde sich die Gelegenheit, ein musikgeschichtliches Kolleg abzuhalten, nicht entgehen lassen.

»Meine Herren«, würde er dozieren, sich mit großer Geste an das Orchester wendend, »bedenken Sie, daß das Concitato, der leidenschaftliche Stil, Monteverdis eigentliche Erfindung ist. Vor ihm gab es nur das Lieblich-Anmutige und das Gelassene, molle und moderato, aber den kriegerischen Ausdruck, das Kämpferische, den Zorn, hat er als erster für die Musik entdeckt.«

»Wie ist es«, würde ihm der Sänger ins Wort fallen, »machen wir weiter?«, und Massari würde abbrechen und betreten auf die Partitur blicken. »Sie haben ganz recht, Crepaz, bleiben Sie ruhig im Hintergrund«, würde der Sänger entscheiden, aber gerade die Diktatoren-Geste dieses schreienden Dummkopfs würde Fabio veranlassen, dem Wunsch Massaris nachzukommen und seinen Part ein wenig ›agitato‹ zu spielen, begleitet von einem Dankesblick des gedemütigten Maestro.

Während er mit dem Violinbogen die Seiten der ›Orfeo‹-Partitur umwendete, dachte Fabio darüber nach, ob er wirklich alles so ›resignierend‹ spiele, wie der Dirigent sich ausdrückte, ob das Gefühl, das ihn beherrschte, wahrhaftig Resignation genannt werden konnte. War er resigniert, weil er beinahe fünfzig Jahre alt war, weil er nicht geheiratet hatte, weil er als Geschlagener aus einigen revolutionären Aktionen zurückgekehrt war, aus dem Spanienkrieg, aus dem Partisanenkampf, heimgekehrt nach Venedig, weil er in seinem Beruf untergetaucht war, ein Geiger im Orchester der Fenice-Oper, ein ehemaliger Bataillonskommandeur in der Internationalen Brigade ›Matteotti‹, der Führer der Partisanenbewegung im Raum Dona di Piave, und nun ein Mann, der sich nicht mehr beteiligte, irgendein Mensch, der sehr ordentlich Violine spielte, wenige Freunde hatte, die er aber nicht zu Hause traf, sondern gelegentlich, nach dem Theater, in der Bar bei Ugo, einer, der allein lebte, in zwei Zimmern, die er einer Witwe abgemietet hatte, sie war sehr leise, störte ihn nie, nur manchmal kam ihr Kind herein, ein siebenjähriges Mädchen, und hörte ihm beim Üben zu. Hier und da besuchte ihn auch seine Mutter, sie kam von Mestre herüber, alt, klein und zäh, um ihm ein paar Fische zu bringen, die sein Vater in der Lagune gefangen hatte, aber sie blieb nie länger als eine Stunde, sie räsonierte mit ihrer rauhen warmen Altweiberstimme über die Rosa, seine Schwester, die am Fließband einer Fabrik in Mestre arbeitete, und über ihn, Fabio, weil er keine Frau und keine Kinder hatte. Er gab ihr manchmal Geld mit, weil er wußte, daß sie oft schlecht aßen, besonders, wenn der alte Piero, sein Vater, wenig Fische fing. Ein solches Leben, einen solchen Hintergrund – konnte man sie mit dem Wort Resignation bezeichnen? War er resigniert, weil er das Concitato nicht mehr für sehr wichtig hielt? Was hielt er denn für wichtig? Klares Denken hielt er für wichtig, und klares Denken führte zu dem Ergebnis, daß die revolutionären Bewegungen, an denen er sich beteiligt hatte, verlorengegangen und wahrscheinlich sogar vergeblich gewesen waren. Nicht sinnlos, aber vergeblich. Es war so weit gekommen, daß die Leute, die eine revolutionäre Änderung der Verhältnisse angestrebt hatten, sich heute überhaupt nicht mehr verständlich machen konnten. Sie waren aus der Mode gekommen, im besten Falle hielt man sie für verschrobene Idealisten, die neueste Mode des Jahrhunderts hieß Zynismus, es war chic, Geld zu verdienen und zynisch zu sein, in einer solchen Zeit hielt man am besten den Mund und wartete, kein Bedarf für Massaris Pathos vom Kämpferischen, vom Zorn. Stile concitato war schlechter Stil. Übrigens, dachte Fabio, war Massaris Monteverdi-Auffassung einfach falsch. Schon möglich, daß Monteverdi seine Concitato-Erfindung für sehr wichtig hielt, aber die wenigsten Künstler konnten beurteilen, worauf ihre Wirkung beruhte, sie hatten keine Ahnung von dem, was die Leute faszinierte, wenn sie ihre Werke hörten, lasen oder sahen. ›Orfeo‹ zum Beispiel war bestimmt keine kämpferische, keine zornige oder pathetische Oper, es war eine dunkle, stille, glühende und melancholische Oper. Fabio stieß beim Blättern auf jene Verkündigung im zweiten Akt, die eine Botin Orpheus überbringt. Er las den sehr einfachen Text: ›Ich komme zu dir, Orpheus, als unglückliche Botin eines furchtbaren und traurigen Schicksals: deine schöne Eurydike ist tot‹, und er hob die Violine wieder an und spielte das C-Dur-Tremolo, das die Violinen um die Botschaft woben. Wie verhielt sich Monteverdi dazu? Kein Ausbruch der Leidenschaft, im Gegenteil, er brach C-Dur ab und ließ Orgel und Kitarone mit dem Sextakkord auf Cis einsetzen, das ergab einen Eindruck von magischer Trauer. Es war genau die richtige Reaktion auf die Meldung von einer äußersten Katastrophe. Dies also war das sogenannte Ewige in der Kunst: weil ein Mann sich im Jahre 1606 zu dem Gedanken der Katastrophe richtig verhalten hatte, stimmte seine Musik auch heute noch. Monteverdi hatte die Pest in Venedig erlebt. Er schrieb Musik für Zeiten, in denen die Pest herrschte, Eurydike gestorben war, Revolutionen verlorengingen und die Wasserstoffbombe geworfen werden würde.

Franziska, Nachmittag

»Gar nichts werde ich nachher mit dir ansehen«, gab sie ihm zur Antwort. Er stellte das Cognacglas hin, ohne getrunken zu haben.

»Was ist los?« fragte er.

Sie saßen im Biffi, es war zu kalt, im Freien zu sitzen, durch die riesigen Fenster sahen sie auf die Menschen, die durch die Galleria strömten, Hunderte in ein paar Minuten. Morgens hatten sie Verhandlungen mit Leuten von Montecatini gehabt, nach dem Mittagessen hatte Franziska sich hingelegt, während Herbert spazierengegangen war, *er geht niemals spazieren, er besichtigt Spätstile, Spätstile und Frühstile und Mittelstile und seinen eigenen Stil, er besichtigt sich selbst, ich habe mich einmal mit Professor Moeller über Kunstgeschichte unterhalten, Moeller war sachlich, einen Augenblick lang sah ich ein, wozu Kunstgeschichte gut ist, sie ist eine brauchbare Hilfswissenschaft, wie Moeller sagte, aber für Herbert ist sie eine Sache für sich, eine Sache für seine Eitelkeit, wie seine Anzüge und seine Verhandlungstechnik, morgens Prozente mit Montecatini und nachmittags Spätstile mit Solari, alles ist Ästhetik, Kunst, Spiel, so kann man es weit bringen, aber niemals wirklich weit wie Joachim, darum ist Herbert auch nichts weiter als ein Vertreter, Ästheten sind Vertreter, Ästheten sind Handlungsreisende, während Joachim der Chef ist, der Unternehmer, Joachim hat sich niemals mit Ästhetik abgegeben, sondern immer nur mit der Macht.*

»Es ist doch etwas los, oder?«

»Ich habe eben über Joachim nachgedacht«, antwortete Franziska.

»Ach so«, sagte Herbert. »Entschuldige bitte, ich möchte dich dabei nicht stören.«

»Du störst mich auch gar nicht. – Dabei«, fügte sie hinzu. Er sah sie haßerfüllt an.

»Wenn du glaubst, wieder einmal die femme fatale spielen zu müssen – bitte!«

Eines seiner Lieblingsworte, eine der Vokabeln, bei denen seine Stimme einen genießerischen Klang bekommt. Bin ich das, was man eine fatale Frau nennt? Ihr Blick wanderte zu der phantastisch überladenen Dekoration der Galleria hinauf; als er zurückkehrte, geriet er in den Blick eines Mannes, der an einem Tisch im Biffi saß, einen Espresso vor sich, scheinbar den ›Corriere‹ lesend. *Laufbahn einer femme fatale: Sekretärin und Dolmetscherin, geprüft in drei Sprachen, Englisch, Französisch, Italienisch, ein paar Freunde, ein paar Auslandsaufenthalte, dann die Stellung bei Joachim, seine Geliebte (mit 26), als er nach drei Jahren nicht daran dachte, mich zu heiraten, nahm ich den Antrag Herberts, des Freundes und Exportleiters von Joachim, an, eine Art Trotzreaktion bei mir, eine Art von ästhetisch-geschäftlicher Planung bei Herbert, wie ich inzwischen weiß, auch eine Art von Perversion bei uns beiden, wie sich nachher herausstellte, seit drei Jahren, jetzt bin ich 31, und wie soll es weitergehen, wie soll es weitergehen, jedenfalls nicht so,* sie wußte es auf einmal ganz genau, während ihr Blick sich aus dem Blick des Fremden löste und sich auf das Glas Tee senkte, das vor ihr stand.

»Ich möchte nur wissen, warum du dir deswegen nicht ein paar hübsche Dinge ansehen kannst«, hörte sie Herbert sagen. »San Maurizio zum Beispiel wäre das Richtige für dich, in deiner Gemütsverfassung.«

»Es ist so geschmackvoll, nicht wahr?« fragte sie.

»Ja.« Er hatte offenbar beschlossen, den Spott in ihrer Stimme zu überhören. »Er ist ein Triumph von Solaris gutem Geschmack.«

»Also von deinem feinen Sinn fürs Geschmackvolle.«

»Du bist absurd, Franziska«, sagte er.

»Geh doch zu Herrn Solari«, sagte sie. »Ich bleibe hier. Ich finde die Galleria viel schöner als deine Kunstgeschichte.«

»Die Galleria ist scheußlich.«

»Du warst doch so entzückt von Steinbergs Zeichnungen, erinnerst du dich noch?«

»Steinbergs Zeichnungen der Galleria sind herrlich, aber die Galleria selbst ist scheußlich.«

Sie sah ihn fassungslos an. Er trug den braunen Anzug von Meyers in der Königsallee und dazu die schmale lila Wollkrawatte, die er unlängst bei Beale & Inman in der Bond Street gekauft hatte. Er hatte die Beine übereinandergeschlagen, seine Hände, sein Hals und sein Gesicht waren braun, er hatte eine dunkle Hautfärbung und dazu wasserblaue Augen hinter scharfen Gläsern, er war eigentlich schlank, leptosom, aber mit einer leichten Fettschicht überzogen, seine etwas zu weiche Hand hielt, angewinkelt, die Zigarette, eine weiße Zigarette zwischen braunen weichen Fingern. *Am besten sieht er immer zu Hause aus, wenn er vor den Bücherwänden seiner Bibliothek steht, er sieht dann beinahe aus wie ein Gelehrter, beinahe wie ein exquisiter Privatdozent. Obwohl er so gut aussieht, sind die Frauen nicht toll hinter ihm her. Wir haben schon unseren Riecher.*

»Du bist ein widerlicher Ästhet«, sagte sie.

»Ich finde, du wirst nun wirklich geschmacklos«, erwiderte er. Er griff nach dem Cognacglas und leerte es mit einem Zug. Er sah Franziska nicht an, sondern funkelte mit seinen Gläsern irgendwohin ins Leere.

»Mein Geschmack ist gut genug«, sagte sie, »um dich widerlich zu finden.«

Der Kellner kam heran und fragte Herbert, ob er noch etwas zu trinken wünsche. Herbert blickte angeekelt zu ihm auf und schüttelte den Kopf.

»Wie oft soll ich dir noch erklären, daß du in einem Café in der Galleria nicht vor einem leeren Glas sitzen bleiben kannst«, sagte Franziska scharf. »Also bestell was!«

»Noch einen Cognac!« sagte Herbert zum Kellner.

Franziska zündete sich eine Zigarette an. Sie beobachtete zwei

Carabinieri, die draußen vorbeigingen. Ihre Köpfe und Dreispitze ragten hoch über die Menge; sie sahen ernst aus. *Carabinieri sehen immer ernst aus, wahrscheinlich ist es Pose, aber es gefällt mir.*

»Vermutlich habe ich die Tatsache, daß du mich widerlich findest, dem Umstand zu verdanken, daß es dir gerade einfällt, an deinen Freund zu denken«, sagte Herbert.

»Red doch nicht so geschwollen daher!« sagte Franziska.

»Es fällt mir ein bißchen schwer, mich auf deinen Gesprächsstil einzustellen, wenn du nichts dagegen hast.«

»Oh, fühlst du dich beleidigt?« fragte Franziska. »Das konnte ich nicht ahnen. Du bist doch sonst durch nichts zu beleidigen.«

Sie wies einen neuen Blick des Mannes, der den ›Corriere‹ las, kühl zurück. Ob er merkt, daß wir uns streiten?

»Wenn du damit darauf anspielst, daß ich so anständig bin, dir deine kleinen Freiheiten zu lassen . . .« Herbert beendete den Satz nicht.

»Meine kleinen Freiheiten!« sagte Franziska. Mit leiser, empörter Stimme fragte sie: »Daß ich mit deinem Chef schlafe, wann immer er es wünscht, das nennst du meine ›kleinen Freiheiten‹? Ich will dir sagen, worin meine ›kleinen Freiheiten‹ bis jetzt bestanden haben: daß ich es noch manchmal mit dir getan habe. Ich habe es mit dir getan, weil ich Joachim hasse – ich habe es in den Augenblicken getan, in denen ich Joachim am meisten haßte.«

Der Kellner stellte das Cognacglas vor Herbert hin und schob die beiden Rechnungsbons unter den kleinen Teller, auf dem das Glas stand. Franziska sah zu, wie ein kleines Mädchen hinter dem Verkaufstisch des Biffi goldene und silberne Pralinen in die Glaskästen schüttete, sie leuchteten im Neonlicht, das von Tabakrauch, Chromleuchten und dem Mahagonibraun der Möbel gebrochen wurde, das Biffi war jetzt bis zum letzten Platz gefüllt, *es müssen zwanzig bis dreißig Pfund Pralinen sein, wer kauft nur die vielen Pralinen? Der Mann, der die Zeitung liest, sieht nicht mehr her, Gott sei Dank, ich will keine Zeugen für das, was jetzt kommt.*

»Ich weiß«, sagte Herbert, »du hast es mir schon öfter gesagt. Was ich nicht verstehe ist, warum du mir ausgerechnet jetzt diese Szene machst. Ich habe dich doch nur gefragt, ob du mit mir eine Kirche besichtigen willst.«

O Gott, ja, er hat vollständig recht, ich habe eine scheußliche Szene gemacht, es war das Letzte, was ich wollte. Was ich wollte war, ganz ruhig und still Schluß machen, aber statt dessen habe ich eine Szene gemacht, wir Weiber sind doch furchtbar, wir können es nicht lassen, aber obwohl es schiefgegangen ist, muß ich jetzt Schluß machen, Schluß, Schluß, Schluß.

»Weil ich jetzt Schluß mache«, sagte sie. »Schluß mit dir, Schluß mit uns.«

Herbert fragte: »Heißt das, daß du dich scheiden lassen willst?«

»Scheidung«, sagte Franziska. Sie dehnte das Wort ein wenig. »Darüber habe ich noch gar nicht nachgedacht. Ja, natürlich Scheidung. Aber zuerst einmal will ich einfach fortgehen. Fort von dir.«

»Wann?«

»Jetzt. Jetzt sofort.«

»Ach! Und wohin?«

»Ich weiß nicht. Irgendwohin.«

»Also zu Joachim, nehme ich an.«

»Nein«, sagte sie, »ganz bestimmt nicht zu Joachim.«

»Franziska«, sagte er, »du bist doch eigentlich gar nicht hysterisch. Du regst dich manchmal über etwas auf, aber hysterisch bist du nicht. Also laß doch diesen Blödsinn!«

»Wieviel Geld hast du bei dir?«

»Ich? Warum?«

»Wieviel Geld hast du bei dir?«

»Zwanzigtausend, glaube ich. Franziska ...«

Sie unterbrach ihn. »Gib es mir!« sagte sie. »Du hast ja noch die Reiseschecks im Hotel.«

»Ich lasse nicht zu, daß du irgendeinen Unsinn machst. Wir wollen uns doch wie Erwachsene benehmen!«

»Gib mir das Geld!«

Er funkelte mit seinen Gläsern wieder ins Leere, zog dann seine Brieftasche heraus, entnahm ihr zwei Zehntausend-Lire-Scheine und reichte sie ihr. »Es ist ja doch nur so eine Laune von dir«, sagte er. »Warum machst du ein solches Theater, statt mir zu sagen, daß du Geld brauchst.«

Zwanzigtausend, plus fünftausend, die ich in der Handtasche habe. Wenn ich sparsam bin, komme ich damit vierzehn Tage aus.

»Danke«, sagte sie.

»Was für ein Aufwand!« sagte er. »Wo hast du denn das Kleid gesehen? In der Via Monte Napoleone?«

»Herbert«, sagte sie, »ich gehe jetzt fort. Mach keinen Versuch, mich aufzuhalten. Lauf mir nicht nach, um festzustellen, wohin ich gehe.«

»Ah«, sagte er. »Ein neues Abenteuer.«

»Ja«, sagte Franziska. »Ein neues Abenteuer.«

»Wann darf ich dich wieder in Dortmund erwarten?«

Sie sah ihn an und bewegte den Kopf in einer verneinenden Geste.

»Handelt es sich um einen Italiener? Du hast dir doch bisher nichts aus Italienern gemacht?«

»Kein Kommentar«, sagte sie kühl. »Oder doch«, ergänzte sie, »es handelt sich um zwei Männer: um dich und Joachim.« Sie griff nach ihren Handschuhen. »Ich möchte dich noch etwas fragen, Herbert.«

Er gab keine Antwort. *Offenbar will er noch immer nicht zur Kenntnis nehmen, daß ich fortgehe. Trotzdem muß ich ihn dieses eine noch fragen:* »Warum hast du vorgestern nacht nicht aufgepaßt?«

Herrgott, wenn er jetzt auch nur etwas halbwegs Richtiges sagt, bin ich dazu verdammt, bei ihm zu bleiben, dazu verurteilt, es noch einmal zu versuchen. Es ist seine letzte Chance. Vielleicht sagt er drei Worte, aus denen ich ahnen kann, daß er irgend etwas für mich empfunden hat, als er nicht aufpaßte, vorgestern nacht, daß eine noch so kleine Kleinigkeit von Gefühl für mich ihn hingerissen hat, nicht aufzupassen, vorgestern nacht...

»Ein kleiner Betriebsunfall«, hörte sie ihn sagen. »Das kann doch immer mal vorkommen.«

Gut. Er hat das abscheulichste Wort gewählt, das dafür zu finden war. Aber es kann Zynismus sein, Angst, sich zu bekennen. Ich muß weiterfragen.

»Und wenn ich jetzt ein Baby bekomme?«

»Du wirst kein Kind bekommen. Du hast doch nachher eine Spülung gemacht, oder?«

»Ja, aber es gibt keine absolute Garantie, wenn es mal passiert ist.«

»Im schlimmsten Fall haben wir Doktor Pape. Er bringt das in Ordnung.«

»Und wenn ich ein Kind haben will?«

»Du vergißt, daß ich keines haben will. Solange du ein Verhältnis mit einem anderen Mann hast, wünsche ich kein Kind von dir.«

Er ist im Recht. Ich könnte noch sagen, daß wir drei Wochen unterwegs sind und daß ich kurz nach der Abreise meine Periode hatte, Joachim ist also nicht mit im Spiel, aber trotzdem ist Herbert im Recht. Er hat ganz einfach nicht aufgepaßt, mehr war nicht dahinter. Mehr nicht als ein Betriebsunfall. Sie stand auf.

»Aber du kannst mich doch nicht einfach hier sitzenlassen«, sagte Herbert. Er sah plötzlich bleich aus, grau unter dem Braun seiner Gesichtshaut. Auch er hatte sich erhoben. »Ich brauche dich doch. Wir haben morgen wieder Verhandlungen mit den Montecatini-Leuten.«

»Ruf die Berlitz-School an!« sagte Franziska. »Sie schicken dir morgen früh eine Dolmetscherin ins Hotel.«

Sie ließ ihn stehen, während er eine halbe Verbeugung machte, eine Verbeugung, um ihr abruptes Weggehen vor dem Café Biffi zu cachieren, sie spürte, daß ein paar Leute ihr nachsahen, der Kellner, *una rossa genuina, meraviglioso!*, dann wandte er sich wieder seinen Gästen zu, sie ging durch die Schwingtüre des Biffi, wandte sich nach rechts, schnell durch das Gewühl in der Galleria, auf dem Platz vor der Scala bekam sie sofort eine Tram nach Stazione Centrale.

Fabio Crepaz, Spätnachmittag

Während Fabio noch übte, kam das Kind der Witwe herein, blieb, die Arme auf dem Rücken gekreuzt, an der Wand stehen und hörte zu. Es blickte ernst zu ihm auf, und Fabio warf ihm einen ernsten Blick zu; er lächelte nicht. Ihre Begegnungen verliefen immer ernsthaft, wie zwischen zwei Erwachsenen oder zwei Kindern; ein Kind, zu dem er sich als Erwachsener hätte verhalten müssen, wäre für Fabio bei den Violin-Exerzitien nicht zu ertragen gewesen. Übrigens kam die Kleine nicht, oder nicht in erster Linie seines Geigenspiels wegen zu ihm ins Zimmer. Sie hörte ihm zwar gerne zu, besonders wenn er klare, leichtverständliche Melodien spielte, aber was sie zum erstenmal und dann immer wieder in sein Zimmer gezogen hatte, war das Bild, eine kleine Abbildung von Giorgiones ›Sturm‹, die, ohne Rahmen, auf seinem Tisch stand, gegen die Wand gelehnt. Fabio hatte die Reproduktion in einem Bildergeschäft neben der Accademia gekauft, aber er besuchte auch in gewissen Zeitabständen die Galerie selbst, um sich das Original anzusehen. Er beobachtete, wie die kleine Serafina sich auch heute wieder, an der Wand entlang, lautlos zum Tisch hinschob und das Bild betrachtete. Sie hatte ein dreieckiges braunes Gesicht unter einem Wald von dichten braunen Haaren. Fabio wußte, daß Serafina am meisten von dem Akt des Stillens beeindruckt war, den die nackte Frau auf Giorgiones Bild an ihrem Säugling vollzog; Serafinas Mutter hatte ihm erzählt, daß die Kleine sie einmal gefragt hatte, warum sie nicht an ihrer Brust trinken dürfe. Aber heute fragte sie, als Fabio seinen Bogen abgesetzt hatte: »Ist der Mann da der Mann von der Frau?«

Fabio blickte auf das Bild und antwortete: »Wahrscheinlich.«

»Warum steht er dann nicht bei seiner Frau?« fragte das kleine Mädchen.

»Der Fluß ist zwischen ihnen«, sagte Fabio.

»Der Fluß ist gar kein Fluß, er ist nur ein kleiner Bach«, sagte Serafina, »der Mann könnte ganz leicht hinübergehen, zu der Frau und zu seinem kleinen Kind.«

»Siehst du nicht, daß er ein Mann ist, der zu seiner Arbeit geht?« fragte Fabio. »Er ist ziemlich sicher ein Fischer, er trägt eine lange Bootsstange.«

»Er soll nicht fortgehen, wenn gerade ein Gewitter ist«, sagte das kleine Mädchen. Es deutete auf den Blitz im Gewölk des Hintergrundes.

Fabio Crepaz blickte traurig auf die braunen Haare des Kindes, das nicht verstehen wollte, warum es keinen Vater hatte. Es war gerade so alt, daß es eben gelernt hatte, den Namen seines Vaters zu lesen; es las ihn, wenn es aus dem Hause trat, auf der großen Gedenktafel für die während des Krieges von der SS verschleppten und ermordeten venezianischen Juden; sie war an dem Haus angebracht, in dem Fabio bei Serafinas Mutter Wohnung genommen hatte, gegenüber der alten Synagoge. Fabio hatte dafür gesorgt, daß der Name seines Freundes Tullio Toledano dort eingetragen wurde, obgleich Tullio sogar zurückgekehrt war, heimgekehrt aus dem schalltoten Raum als ein Sterbender; fünf Jahre lang war er an einer Tuberkulose gestorben, die er sich in Maidanek geholt hatte. Für ihn, Fabio, hatte das Bild eine ganz andere Bedeutung als für die kleine Serafina. Für ihn war es die Darstellung der ewigen Trennung zwischen Mann und Frau. Auf dem einen Ufer saß die Frau, nackt und innig in ihren kleinen Fruchtbarkeits-Ritus verzaubert, hell beleuchtet, eine klare biologische Formel, während auf dem anderen Ufer der Mann stand, dunkel, schön, lässig, genießerisch, verliebt, er hatte ein Kind gezeugt, und das Glied spannte sich schon wieder im Lederbeutel der Tracht des Jahres 1500; jung und getrieben, geistig und rätselhaft, hatte er sich noch einmal umgewendet, aber das Wasser – »er könnte ganz leicht hinübergehen« – lag unüberschreitbar dunkel und tief zwischen ihm und der Mutter mit ihrem Kind, indes der Wolkenhimmel aller Jahrhunderte von einem großen Blitz durchzuckt wurde; er illuminierte eine Stadt, einen Fluß und Bäume, wie es sie im Veneto gab, im Hinterland von Mestre und Dona di Piave, Gegenden, in denen Fabio zu Hause war.

»Es gibt viele Frauen, die keine Männer haben«, sagte er zu Serafina. Wenn ich ein Kind hätte, dachte er, würde ich ihm nichts vormachen. Auch nicht, wenn ich etwas zu erklären hätte. »Weißt du«, sagte er, »die Menschen sterben zu verschiedenen Zeiten. Sie können nicht zusammenbleiben.«

Serafina hörte ihm offenbar gar nicht zu. Sie kratzte mit dem Fingernagel auf dem Kopf des Säuglings herum; ihre braunen Haare fielen ihr übers Gesicht, Fabio sah von ihr nur diese braunen Haare und ihr blaues Waschkleid.

»Ich wollte, ich hätte so einen kleinen Bruder«, sagte sie.

»Was würdest du denn mit ihm machen?«

»Ich würde mit ihm auf dem Campo spielen«, sagte Serafina.

»Da müßtest du aber gut aufpassen, daß er nicht in den Kanal fällt«, sagte Fabio. Er blickte über das Synagogendach hinweg, auf die vielstöckigen Häuser am Campo di Ghetto Nuovo. Wegen dieser Aussicht hatte er die Wohnung gemietet, einige Zeit, nachdem Tullio gestorben war, hatte er den Blick auf die hohen asymmetrischen Häuser mit ihren bleichen verwaschenen Fronten gern, das Ghetto war ein bleiches, stilles, fast totes Viertel in Venedig, der Todesengel war durch das Ghetto gegangen, durch die schwarzen Trödlergassen um Longhenas spanische Synagoge, über den weiten Campo, an dem die hohen, die ganz unvenezianischen Häuser standen, ein Dickicht von Wohnungen, das nun fast ausgeleert und stumm erschien. Fabio Crepaz lebte gern unter den zurückgebliebenen Juden von Venedig, in einem ihrer schweigsamen Häuser, in denen es männerlose Frauen und Männer ohne Frauen gab und nur wenige Kinder, Kinder, über die Giorgione ein Trauma von vaterloser Existenz, ein Netz der Sehnsucht nach Brüsten voller Milch und Fruchtbarkeit werfen konnte. Der Schauplatz der schrecklichsten Niederlage des Jahrhunderts war der richtige Platz für einen Mann der verlorenen Revolution; der Sturm – auch jener Sturm, den Giorgione gedämpft und tragisch über sein Bild spielen ließ – hatte ihn an einen Strand geworfen, der von den wenigen bewohnt wurde, die dem großen Morden entgangen waren.

Er legte das Instrument beiseite und spielte mit Serafina ein Würfelspiel, bis ihre Mutter kam und die Kleine zum Abendessen holte.

Franziska, Abend und Nacht

Der Zugschaffner kam durch den Waggon und rief: »Mestre! Mestre!« *Also doch noch ein Halt vor Venedig, Mestre, das ist doch die Fabrikvorstadt von Venedig auf dem Festland,* Franziska sah einen Bahnsteig voller Arbeiter, *Leute, die den Tag über in Venedig gearbeitet haben und jetzt nach Hause fahren, in Mestre umsteigen, nach Padua oder Treviso oder kleineren Orten, ob ich schon hier aussteige, was tue ich eigentlich dort drüben auf der Insel, auf der Insel habe ich wahrscheinlich gar keine Möglichkeiten, auf einer Insel komme ich nicht weiter, vom Festland aus komme ich weiter, das Festland bietet viel mehr Chancen, eine Insel, das ist etwas Abgeschlossenes, in Mestre gibt es sicherlich ein oder zwei billige Hotels,* aber da fuhr der Zug schon wieder an, klopfte präzis über die Weichen der Ausfahrtgeleise Mestre, die silbernen Tanks der Ölraffinerie des Montecatini-Konzerns waren von Flutlicht angestrahlt, *Herbert, Verhandlungen mit den Montecatini-Leuten,* grüner, gelber, weißer Rauch zwischen den Türmen, Pumpen und Pipelines, giftiges Gewölk, von Nacht eingerahmt, dann schwang der Rapido auf den Damm nach Venedig ein. Nach einer Weile blieb er stehen, er wartete, und Franziska sah die Stadt vor sich liegen, ein schwarzer Streifen, die Januar-Stadt, keiner der Türme angestrahlt, nur die Lichter der Hafenanlagen schimmerten, ein paar Umrisse waren kaum zu ahnen, auf der Straße liefen die Autos vorbei, *da bin ich das letztemal gefahren, voriges Frühjahr, mit Herbert,* sie war schon ein paarmal in Venedig gewesen, *zuerst mit der Touropa, 1952 glaub ich, später einmal allein, von Grado aus, kurz ehe ich Herbert heiratete, im Herbst 53, dann zweimal mit Herbert, sehr chic, im Bauer-Grünwald, auf Spesen, auf von Joachim bewilligten Spesen,* sie kannte Venedig ganz gut, *im vorigen Frühjahr ist es scheußlich gewesen, die Touristen auf dem Markusplatz, Kopf an Kopf, man konnte das Pflaster des Markusplatzes nicht sehen vor Touristen, wir sind nach den geschäftlichen Besprechungen schnell wieder abgereist. Herbert hat sich geärgert, er wollte noch ein paar Sachen besichtigen, aber ich wollte weg, wenn ich nicht dolmetschen mußte, lag ich im Bauer-Grünwald auf dem Bett und las Kriminalromane, ich wollte keine Touristin sein, keine von der Touropa oder Herbert geführte Touristin, ich ging Herbert auf die Nerven, und so reisten wir ab. Mag ich Venedig eigentlich?* Sie zuckte unwillkürlich mit den Achseln, während sie aus dem Fenster auf die dunkle Fläche starrte, die am Tage die Lagune war. *Nein, eigentlich nicht. Es gibt keine Bäume und kein Gras in Venedig. Nur Häuser, künstlerische Häuser und gewöhnliche Häuser. Die gewöhnlichen sind mir lieber. Und das Wasser hab ich gern, die Kanäle, selbst dort, wo sie voller Unrat sind und stinken. Und das offene Wasser, die Lagune. Dort, wo Venedig an die Lagune grenzt, mag ich es sehr gerne.*

Sie verließ den Waggon als letzte. Langsam ging sie den Bahnsteig entlang und durch die großen Türen der Eingangshalle. Sie las die Aufschriften an den Mützen der Hotelagenten, die sie ansprachen. *Royal Danieli, Gritti, Europa e Monaco, Bauer-Grünwald,* ohne zu antworten ging sie an ihnen vorbei und in das große, nach der Halle hin offene Bahnhofsrestaurant. Sie bestellte einen Espresso, und während sie wartete, spürte sie, daß sie Hunger hatte, und ließ sich ein Salami-Sandwich geben. An der Bar stehend, blickte sie in die Schalterhalle hinaus, in der die Glasauslage des Souvenirgeschäftes wie ein Kaleidoskop glühte. Sie bezahlte und ging zur Information, wo sie um ein Hotelverzeichnis bat. Ehe sie das Büro verließ, studierte sie die Liste der Hotels zweiter und dritter Klasse und dann verlangte sie noch einen Stadtplan, aber sie wußte schon, daß es zwecklos war, in Venedig eine Adresse nach dem Stadtplan zu suchen. Sie betrachtete die Tafel mit den Abfahrtszeiten der Züge und stellte fest, daß noch mehrere Züge nach Mailand fuhren. Die ganze Nacht durch fuhren Züge von Venedig nach Mailand. Es war nun beinahe neun Uhr. Um ihren Weggang aus der Bahnhofshalle noch ein wenig hinauszuschieben, betrachtete Franziska die Andenken-Schaufenster, die mit Gondeln in allen Preislagen, Gondoliere-Statuetten, unglaublich kitschigen Murano-Gläsern, Farbdrucken, Puppen von grauenerregender süßer Häßlichkeit, Seidentüchern, auf denen der Dogenpalast abgebildet war, und Bildern von der Taubenfütterung angefüllt waren, *es ist idiotisch gewesen, nach Venedig zu fahren, jeder andere Ort wäre richtiger gewesen als ausgerechnet dieses verkitschte Sightseeing-Zentrum, in dem es nichts gibt als Touristen und Nepp,* dann riß sie sich los und verließ den Bahnhof. Draußen, auf der großen Freitreppe, war es fast sogleich finster, sie mußte sich erst an die Dunkelheit gewöhnen, es war finster in einer leichten wässerigen Nebelluft. Außerdem war es kalt, feucht-kalt. Sie ging schnell zur Anlegestelle des Diretto, verlangte ein Billett nach San Marco, es kostete achtzig Lire, sie wechselte ihre letzte Hundert-Lire-Münze, *nun habe ich noch 60 Lire Kleingeld und 18 000 Lire in Scheinen.* Sie fröstelte leicht, in dem hölzernen Warteraum auf der Anlegebrücke sitzend, außer ihr war nur noch ein alter Mann da, der auf der Bank saß und vor sich hindämmerte, das erste Circolazione-Boot, das anlegte, fuhr in der entgegengesetzten Richtung, *ich bin mal die ganze Circolazione ausgefahren, durch den Hafenkanal, Giudecca, Zattere,* dann kam das richtige Boot, Richtung San Marco, und sie stieg ein. Das Boot schoß sofort in die Mitte des Canal Grande hinaus und unter der Brücke am Bahnhofsplatz hindurch. Hinter der Brücke löschte es seinen Bugscheinwerfer. *Es ist ja ganz dunkel hier.* Franziska hatte sich, obwohl sie fror, auf eine der offenen Bänke vorne gesetzt, sie saß ganz allein in der Dunkelheit, *der Canal Grande ist ja ganz dunkel, ich habe ihn noch nie bei Nacht gesehen, in der Nacht und im Winter, im Sommer strahlen sie ihn vielleicht an, aber im Winter ist er dunkel,* sie hörte nichts als das Rauschen der Bugwelle, und sie blickte auf die dunklen Paläste links und rechts, undeutliche Massen zwischen dem Schwarz des Wassers und dem undurchsichtigen nebeldurchschleierten sternlosen Blaugrau des Himmels. Es gab Lichthöhlen in den Palästen, einen Hausflur, der mit glühendrotem Samt ausgeschlagen war, ein paar matt erleuchtete Bögen in den Erdgeschossen, einmal sogar ein erleuchtetes Zimmer, ein Kristall-Lüster, der eine Frau beleuchtete, die sich zum

Hintergrund des Raumes hin bewegte, da und dort große Laternen, schwarzes Eisen, zu Dolchen geformt, mit eisengrauem Licht die Einmündung eines Rio bedeckend, aber sonst Dunkelheit, Einsamkeit, vielleicht Feindschaft, auf jeden Fall Schweigen. Franziska dachte voller Sehnsucht an die ungeheuren flutenden anonymen Massen von Mailand, in denen sie verschwunden war wie in einem gnadenlosen freundlichen Meer, einem Menschenmeer, das sie überspült hatte, so, wie das gelbgraue, aus Winter, Rauch und Nachmittag sich nebelgelb färbende Licht Dom, Galleria, den Scalaplatz und den Bahnhof überspülte und sich unter die Millionen mischte, in denen sie dahintrieb, als sie diesen Menschen verlassen hatte, den sie zu ihrem größten Erstaunen bereits zu vergessen begann, *obwohl ich vielleicht von ihm schwanger bin, aber ich hätte in Mailand bleiben sollen, das wäre das einfachste gewesen, untertauchen in Mailand, statt hier in diese stumme schwarze Stadt zu kommen, in diese ausgestorbene Stadt, eine Stadt ohne Massen, es gibt nur zwei Möglichkeiten zu leben, ganz allein oder unter den Massen.* Franziska hielt es vor Kälte nicht mehr aus, vorne, im offenen Bug des Bootes; als es Rialto anlief, begab sie sich in den Innenraum, in dem noch Plätze frei waren. Sie setzte sich auf die hinterste Bank, neben einen jungen Mann, der mit ernstem geschlossenem Gesicht ein Buch las, Franziska spähte hinein, auf den Seiten oben stand ›Mark Twain‹, er las einen Band Mark Twain in italienischer Übersetzung, tiefernst und angestrengt. Auf der rechten Seite eine junge Frau, Kleinbürgerin, rundlich, elegant, zwischen zwei Männern, die laut und witzig miteinander parlierten, der eine zog plötzlich ein Bündel ganz neuer Schecks aus der Tasche, um sie dem anderen zu zeigen, der sie ihm aus der Hand riß, Erstaunen mimte und sie dann in seine eigene Tasche schob, worauf der erste protestierte, Franziska konnte die leise Angst in seinen Augen sehen und die Erleichterung, als der andere die Schecks, ein wenig zerknittert, zurückgab, indes die junge Frau schwieg und lächelte, *eine, die gern Hörner aufsetzt, Scheckbesitzer mit Hörnern krönt, leise Angst in den Augen von Scheckbesitzern sofort spürt und sich entsprechend verhält, das Weibchen, ein glatter Scheck, der zerknittert zurückgegeben wird an den Käufer, den Käufer von Schecks, Weibchen und Angst.* Franziska verspürte kein Mitleid mit ihm, auch nicht viel Interesse, sie wandte den Blick von der Gruppe ab und dem jungen Mädchen zu, das vorne neben dem

Eingang stand, *eine junge Mondäne, aber noch nicht erstarrt, noch frisch, rothaarig wie ich, hellhäutig wie ich, wahrscheinlich Ausländerin wie ich, mit dem hellroten Lippenstift geschminkt, dem hellen Rot der Jungen, eine Beauté, die roten Haare windzerzaust, niemals kommen wir Roten mit unseren Haaren zurecht, ob sie auch einmal so durch die Dunkelheit fahren wird wie ich, achtzehntausend Lire in der Tasche und nichts vor sich, aber sie hat einen besseren Start als ich, sie ist schon mit Zwanzig mondän und hat mit Zwanzig elegantes, abgegriffenes Gepäck und einen Gepäckträger bei sich, verdammt, wenn ich jemals anfange, mich zu bedauern, ich habe es gewollt, ich habe mein schönes Gepäck stehenlassen und bin fortgegangen, fort von den Scheckbesitzern,* sie war zu müde, um weiter nachzudenken, um weiter zu beobachten, sie stieg, wie die meisten Passagiere, an der Haltestelle San Marco aus. Vor ihr ging das junge Mädchen, gefolgt von seinem Gepäckträger, es verschwand im ›Europa e Monaco‹, während Franziska weiterging, die schmale Calle entlang, die vom Steg aus in das Viertel hinter dem Markusplatz hinein führte. *Hier gibt es die meisten Hotels.* Aber sie fand zunächst keines. Sie verlor sich in dem Gassengewirr, kam an Restaurants vorbei, an Bars, an Läden, die schon geschlossen hatten, sie ging immer den am besten erleuchteten Häuserzeilen nach, sah einmal ein Albergo-Schild an einem dunklen schmutzigen Haus, der Hausflur war erleuchtet, eine Treppe führte innen hoch, *das ist bestimmt ein ganz billiges Hotel,* sie wußte, daß sie eigentlich hier fragen müßte, aber sie ging schaudernd weiter, *die Zimmer werden kalt sein, vielleicht finde ich noch etwas Besseres, das auch billig ist,* ein paar Minuten lang gingen zwei Matrosen hinter ihr her und pfiffen ihr zu, sehr junge Männer, fast noch Knaben, plötzlich waren sie wieder weg. *Gott sei Dank, ich hatte Angst,* Franziska bemerkte, daß auf allen Kinoplakaten den weiblichen Hauptdarstellerinnen das Papier zwischen den Schenkeln weggerissen worden war, schrecklich verletzt lächelten sie in das Neonlicht der nächtlichen Gassen, aber Franziska fand es verständlich, daß die Männer solche Bilder verletzten, es waren Bilder, die Männer zur Raserei treiben mußten. Dann endlich die Hotels. Das ›Malibran‹ war geschlossen. Das ›Cavaletto‹ sah zu teuer aus, obwohl es im Verzeichnis unter der 3. Kategorie stand, Marmor und mindestens drei Livrierte, die nichts zu tun hatten, Franziska ging schnell weiter. Sie fragte im ›Manin‹. Der Portier, ein freundlicher alter Mann, sagte, natürlich hätten sie in dieser Jahreszeit Zimmer frei, ein Einzelzimmer koste 1700 Lire, alles eingeschlossen. Er zuckte die Achseln, als Franziska sagte, sie wolle sich noch ein bißchen umsehen, er machte kein billigeres Angebot, *merkwürdig, diese einzelne deutsche Dame, die spät abends noch ankommt, eine Frau allein auf Zimmersuche, spät in Venedig, irgend etwas stimmte da nicht, der padrone würde mir Vorwürfe machen,* Franziska ging verlegen hinaus, *sie ist offenbar knapp bei Kasse, was will sie hier?, es geht mich nichts an, schade, sie ist sympathisch,* bedauernd sah er ihr nach. Franziska trat rasch aus dem Lichtkreis vor dem Hoteleingang, sie fror nun wirklich, heftig und anhaltend, und die Müdigkeit überfiel sie, es mußte spät sein, sie blickte auf ihre Armbanduhr, es war zehn Uhr vorbei, nicht sehr spät, aber zu spät für Venedig, die eisige, winterstarre Stadt, Franziska geriet in einen Durchgang, in dem es zog, und stand plötzlich auf der Piazza San Marco. *Vielleicht habe ich nie etwas Schöneres in einer Stadt gesehen, gerade jetzt, wo es mich nichts angeht, muß es mir passieren, daß ich in einer Januar-Nacht auf die Piazza San Marco gerate.* Sie muß sich einen Augenblick lang zwingen, nicht in Tränen auszubrechen. In jedem Bogen der Prokurazien hing eine Kugellampe, eine Kette von hundert runden Lampen an drei Seiten vom Campanile bis zum Torre dell'Orologio um den breiten, fast menschenleeren Marmorteppich des Platzes, der in der Mitte dunkel war und nach den Rändern zu heller wurde, inmitten des Platzes konnte man sich in der Nacht verbergen, während die gelben Lampen in den Prokurazien die silbern durchsichtige Nebelluft einer adriatischen Meeres- und Januar-Nacht zart zersprühten. *Es war falsch, hierher zu fahren, voller Menschen ist Venedig ein Museum, und ohne Menschen ist es unmenschlich.* Sie ging mutlos auf die Kirche zu, die dunkle orientalische Höhle und Woge, *seltsam, daß sie San Marco nicht beleuchten,* aber sie begriff, *man kann nicht gleichzeitig die Bühne und den Zuschauerraum beleuchten, sie müßten die Lampen in den Prokurazien löschen, wenn sie die Kirche anstrahlten, die alte glühende Ikone, so lassen sie das Geheimnis schlafen. Schlafen, schlafen,* aber der Anblick des Dogenpalastes riß sie noch einmal aus der Müdigkeit, der Wechsel von dem gelben symmetrischen Rechteck aus Lampenkreisen zu der großen tollen goldenen Fläche des Palastes, der seine Front wie einen Schiffsbug gegen die Nacht und das

Meer erhob. Kandelaber erleuchteten ihn, geschmiedete Leuchten mit Gläsern, die schwach violett gefärbt waren, rosaviolette Gläser glühten bei Nacht die gelben und roten Marmorziegel der Palastfassade in kaltes, fast weißes Gold um, in eine Tafel aus glühendem eisigem Stolz, *dieses Licht haben raffinierte Leute angezündet, Leute, die beinahe alles wissen, raffinierte wissende kalte Leute*, aber merkwürdigerweise empfand sie bei diesem Gedanken zum erstenmal, seitdem sie sich in Venedig befand, ein vages Gefühl von Hoffnung. Es zerging schnell.

Sie fand ein Hotel, als sie, fast schon mutlos, die Riva Schiavoni entlang ging, ein altes Haus, dort, wo der Kai schäbig wurde. Das Zimmer kostete immerhin noch 1200 Lire, tutto compreso, aber es war geheizt. »Mein Gepäck ist noch am Bahnhof«, sagte Franziska, und sie war erleichtert, als ihr der Portier nicht das Angebot machte, es heute noch holen zu lassen. Im Gegensatz zu dem Portier des ›Manin‹ sprach er nur italienisch, er war auch nicht alt und freundlich, sondern von unbestimmtem Alter, vielleicht 35, groß, träge beobachtende Augen, neutrale Augen. Franziska war froh, daß er ihr einfach den Schlüssel gab und »erster Stock« sagte. Sie las die Nummer am Schlüssel: 17, und ging hinauf. Das Zimmer lag im Mezzanin, es ging auf den Kai hinaus, das Fenster befand sich höchstens drei Meter über der Straße, *es ist fast so, als wohnte man auf der Straße*, Franziska schloß eilig die grauen brüchigen Fensterläden und die Vorhänge. Die Heizung war kalt, aber sie begann sich zu erwärmen, als Franziska den Hebel bewegt hatte. Das Zimmer roch dumpf nach seiner alten Tapete und nach Staub, aber es war warm und es besaß sogar eine Nachttischlampe. *Hier kann ich abends im Bett lesen.* Franziska ging einen langen, gleichfalls von abgestandener Luft erfüllten Korridor entlang zur Toilette und wieder zurück. Ehe sie einschlief, hörte sie noch ein paar Minuten lang die Schritte und Stimmen einiger später Passanten von draußen; wie Korkstücke trieben die Geräusche der letzten Vaporetti-Passagiere auf der Brandung des Schlafs an das Ufer ihres Gehörs.

silbern, schwarz, kalt, die papierschnitzel, die frühe, aus dem haus treten, dunkel, habe ich die pfeife, den tabak, die streichhölzer, der rinnstein, naß feucht, schwarz, dunkel, nur silber, ost, alles kalt in mir, olio sasso, grün, zerfetzt, schlaflose nacht wenn ich schlafen könnte würde ich wenigstens träume sehen so sehe ich nichts, die straße, silbern, schwarz lautlos montecatini-sirene jetzt stehen sie auf ich gehe schon, blaues spaghetti-papier schmutzig im rinnstein, morgen muß ich mich rasieren wenn die aale in den reusen sind kann ich mich morgen rasieren, die lautlosigkeit nach der montecatini-sirene, nur meine schritte, schlüssel, ich friere, kalt, es wird schön heute, schön und kalt, noch keine bar auf, die milchkaffeeflasche, die flasche, in der joppe, zu dünn, kälte, wenigstens der schal, marta, die kälte, marta hat ihn gestrickt, rosa hat die wolle, paludi della rosa, die reusen kalt die aale milchkaffee bleibt nicht warm dunkel die schritte.

Samstag

Inventur mit kleinen Löwen – Grausiges Erlebnis eines venezianischen Ofensetzers – Vorauszahlung gewünscht – Brahms und die beiden Schwestern – Fünf-Uhr-Tee mit dem smarten Set – Paludi della Rosa

Der Hotelstaubsauger fraß sich den Korridor entlang, Franziska erwachte, *Bestandsaufnahme*, sie war sofort gänzlich wach, *jetzt einmal alles genau überlegen, Bestandsaufnahme, ich bin nicht mehr müde, jetzt wird es ernst*, sie blickte auf das Leuchtblatt ihrer Armbanduhr, *neun Uhr zehn Minuten*, sie stand auf, streifte ihren Mantel über, öffnete vorsichtig, damit sie von den Leuten auf dem Kai nicht gesehen werden konnte, *Mezzanin, ein indiskretes Zimmer*, nur die Arme zwischen den Vorhängen hinausstreckend, die Fensterläden, ließ das Fenster einen Spalt offen, verbarg sich zur Seite, als sie die Vorhänge und die Stores zurückzog, und schlüpfte wieder ins Bett. Das Bett stand so, daß sie von der Riva aus nicht gesehen werden konnte, *zu dumm, daß ich keinen Pyjama und keinen Morgenrock bei mir habe, wenn ich ans Fenster oder zur Toilette will, muß ich mich erst vollständig anziehen*, sie zog die Bettdecke bis ans Kinn, aber sie genoß die kühle Luft, die ins Zimmer kam. Das Wetter war frisch, dabei anscheinend ohne Wind, keine Sonne, es herrschte wie gestern eine kühle Luft wie aus Watte, man konnte nicht von Nebel sprechen, denn die Sicht war ziemlich klar, sie sah San Giorgio schattenlos, blaugrau, aber deutlich draußen liegen, die Masten des Segelschulschiffs, das immer neben San Giorgio lag, zeichneten ihr Rahenwerk sauber in die helle, diesige Luft. Franziska fühlte sich ausgeschlafen.

Inventur also. Erstens Handtasche: Geld im Seitentäschchen, Lippenstift, kein Parfüm, aber eine noch halbgefüllte, ganz kleine Flasche Lavendel, Migräne-Tabletten, Kamm, ein noch nicht gebrauchtes Taschentuch, Puderdose, zwei Schlüssel, einen für die Dortmunder Wohnung, einen für den kleinen Schreibschrank, Herbert wird ihn nun öffnen und Joachims alte Briefe finden, na wenn schon, es wird ein kleiner Triumph für ihn sein, aus Joachims Antworten zu erfahren, daß ich Joachim geliebt habe und nicht wiedergeliebt, sondern nur beherrscht worden bin, so sagt man doch, ach, wie ist alles, was man sagt, kitschig, ich habe zu lange mit Männern zusammengelebt, bei denen alles, was nicht mit ihrer Arbeit zu tun hat, zu Kitsch geworden ist, alles, was sie nicht scharf zu durchdenken brauchen, weil es nicht mit Geld zu tun hat, lassen sie im Zustand kitschiger Illusion, eine Frau ist ihnen etwas zum Ausruhen oder zur Repräsentation oder zur

Perversion, besonders zur Perversion, wie bei Joachim und Herbert, aber weiter, wo war ich, ach ja, bei den Schlüsseln, ein Taschenspiegel, eine Ecke angebrochen, eine halbe Tafel Milchschokolade, ein silberner Drehbleistift, ein kleines Notizbuch mit Adressen, ich kann es nun wegwerfen, ist das alles?, ja, das war also die Handtasche. Nicht einmal ein Stück Seife habe ich bei mir, ich hätte nicht so aus dem Biffi weglaufen sollen, es wäre besser gewesen, alles ein bißchen zu überlegen, einen kleinen Koffer mit Kleidern und dem Notwendigsten vorzubereiten, ein paar Bücher hätte ich gern mitgenommen und mein Parfüm. Was sage ich nur, wenn sie mich heute im Hotel nach meinem Gepäck fragen?

Ein hellblau gestrichenes Frachtschiff, Venedig verlassend, schob sich am Fensterausschnitt vorbei. Das freundliche Hellblau mischte dem diesigen Tag plötzlich einen Eindruck von Sonne bei. Als das Schiff bis zum Heck sichtbar war, erkannte Franziska die dänische Flagge und den Namen ›Pernille Maersk‹. *In Dänemark würde ich sofort Arbeit finden, hochbezahlte, im Haushalt. Auch in Schweden. Oder in England. Italien ist ein schlechtes Land für Arbeitssuche. Italiener finden in Deutschland Arbeit, aber bekommt eine Deutsche in Italien eine Stellung? Ich hätte in Dortmund Schluß machen sollen. Aber es ist nun mal in Italien passiert, gestern nachmittag im Biffi in der Galleria zu Mailand, ich kann es nicht ändern.*

Die ›Pernille Maersk‹ verschwand. *Zweitens Kleider: mein grauer Kostüm-Rock, Bleistiftlinie, weite Röcke stehen mir nicht so gut wie enge, die Kostümjacke hängt im Hotel in Mailand, statt dessen hatte ich gestern mein türkisfarbenes Twinset angezogen, Pullover und Jacke, dünne Wolle, die Farbe steht sehr gut zu meinen dunkelroten Haaren und zu meinem Teint, dem Teint einer Rothaarigen. Mit dem grauen Rock und dem Twinset und dem Kamelhaar-Mantel bin ich für fast alle Gelegenheiten korrekt angezogen. Damit kann ich eine Weile überall hingehen. Aber ich brauche Wäsche. Strümpfe. Ich habe nichts zum Wechseln.* Eine Weile dachte sie mit wütendem Verlangen an ihren Dortmunder Kleiderschrank. Sie faßte den Entschluß, sich ihre Kleider, ihre Wäsche nachschicken zu lassen, *wenn alles vorbei ist, wenn ich es geschafft habe.* Sie war sich darüber im klaren, was die Worte ›vorbei‹ und ›geschafft‹ meinten. *Ich werde meine Kleider, meine Bücher fordern, wenn ich es geschafft haben werde, allein zu leben. Es muß schnell gehen, ich habe kaum noch Geld. Hab ich was vergessen? Meine Schuhe, flache graue Slipper, sie passen zum Rock. Kein Hut.* Franziska trug niemals Hüte.

Schluß der Inventur. Das Geldproblem. Achtzehntausend und etliche Lire. Frühstücken, in irgendeiner Bar, ist in Italien billig: ein Cappuccino und zwei Hörnchen kosten höchstens zweihundert Lire. Eine Mahlzeit im Tage genügt, ich esse im Hotelzimmer: Brot, Butter, Wurst oder Käse, eine Orange, das kaufe ich ein, dazu lasse ich mir Tee aus dem Hotel-Restaurant kommen, das alles wird vielleicht vierhundert Lire kosten, also Essen pro Tag sechhundert Lire. Ich muß mir ein Messer kaufen, ein Stück Seife, einen Slip, ein Paar Strümpfe, zusammen fünfzehnhundert Lire. Das Hotel zwölfhundert Lire am Tag, tutto compreso. Die allernötigsten Vaporetto-Fahrten. Ich brauche was zum Lesen, und die Zeitungen, für die Stellensuche. Vielleicht muß ich eine Anzeige aufgeben. Sie rechnete scharf und kam zu dem Ergebnis, daß sie eine Frist von fünf, höchstens sechs Tagen hatte. Dann fiel ihr der Ring ein. Sie betrachtete ihn, einen breiten Goldreif, in dem drei kleine Brillanten eingelassen waren, ein Geschenk von Herbert, statt eines Eherings, Franziska gefiel der Ring, *Herbert hat Geschmack, das muß man ihm lassen,* der Ring war mindestens siebenhundert Mark wert, er würde die Frist verlängern, wenn die fünf Tage nicht genügten. Er war ein winziger falscher Trost, eine Täuschung aus Gold und Spektralfarben, ein Juwel und also eine Illusion, wie Venedig selbst.

Sie erhob sich widerwillig und begann sich anzuziehen. Sie wäre gern liegengeblieben, *aber es hat keinen Sinn, liegenzubleiben, damit zu beginnen, die Tage in einem Hotelzimmer zu verdämmern, weil ich Angst habe vor draußen, vor aussichtslosen Gängen, vor ziellosem Herumirren, vor der Einsamkeit, vor Venedig.* Als sie Rock und Pullover anhatte, ging sie zum Fenster, zog die Stores vor und blickte durch sie hindurch auf die breite Riva degli Schiavoni hinab, auf die Köpfe der vielen Menschen, die sich oft dicht unter ihr bewegten, auf kleine Schwärme von Menschen, die von den Dampferanlegestellen kamen oder zu ihnen hingingen, es schien ein wenig zu regnen, denn Franziska sah aufgespannte Schirme, schwarze und farbige Schirme, die farbigen warfen ihr Rot oder Blau auf die Gesichter der Frauen, die sie trugen. Zwei Mädchen, die eingehakt gingen, hatten weite rote Mäntel an. Ein junger, hübscher Priester in langer Soutane, ohne

Kopfbedeckung, mit einer Kollegmappe unter dem Arm, ging sehr eilig vorbei. Die meisten Leute waren gut und unauffällig gekleidet, sie bewegten sich leise und diskret in der Watte-Luft, *Venedig ist eine nordische Stadt,* die schwarzen Sägeschnäbel der Gondeln schwappten auf und ab, den Kai entlang, hinter Santa Maria della Salute kam, von drei Schleppern gezogen, ein prachtvoller weißer Passagierdampfer zum Vorschein, die ›Ausonia‹, wie sich herausstellte, Franziska erinnerte sich an Inserate in deutschen Zeitungen, *›mit der Ausonia von Venedig nach Griechenland und Ägypten‹, ich muß bei den Schiffahrtslinien fragen, ob sie eine viersprachige Dolmetscherin gebrauchen können, natürlich habe ich meine Diplome nicht bei mir, idiotisch von mir, so wegzulaufen,* die ›Ausonia‹ glitt vorbei, über San Giorgio erschien ein großer viermotoriger Bomber, senkte sich herab und verschwand hinter den Dächern der Giudecca.

Franziska wandte sich seufzend vom Fenster ab und wusch sich, ohne Seife, indem sie kaltes Wasser über ihr Gesicht laufen ließ. *Zahnbürste und Paste fehlen mir auch,* sie addierte diese Dinge noch im Geiste zu ihrer Einkaufsliste, während sie sich abtrocknete, dann etwas Puder auflegte und ihre Lippen vorsichtig schminkte, dann zog sie sich fertig an und ging hinunter. Als sie den Schlüssel abgab, stellte der Portier keine Frage, es war nicht der gleiche Portier wie gestern abend, sie hatten sich abgelöst, und der Tagportier, ein alter Mann wie der gestern nacht im ›Manin‹, wußte wohl nicht, daß sie ohne Gepäck gekommen war. Franziska ging erleichtert hinaus.

Sie ging die Riva entlang, über die beiden Brücken zur Piazzetta und an der Fassade von San Marco entlang. Vor der Kirche standen, selbst an diesem kalten Januartag, Menschen in Gruppen, allerdings überwiegend Einheimische, schwarzgekleidete Venezianer, von den hellbraunen Tauben in Scharen umraschelt und manchmal umschwirrt. Franziska hatte eine Abneigung gegen die Tauben von San Marco, sie mochte das harte Knistern der Taubenflügel nicht, ihr Knirschen, wenn sie zum Flug ansetzten, sie ging hastig vorbei und betrat die kleine Bar unter der Torre dell'Orologio. Drinnen war es warm, es roch nach Kaffee und nach dem Dampf aus der Espresso-Maschine, die großen Scheiben waren beschlagen. Franziska spürte plötzlich, wie hungrig sie war, seit gestern mittag hatte sie nichts gegessen als das Sandwich, abends, als sie angekommen war in Venedig, sie löste bei der Kassiererin die Bons für zwei Hörnchen und einen Cappuccino, sie aß zuerst die noch warmen knusprigen Hörnchen, und dann stellte sie sich an eine der großen Fensterscheiben und trank langsam den heißen schaumigen Milchkaffee. Sie wischte mit dem Handschuh eine klare Fläche in den silbrigen Beschlag des Fensters und blickte zu den beiden kleinen Löwen hinaus, die auf dem Platz zwischen der Bar und der Kirche standen. Die beiden Marmor-Löwen waren komisch und tapsig, Franziska liebte sie, niemals konnte sie sich satt sehen an ihnen, wenn sie in Venedig war. *Kleine Löwen sind sicherlich die wunderbarsten Spieltiere auf der Welt. Vielleicht bekomme ich jetzt ein Baby?* Der Gedanke löschte die Wärme der Bar aus, die Erinnerung an den heißen guten Kaffee, an die Sättigung, er machte ihre Gedanken so stumpf wie ihren Blick, der in dem sanften verwesenden Braun der Mauern von San Marco kein Echo fand. *Jetzt vielleicht irgendeine Arbeit finden und dann schwanger werden, in einem fremden Land. Allein sein und einen dicken Bauch bekommen unter Fremden.* Ihr vor Schrecken geweiteter Blick kehrte zu den kleinen Löwen zurück, zu den komischen tapsigen Spieltieren, an denen er sich festhielt, bis Franziska entdeckte, daß es grotesk verkleinerte Ungeheuer waren, böse rote Dämonen, blutige Embryos aus dem Bauch der Kathedrale. *Alles, nur nicht schwanger werden.* Entsetzt wandte sie sich ab und stellte das leere Cappuccino-Glas auf die Theke, vor die Espresso-Maschine, die in diesem Augenblick von einer Säule aus Wasserdampf neblig umzischt wurde.

Fabio Crepaz, Vormittag

Gestern abend war es spät geworden; nach einer ›Norma‹-Aufführung, einer der letzten in der Serie, war Fabio Crepaz zu Ugo gegangen, um noch ein Glas Wein zu trinken, aber wegen Rossis Geschichte war er länger geblieben, als er es eigentlich gewollt hatte. Wenn man zu spät ins Bett gekommen ist und eine solche Geschichte gehört hat, schläft man nicht tief genug, dachte er, während er in einem abgenutzten Café voller Fischhändler und Marktarbeiter an der Strada Nuova seinen Espresso entgegennahm. Er hatte gefröstelt in der kalten Nachtluft, nachdem er ausgegangen war, in der Absicht, Giulietta zu besuchen, in dem Café herrschte die Wärme von halbfeuchten Mänteln und Joppen, in denen auch Dunst von Fischen hing. Der heutige Vormittag war probenfrei. Fabio Crepaz hatte, wie die meisten Nachtarbeiter, die Angewohnheit, nicht zu frühstücken, sondern erst am späten Vormittag, fast schon um die Mittagsstunde, eine Tasse schwarzen Kaffees zu trinken. Er riß das Papiertütchen auf, das auf der Untertasse lag, und schüttete den Zucker in seinen Kaffee.

Übrigens hatte auch Ugo ihn aufgehalten, gestern abend. »Der Professor möchte dich noch einmal sprechen«, hatte er Fabio mitgeteilt, und er war dringlich geworden, als Fabio geantwortet hatte, es sei sinnlos. Es gab wenige Abende, die Fabio nicht, wenn er aus dem ›Fenice‹ kam, bei Ugo verbrachte, vor dem hohen Bartisch stehend, oft allein, nur hin und wieder ein Wort mit Ugo wechselnd, oder oft auch im Gespräch mit Freunden, Leuten seines Alters, die sich stillschweigend darauf geeinigt hatten, die Bar am Campo Morosini zu besuchen, weil sie Ugo gehörte, obwohl sie ein Lokal war, das gar nichts besonders Anziehendes hatte mit ihrem Fußboden aus kalten grauen Fliesen und ihrem billigen, unpersönlichen Mobiliar, Stühlen und Tischen aus verchromtem, schon abgewetztem Blech, ein paar halbblinden Spiegeln und den beschädigten Strega- und Campari-Plakaten an den Wänden; trotz Fabios Protest hatte Ugo sogar einen Tisch mit einem Fußballspiel-Automaten aufstellen lassen, an dem manchmal die Halbwüchsigen lärmten.

Fabio hatte keine Lust gehabt, sich mit Ugo über Professor Bertaldis Wunsch nach einer Ausrede zu unterhalten, Bertaldi spielte noch politisch mit, während er, Fabio, nicht mehr mitspielte, sie hatten beide ungefähr die gleiche politische Einstellung, nur daß Bertaldi noch mitspielte und Fabio nicht mehr. Es war unnütz, daß der Professor und Ugo immer wieder davon anfangen wollten. Mit Ugo darüber zu sprechen war völlig zwecklos, denn Ugo war ja sogar noch in der Partei geblieben, wenn er sich auch ziemlich gleichgültig verhielt, aber aus alter Anhänglichkeit hatte er sich nie entschließen können, mit der Partei Schluß zu machen, womit er Fabios und des Professors Beispiel gefolgt wäre. Ugo war treu. Da er einen riesigen Körper besaß, leuchtete seine weiße Kellnerschürze wie eine Fahne, die er im Auf und Ab des Gläserwaschens schwenkte, während er seine Augen lampiongroß, schwarz und vorwurfsvoll auf Fabio gerichtet hielt. Was für einen weiten Weg hat Ugo zurückgelegt, dachte Fabio manchmal, wenn er die Schürze erblickte und sich daran erinnerte, wie er mit Ugo zusammen in den Feldstellungen bei Brunete oder auf der Sierra Guadarrama gelegen hatte. Zum Glück hatte Rossi gestern die Debatte unterbrochen. Fabio trank den Espresso aus und stellte die Tasse auf die Theke zurück, ehe er nach der Schachtel mit den Zigaretten griff. Mit Widerwillen blickte er auf den kalten weißen Dunst draußen, auf der Strada Nuova. Er konnte sich noch nicht entschließen, hinauszugehen, obwohl er große Lust hatte, Giulietta zu besuchen.

Grausiges Erlebnis eines venezianischen Ofensetzers

Giuseppe Rossi, der Ofensetzer und Kaminspezialist, war hereingekommen, gestern abend, in Ugos Bar, und hatte einen Grappa bestellt. Alle, die zu Ugos Bar gehörten, mochten Giuseppe gern, obwohl er etwas unheimlich aussah, mit seinem bleichen, mageren Gesicht und den schwarzen Rissen darin. Giuseppe hatte keine Falten im Gesicht, sondern Risse. Er sah aus wie einer, der viel mit Eisen arbeitet, vor allem aber sah er aus wie das Innere eines Kamins, wie eine dieser Höhlen, die bleich und verwischt sind und in deren Spalten und Mauerfugen sich der Ruß absetzt. Giuseppe kannte viele von diesen geheimen Gängen in Venedigs Häusern.

»Seit wann trinkst du denn Schnaps?« hatte Ugo ihn gefragt. »Kenn ich ja gar nicht an dir!«

Alle sahen, wie Giuseppe sich schüttelte, nachdem er einen Schluck von dem Grappa getrunken hatte.

»Mein ganzes Abendessen hab ich heute wieder ausgekotzt«, sagte er.

»Geh zum Doktor!« hatte Fabio gemeint, »wenn du was am Magen hast.« Man kann es Giuseppe Rossi nicht ansehen, ob er krank ist, hatte er überlegt; er sieht so bleich aus wie immer.

»Ich war für heute nachmittag zu den Salesianern in Sant' Alvise bestellt«, sagte Giuseppe, anstatt Fabios Aufforderung zu beantworten.

»Hat das was mit deinem Unwohlsein zu tun?« fragte Ugo.

»An der Pforte erwartete mich einer, der war so groß wie du«, sagte Giuseppe, zu Ugo gewendet. »Aber er sah ganz anders aus. Er sah aus wie der liebe Gott persönlich.«

»Einen lieben Gott gibt's nicht«, sagte Ugo gekränkt und beinahe wütend. Seine weiße Goliathschürze bewegte sich heftig, aber seine Pranken spülten die Gläser so zart wie immer. »Den hat's noch nie gegeben. Und wenn's ihn gibt, dann möchte ich nicht so aussehen wie der.«

»Nachher hab ich gemerkt, daß er der Prior ist«, erzählte Giuseppe. »Er führte mich ins Refektorium und sagte mir, der Kamin zöge seit ein paar Wochen nicht mehr richtig, der Rauch drücke in den Saal. Als wir im Refektorium standen, kam der Kater herein«, fügte er hinzu.

»Ein Kater?« fragte Fabio verwundert, weil Giuseppe Rossi eine so alltägliche Sache so betont vorbrachte.

»Ein gelbes Riesenvieh«, antwortete Giuseppe. »Ich kann diese gelbe Sorte Katzen nicht leiden.«

»Weil sie keine Weiber haben, die Schwarzen, haben sie Katzen«, sagte Ugo.

»Er strich erst um den Prior herum. Die Salesianer tragen diese glatten schwarzen Kutten. Es sind eigentlich keine Kutten, es sind Soutanen.« Nachdenklich sagte er: »Die Salesianer sind sehr gelehrte Patres. Der Prior sah aus wie ein sehr gelehrter Herr.«

»Ich denke, er sah aus wie der liebe Gott, den es gar nicht gibt?« warf Ugo spöttisch dazwischen.

»Ja, wie der liebe Gott und wie ein sehr gelehrter Herr. Er sah nicht aus wie ...« Fabio bemerkte, daß Giuseppe einen Moment zögerte, »... wie Petrus.«

»Aha«, sagte Ugo, »und davon ist dir also schlecht geworden?«

»Aber nein«, sagte Giuseppe. »Kannst du nicht warten?« Er war mit seinen Gedanken so sehr bei seiner Geschichte, daß er die Verachtung in Ugos Stimme überhaupt nicht bemerkte. »Der Kater«, berichtete er, »strich einmal mit seinem ekelhaften Gelb um die Soutane des Priors herum, und dann stellte er sich vor den Kamin und schrie mit seiner widerwärtigen Stimme den Kamin an. Natürlich habe ich zu diesem Zeitpunkt gar nicht darauf geachtet, es fiel mir erst nachher auf. Ich sah mir den Kamin an, es war kein richtiger, ganz offener Kamin mehr, sondern sie hatten einen dieser eisernen Ventilationskästen eingebaut und ihn nach oben dicht gemacht, bis auf eine Klappe über dem Feuerrost, der Kamin mußte also ziehen. Ich fragte den Prior, wie lange sie den Kasten schon drin hätten, und er sagte ›Drei Jahre‹, und da sagte ich, dann wären wahrscheinlich nur die Rohre und die Öffnung, die durch die Mauer nach außen führte, hinter dem Kasten verschmutzt. Er sagte, das habe er sich auch gedacht. Ich fragte ihn, was hinter der Mauer sei, und er antwortete ›Der Rione‹, und die Öffnung sei mindestens drei Meter über dem Wasser in der Wand, man käme von außen nicht dran. Ich sagte, wenn das so sei, dann müsse ich den ganzen Kasten herausnehmen. Ich solle nur das machen, was ich für richtig halte, sagte er, aber ich solle mich beeilen, sie könnten kaum noch essen im Refektorium vor Qualm. Und während der ganzen Zeit, in der wir uns unterhielten, schrie das gelbe Vieh von Zeit zu Zeit vor dem Kamin herum. Wenn nicht dieser vornehme Pater Prior dabeigewesen wäre, hätte ich ihm einen Tritt gegeben.«

Alle, die gerade in Ugos Bar waren, hörten jetzt Giuseppe zu. Der Ofensetzer trank den Grappa aus und schüttelte sich wieder. Ohne ein Wort zu sagen, schob Ugo ihm ein Glas Rotwein hin.

»Ich untersuchte den Kasten. Bei solchen Kästen sollte nur die Basis mit dem Feuerrost einzementiert sein, und der Kasten soll daraufgesetzt und gut eingepaßt werden, so daß man ihn jederzeit abnehmen kann. Aber die meisten machen es falsch und schmieren auch um die untere Fuge des Kastens Zement. Stümper!« Er schwieg einen Augenblick erbittert, ehe er fortfuhr: »Ich fing also an, den Zementkranz unten wegzuschlagen. Der Prior war hinausgegangen, aber ein paar Mönche waren hereingekommen und sahen mir bei der Arbeit zu, weshalb ich den Kater nicht hinausjagen konnte, der sich ein paarmal wie ein Verrückter benahm und den glatten Eisenkasten hinauf wollte. Er war so groß wie ein Hund ...«

»... und so fett wie ein Schwein«, unterbrach ihn Ugo. »Er war sicher so fett wie alle diese fetten, kastrierten Kloster-Kater.«

»Nein«, sagte Giuseppe, »er war überhaupt nicht fett. Er war auch bestimmt nicht kastriert. Alles an ihm war Muskeln, und er war so groß wie ein mittlerer Hund, und auf einmal bekam ich Angst vor ihm. Ich mußte ihn auf einmal ansehen, und als ich sein Gesicht sah und seine Muskeln, da sah ich, daß ich ihn nicht hätte verjagen können. In diesem Augenblick bemerkte ich, daß wieder der Pater Prior neben mir stand, obwohl ich nur seine Füße sehen konnte, denn ich kniete unter dem Kamin-Balken, und ich hörte, wie er sagte: ›Was hat das Tier nur?‹ ›Vielleicht wittert es Mäuse‹, hörte ich einen von den Mönchen sagen. Ich mußte grinsen, da unten, in meinem Kamin, und ich wollte schon etwas sagen, aber der Prior nahm es mir ab. ›Unsinn‹, sagte er, ›wenn eine Katze Mäuse wittert, verhält sie sich ganz still.‹ Ich dachte das ist nicht nur ein gelehrter Herr, sondern ein Mann, der wirklich etwas weiß. Man kann sehr gelehrt sein und doch nicht wissen, wie eine Katze sich benimmt, wenn sie ein Mäuseloch findet.«

»Mach weiter!« sagte Ugo. »Wir wissen schon, daß er der liebe Gott persönlich war.«

»Ich hatte den Zementkranz bald losgeschlagen und richtete mich auf, um den Kasten herauszuheben, aber das war gar nicht so einfach, er war schwer und das Eisen war eingerostet und ich brauchte eine ganze Weile, bis ich ihn richtig gelockert hatte. Während der ganzen Zeit stand dieses gelbe Vieh neben mir, ich sage, es stand, es saß nicht, wie eine normale Katze, die auf etwas wartet, sondern es stand auf gestreckten Beinen, und ich sah, daß es die Krallen herausgestreckt hatte. Ich bat einen der Mönche, mir zu helfen, den Kasten wegzurücken, und während wir ihn anfaßten und begannen, ihn zur Seite zu schieben, mußte ich nun doch dem Kater einen Tritt geben, weil er nicht von meinen Füßen wegging. Er flog ein paar Meter in den Saal hinein, richtete sich fauchend wieder auf und sah mich an, als wolle er sich auf mich stürzen.« Giuseppe Rossi unterbrach sich. »Ich glaube, ich sollte doch nicht weitererzählen«, sagte er. »Es ist zu unappetitlich.«

»Wir sind hier alle sehr zart besaitet«, sagte Ugo und blickte auf die Männer, die vor dem Bar-Tisch standen. »Und vor allem haben wir es sehr gern, wenn einer mitten in einer Geschichte aufhört.«

»Nun bring schon die Leiche hinter deinem Kamin heraus!« sagte Fabio. »Wir sind darauf gefaßt.«

»Keine Leiche«, sagte Giuseppe. »Wir hatten also gerade den Kasten weggerückt, der Mönch und ich, da sah ich schon, daß die Luftöffnung nach draußen ganz verstopft war. Der Kamin konnte nicht mehr ziehen, so verstopft war sie. Mit Stroh und allerhand Dreck. Und ich merkte, daß sich etwas darin bewegte. Zuerst konnte ich nichts erkennen, weil der Luftschacht ganz dunkel war von all dem Zeug, das sich darin befand, aber dann sah ich etwas Spitzes, Helles, das sich bewegte. Eine Rattenschnauze.« Er griff nach dem Weinglas, aber er trank nicht daraus, sondern setzte es nach einer Weile wieder auf die Zinkplatte des Tisches.

»Ich zog mich ein wenig zurück«, fuhr er fort, »und war gerade dabei, dem Prior zu sagen, was ich bemerkt hatte, als der Kater auch schon heran war. Er schoß wie eine Kugel auf die jetzt freigelegte hintere Wand des Kamins zu, und ich dachte, er wäre mit einem Satz im Luftschacht drin, aber statt dessen bremste er ganz plötzlich ab und duckte sich unter dem Loch auf den Boden, er lag mit dem Bauch auf dem Boden, hatte seine Vorderpfoten ausgestreckt und den Kopf nach oben gerichtet, während sein Schwanz gerade von ihm abstand. Er war völlig unbeweglich, und ich glaube, die Mönche und der Prior und ich, wir alle waren genauso erstarrt, denn im Eingang des Schachts war eine Ratte erschienen . . . eine Ratte, sage ich . . .«

Der Ofensetzer starrte auf die Wand hinter Ugo, und Fabio hätte sich nicht gewundert, wenn in seinen Pupillen das Doppelbildnis der Ratte, die er gesehen hatte, erschienen wäre.

»In meinem Beruf hat man häufig mit Ratten zu tun«, sagte Giuseppe. »In meinem Beruf und in einer Stadt wie der unseren. Aber ihr dürft mir glauben, wenn ich sage, daß ich so ein Trumm von einer Ratte noch nie gesehen habe. Sie stand da oben, im Eingang ihres Lochs, und sie füllte das Loch völlig aus. Wie sie jemals hinter dem Ofen herausgekommen ist – denn sie muß ja nachts herausgekommen sein–, ist mir völlig schleierhaft. Na, jedenfalls sie stand da oben, ihr Fell war nicht grau, sondern weiß, ein schmutziges, scheußliches Weiß, und der gelbe Kater stand unter ihr und stieß ein Knurren aus. Aber während ich nicht den Kopf wegdrehen konnte, sagte der Pater Prior zu einem der Mönche: ›Pater Bruno, holen Sie eine Schaufel!‹ Und er fügte hinzu: ›Schließen Sie die Türe, wenn Sie hinausgehen, und wenn Sie wieder hereinkommen!‹ Ich muß schon sagen, der Mann hatte die Ruhe weg.

Dann ging alles sehr schnell, und ich kann euch sagen, die schwarzen Soutanen der Mönche tanzten nur so an den weißen Wänden des Refektoriums entlang, als die Ratte herunterkam. Ich bin auch gesprungen, und nur der Pater Prior ist ganz ruhig stehengeblieben und sah sich die Sache an. Die Ratte machte zuerst einen Fluchtversuch, aber der Kater hatte natürlich ganz schnell seine Krallen in ihrem Rücken und da entschloß sie sich und griff ihn an. Sie hatte einfach keine andere Wahl. Jetzt, wo sie im Saal war, konnte man sehen, wie groß sie war. Sie war natürlich nicht so groß wie der Kater, aber für eine Ratte war sie enorm groß. Sie war ein Ungeheuer, sie war ein schmutziges weißes Ungeheuer, fett und rasend, und der Kater war ein Ungetüm, ein gelbes, widerwärtiges, muskulöses Ungetüm. Habt ihr schon mal gesehen, wie eine Ratte eine Katze angreift?«

Niemand gab ihm eine Antwort. Ugo hatte mit seinem ewigen Gläserspülen aufgehört, und alle sahen angeekelt auf das bleiche Gesicht des Ofensetzers.

»Sie kommen von unten«, sagte er. »Diese da drehte sich um und wühlte sich mit ein paar Bewegungen unter den Kater und verbiß sich in seinem Hals. Der Kater raste wie ein Irrsinniger ein paarmal durch den Saal, aber er bekam die Ratte nicht von seinem Hals weg, und zuerst schoß das Blut aus seinem Hals wie eine kleine Fontäne hoch, aber dann sickerte es nur noch, und er konnte nichts anderes tun, als die Kopfhaut und die Rückenhaut der Ratte mit seinen Krallen und seinen Zähnen aufreißen. Das Katzenblut und das Rattenblut versauten den ganzen Saal. Ein paar von den Mönchen schrien geradezu vor Entsetzen.«

»Mach's kurz!« sagte einer von Ugos Gästen, und ein anderer: »So genau wollten wir's nicht wissen.«

»Ich hab euch ja gewarnt«, erwiderte Giuseppe. »Ich bin auch schon fertig. Nur von dem Prior muß ich noch etwas erzählen. Als wir es beinahe nicht mehr ausgehalten hätten, hörten wir Schritte auf dem Gang, und der Pater Bruno kam mit der Schaufel herein. Er blieb erschrocken stehen, als er sah, was vorging, aber der Pater Prior war mit ein paar Schritten bei ihm und nahm ihm die Schaufel aus der Hand. Ich hatte gedacht, er wolle die Schaufel, um die Ratte damit totzuschlagen, aber er tat etwas ganz anderes. Er schob die Schaufel unter die beiden Tiere, die jetzt in der Mitte des Saales miteinander kämpften, sie kämpften nun schon langsamer, ineinander vergraben, die Schaufel war zu klein, um die beiden verrückten Riesenviecher zu fassen, aber sie ließen nicht voneinander ab, und so hingen sie rechts und links von der Schaufel herunter, das eine ekelhaft gelb und das andere dreckig weiß und beide von Blut überströmt, und der Prior schrie uns plötzlich an: ›Steht doch nicht herum! Öffnet ein Fenster!‹ und ich riß eines der großen Fenster im Refektorium auf, und der Prior trug die Schaufel zum Fenster und kippte die Tiere hinaus. Wir hörten das Klatschen, mit dem sie unten auf das Wasser des Kanals aufschlugen. Keiner schaute hinaus, nur der Prior, und dann drehte er sich wieder zu uns um, gab dem Pater Bruno die

Schaufel zurück und sagte: ›Waschen Sie das Blut ab!‹ und zu den anderen sagte er: ›Holt Eimer und Besen, damit wir das Refektorium schnell wieder sauber kriegen!‹ und zu mir sagte er: ›Glauben Sie, daß Sie den Kamin heute abend in Ordnung haben?‹ und ich sagte ›ja‹ und fing gleich mit der Arbeit an, aber eine Weile später mußte ich hinaus auf die Toilette, weil es mir hochkam.«

»Salute«, sagte Ugo, »ich gebe eine Runde Grappa aus. Wer will keinen?« Niemand sagte nein, und Ugo stellte die Gläser auf den Tisch.

»Das ist ein Mann, der Prior«, sagte Giuseppe, »er ist nicht nur gelehrt, er weiß auch wirklich etwas, und nicht nur das: er tut auch etwas. Er war der einzige von uns, der sich die Sache ansah und im voraus wußte, was zu tun war, und etwas tat.«

»Kurz und gut – ein Mann wie der liebe Gott. Du brauchst es nicht noch einmal zu betonen«, sagte Ugo.

»Ihr werdet es komisch finden«, sagte Giuseppe Rossi, der Ofensetzer, »als er so ruhig im Saal stand, mit gekreuzten Armen, während die Viecher herumtobten und wir von einer Ecke in die andere sprangen, da dachte ich einen Moment lang: das ist kein Mensch.«

Spät in der Nacht ging Fabio mit Giuseppe nach Hause. Rossi wohnte in der Nähe von San Samuele, so daß sie ein Stück weit den gleichen Weg hatten. Als sie sich verabschiedeten, vor der Türe, hinter der sich seine Werkstatt befand, sagte der Ofensetzter unvermittelt: »Er ist aber doch ein Mensch.«

»Du meinst den Prior?« fragte Fabio. Ohne eine Antwort abzuwarten, fügte er hinzu: »Sicherlich ist er ein Mensch.«

»Er äußerte etwas Seltsames«, sagte Giuseppe. »Als ich ging, gab er mir die Hand und fragte: ›Geht's Ihnen wieder besser?‹ und als ich nickte, sagte er bedauernd: ›Diese unvernünftigen Tiere!‹ Und dann fragte er mich: ›Finden Sie nicht, daß Gott den Tieren etwas mehr Vernunft hätte verleihen können?‹«

Fabio stieß einen Laut der Verwunderung aus.

»Nicht wahr, das ist doch eine merkwürdige Frage?« sagte Giuseppe.

»Für einen Mönch ist sie ungewöhnlich«, stimmte Fabio zu.

»Und dabei sieht er aus wie ein wirklich frommer Mann«, sagte Giuseppe. »Ich wußte nicht, was ich ihm antworten sollte, und er hat auch, glaube ich, keine Antwort erwartet. Aber ich frage mich jetzt, Fabio, ob man fromm sein kann, richtig fromm, und doch nicht alles für richtig zu halten braucht, was Gott tut.«

Die Nacht war, wie die Nächte in Venedig sind: still. Still, aber nicht tot. Fabio hörte das Wasser des Canalazzo an den Landesteg von San Samuele klatschen.

»Ich weiß es nicht«, antwortete er.

Dann war er über die Strada Nuova nach Hause gegangen, und gegen Morgen hatte er einen Traum gehabt, er hatte eine Lockente gesehen, die auf dem Wasser der Lagune schwamm, eines jener Tiere aus geteertem und bemaltem Schilf mit hölzernem Kopf, wie sie die Entenjäger benutzen, doch während solche Attrappen leblos auf den Wellen schaukeln, hatte Fabios Traum-Ente eine Art von spielzeughaft maschinellem Leben besessen: als habe sie einen winzigen Motor oder ein Uhrwerk in ihrem Schilfleib, zog sie durchs Wasser und warf eine kleine schäumende Bugwelle vor sich auf. Hinter ihr zeigte sich ein größerer Strudel im Wasser, grünlich und weiß quirlte er über dem Gesicht eines toten, weißhaarigen Mannes, den die Ente hinter sich herzog, an die olivgraue Oberfläche der Lagune, die verkrampften Fäuste des Mannes hielten den Strick, der um den Körper der Ente geschlungen war. Durch den Traum von einer unendlichen Lagune zog die Lockente mit der Leiche eines alten Mannes im Schlepp; erstaunlich, dachte Fabio, noch im Erwachen, welche Kräfte in der leichten Vogelpuppe steckten. Dann entsann er sich seines Vaters und betete für ihn, er überlegte, ob er ihm wünschen solle, er möge bei der Arbeit sterben, aber dann verwarf er diesen Gedanken, denn ihm fiel ein, wie seine Mutter darunter leiden würde, wenn man Vaters Leiche nicht fände, weil die Lagune so groß ist und der Nordwind den Körper vielleicht an der Punta Sabbioni vorbei mit der Ebbe in das offene Meer schwemmen würde.

Träume, wie sie entstehen, wenn man zu lange aufgewesen ist, dachte Fabio. Dann entschloß er sich endgültig, Giulietta zu besuchen. Er verließ das Café und ging wieder, wie in der Nacht, die Strada Nuova entlang, aber diesmal in entgegengesetzter Richtung, in der kalten weißen Luft ging er fröstelnd an den Ständen mit den Fischen, den Kleidern und den Büchern vorbei. Beim Teatro Malibran bog er nach links ab, in ein Gassen- und Brückengewirr, in dem sich die Calle del Caffetier befand, wo Giulietta wohnte.

Franziska kehrte gegen ein Uhr in das Hotel zurück, nachdem sie eine Weile umhergelaufen und schließlich ihre Einkäufe gemacht hatte. Unter den Prokurazien hatte sie die Zeitungsinserate gelesen, es gab freie Stellungen, aber aus den Anzeigen war nicht zu ersehen, ob sie auch für Ausländerinnen galten, es waren Chiffre-Anzeigen, nur ein paar Industriewerke in Oberitalien, die Arbeiterinnen einstellten, nannten ihre Firmennamen. *Ich muß also schreiben, aber es ist ziemlich zwecklos, ich kann keine Zeugnisabschriften beilegen. Wer wird eine Ausländerin einstellen, die kein Zeugnis vorlegen kann?* Sie war ins CIT-Büro gegangen und hatte sich erkundigt, wo sie etwas über die Bedingungen erfahren könne, unter denen Ausländer in Italien Arbeitsbewilligungen erhielten; man verwies sie an das Ausländerbüro der Quästur und rief dort sogar für sie an, aber nur um zu erfahren, daß es am Samstag vormittag geschlossen sei. Franziska war erleichtert gewesen, und sie hatte es sich eingestanden, *alles ist bis Montag aufgeschoben, ich bin feige, daß ich mich darüber freue*, aber es war ein angenehmer Gedanke gewesen, sich bis Montag früh nicht rühren zu brauchen. *Montag werde ich tapfer sein.* Die Spannung war von ihr abgefallen, sie war spazierengegangen, mit ein wenig Angst vor dem Sonntag im Herzen, sie haßte Sonntage, und sie genoß es daher, am Samstagvormittag spazierenzugehen, unter vielen Menschen, die Einkäufe machten und den freien Werktag genossen, sie ging durch die Gassen hinter dem Correr, durch die sie schon gestern abend gegangen war, und zum erstenmal, seitdem sie in Venedig war, wurde sie sich der Tatsache bewußt, daß die Männer sie anblickten. Als sie über eine kleine Brücke ging, pfiffen, wie in der vergangenen Nacht, zwei Matrosen hinter ihr her, aber sie hatte diesmal keine Angst, es erleichterte sie fast, nach der unaufhörlichen Spannung seit ihrer Flucht wieder die Blicke der Männer zu spüren, ihre Pfiffe waren Erinnerungen an ein normales, leichtes Dasein als Frau. Sie wußte, was diese Burschen dachten, *una rossa, die Rothaarigen sind scharf, aber dies war nicht zu ändern, so waren die Männer nun einmal, und sie hatten nicht einmal unrecht, ich bin scharf, ich lasse mich leicht verführen, wenn der Mann es richtig anstellt, und deshalb habe ich mich immer nur schwer verführen lassen, aber die Wahrheit ist, daß ich richtig scharf darauf bin, es ist ein wunder-*

bares Vergnügen, Franziska war in Verwirrung geraten, und sie war froh gewesen, als sie aus der engen Calle auf den weiten Campo Morosini kam.

Sie hatte auf der Accademia-Brücke den Canal Grande überschritten und war in den schmalen, menschenleeren Gassen der Landspitze hinter Salute umhergestreift. In einem Rio lagen an ochsenblutroten Häusern Gondeln mit silbernen Bügen, und in der alten steinernen Halle einer Glasbläserei brannte ein offenes Feuer unter dem großen Brennofen; Gruppen von Männern standen vor den Flammen, in Gespräche vertieft, sie hatten von Franziska keine Notiz genommen, obwohl sie stehengeblieben war, vom Feuer und von der dunklen Halle und den Silhouetten der Männer gebannt. Danach die Gasse der Paläste, das Haus des Dichters Régnier, der Palast der alten amerikanischen Kunstsammlerin, *einmal werde ich unverschämt sein und läuten und sagen, ich möchte die Bilder sehen, die Picassos und Gris' und Klees und Modiglianis, wie inkonsequent ich doch bin, auch ich will also Dinge besichtigen,* die Wohnung des amerikanischen Konsuls, kunstvolle schmiedeeiserne und gläserne Pforten, durch die man in Flure blicken konnte, an deren Ende sich Balkone auf den Canal Grande öffneten, dies war die feinste Wohnlage von Venedig, mit Blick auf die Piazzetta und doch *very secluded, die ideale Wohnlage für Snobs ist ein zentral gelegener toter Punkt,* mit dem Salute-Traghetto war Franziska nach Zaccaria hinübergefahren, ins Gewühl, Einkäufe in dem Gewirr kleiner Märkte hinter dem Hotel, das Messer, einen Slip, ein Paar Strümpfe, ein Stück Seife, eine Zahnbürste, eine Tube Zahnpasta, Brot, hundert Gramm Butter, hundert Gramm Bel Paese, ein Pfund Äpfel, es gelang ihr, die Sachen in ihren Manteltaschen und zwischen den Bogen der Zeitungen zu verbergen, so daß sie damit nicht auffiel, als sie ins Hotel zurückkam. *Ein Uhr.* Sie zählte das Geld und stellte fest, daß sie etwas über dreitausend Lire ausgegeben hatte. *Jetzt habe ich noch fünfzehntausend.*

Sie hatte großen Hunger, *aber wenn ich bis vier Uhr aushalte, brauche ich nicht zu Abend essen,* sie legte sich aufs Bett und schlief ein. Als sie erwachte, war es schon dämmrig draußen, sie blickte auf die Armbanduhr, *vier vorbei,* mit der frühen Dämmerung des trüben Tags und dem unablässigen Scharren der vielen Schritte drang die Lethargie in ihr Zimmer, das Gefühl der Aussichtslosigkeit und des Alleinseins umgab sie, die freudige Spannung des Vormittags war Selbstbetrug gewesen, *ich bin spazierengegangen anstatt etwas zu tun,* aber der Hunger war quälend, sie stand auf, klingelte und bat das Mädchen, ihr Tee zu bestellen. Dann schloß sie wieder die Fensterläden, zog die Vorhänge auf und machte Licht. Es brannte trüb. Ein Kellner brachte den Tee, und Franziska aß ein paar Brote und zwei Äpfel und trank den Tee, im grauen Licht, sie verbrauchte die Hälfte der Butter und des Käses, *also für morgen reicht es noch, erst Montag brauche ich wieder einzukaufen,* sie fühlte sich gesättigt, als sie fertig war, und zündete sich eine Zigarette an. *Die erste seit gestern, man braucht also nicht unbedingt zu rauchen, ich habe immer noch acht Stück, eine eiserne Ration.* Sie löschte das Licht und öffnete die Fensterläden wieder, stellte sich ans Fenster, rauchte die Zigarette zu Ende, zündete sich eine neue an und blickte lange hinaus. Auf den schwimmenden Brücken der Vaporetto-Station brannten schon die Lampen; sie warfen runde und zitternde Reflexe gelb zwischen die Schwärze der Gondeln.

Gegen sechs Uhr ging sie hinunter, *ein bißchen in der Dunkelheit umherlaufen, unter Menschen sein.* Der Portier hielt sie in der Halle an, als sie den Schlüssel abgab. Es war wieder der von gestern abend, der große Alterslose mit den beobachtenden, aber uninteressierten Augen.

»Wie ist es mit Ihrem Gepäck?« fragte er.

Er hatte also ihr Zimmer kontrolliert oder durch das Mädchen kontrollieren lassen. Franziska besann sich einen Augenblick. *Einer wie der glaubt nichts.*

»Ich habe keines«, antwortete sie. »Ich habe alles, was ich brauche, bei mir.«

»Wie lange beabsichtigen Sie zu bleiben?« fragte er.

»Ein paar Tage.«

»Darf ich Sie um Vorauszahlung bitten«, sagte der Mann. Sein Gesichtsausdruck veränderte sich nicht.

»Das ist aber ungewöhnlich«, sagte Franziska kühl und hochmütig, *jetzt nur das Gesicht wahren, sonst bin ich verloren,* in der Attitüde, die ihr leicht fiel, *Sekretärinnen-Routine, das halten sie für damenhaft, aber eine wirkliche Dame wäre in einer solchen Situation ein verlorenes Geschöpf.*

»Sehen Sie«, sagte der Mann, »wir sind doch nur ein Hotel.« Er war träge und gleichmütig und nicht zu bewegen. »Sie müssen doch verstehen, daß wir Sicherheit brauchen, wenn Gäste kein

Gepäck bei sich haben. Gäste ohne Gepäck können jederzeit fortgehen und nicht mehr wiederkommen.« *Eine gute Idee! Daran hatte ich noch gar nicht gedacht. Aber für dieses Hotel ist es nun zu spät.*

»Sehe ich aus wie jemand, der seine Rechnungen nicht bezahlt?« fragte sie.

»Aber Signora!« Der Portier hob bedauernd seine Hände. *Sie sieht aus wie jemand, der im äußersten Falle fähig wäre, zu verschwinden, ohne die Rechnung zu bezahlen. Sie sieht gut aus. Eine mit roten Haaren. Wenn ich mir etwas aus Frauen machen würde, brauchte sie ihre Rechnung nicht zu bezahlen, falls sie knapp bei Kasse wäre.*

»Nun ja«, sagte Franziska, »große Menschenkenntnis scheinen Sie nicht zu haben.« Es war ein letzter Versuch. Sie hatte schon ein paar Tausend-Lire-Scheine in der Hand, in der Hoffnung, er würde sagen: Lassen Sie! Sie zögerte Sekundenbruchteile, dann sah sie in das Gesicht aus trägem fließendem Gummi. »Schreiben Sie mir eine Rechnung für drei Tage!«

Um ihre Aufregung zu verbergen, ging sie im Empfangsraum des Hotels auf und ab, während er die Rechnung schrieb, sie blieb vor einer Vitrine stehen, in der ein paar mittelmäßige Spitzen ausgestellt waren, *nun bleibt mir nur noch das Minimum, ich kann keine Anzeige aufgeben;* als sie spürte, daß er fertig war, ging sie wieder zur Loge. Er schob ihr die Rechnung hin.

»Viertausendfünfhundert bitte!« sagte er.

Franziska sah auf das Papier. Er hatte fünfzehnhundert Lire für den Tag berechnet. »Sie haben gesagt, es kostet zwölfhundert!« Es gelang ihr, ihre Erregung zu verbergen.

»Selbstverständlich, Signora.« Er wies mit seinem gelben Kopierstift auf die Rechnung, auf Zahlen, sie starrte fassungslos auf irgendwelche Kolumnen, vermochte nichts aufzunehmen. »Nur die Heizungszulage ist extra.«

Sie wußte, daß es in solchen Fällen keine Gegenwehr gab. Sie kramte wie blind in ihrer Handtasche, steckte die Scheine, die sie schon in der Hand gehabt hatte, wieder zurück, zog eine der beiden Fünftausend-Lire-Noten heraus und legte sie auf den Bord. *Gegen Heizungszulage gibt es keine Spur von Verteidigung.* Sie hatte keinen anderen Gedanken als den, sich zusammenzunehmen, zu verhindern, daß sie in irgendeine hysterische Reaktion ausbrach.

Er gab ihr die fünfhundert Lire in fünf silbernen Hundert-Lire-Stücken zurück und sie schob ihm drei davon als Trinkgeld hin. Während er sich höflich bedankte, wußte sie schon, daß sie einen Fehler begangen hatte. *Ich hätte ihm nichts oder alles geben müssen; nichts, weil ich zornig bin, so hätte er gedacht, oder alles, weil ich genug Geld habe. So weiß er nun, daß ich scharf rechnen muß.*

Vor dem Hotel blieb sie ein paar Minuten stehen. Es war kalt, die Luft war mit Feuchtigkeit angefüllt, aber Franziska zitterte nicht, weil sie fror, sondern weil sie sich ein paar Augenblicke lang sehr schlecht fühlte. *Nur noch zehntausend Lire. Und man sieht es mir an. Ich sehe aus wie jemand, von dem man Vorauszahlung verlangt.*

Die Gewißheit, daß sie würde kapitulieren müssen, überwältigte sie. *Mit einer Fahrkarte vom deutschen Konsulat nach Dortmund zurück. Das Ergebnis einer Flucht: ein paar Tage Erniedrigung in einem Touristen- und Nepp-Zentrum. Und danach Herberts Lächeln, die eisig-korrekte Genugtuung Joachims.* Sie ging langsam die breite Marmorbrücke empor und wieder hinab, die einen Kanal überspannte, der zur Rechten des Hotels die Riva degli Schiavoni zerschnitt und an der Kaimauer in die Lagune mündete. Viele Menschen waren unterwegs, es war Samstag abend, die großen Kandelaber-Lampen schütteten ihr Licht auf den Kai, Franziska sah die Lichter im Hafen und über dem Wasser in den Häusern der Giudecca brennen. Sie kam am Pavone vorbei, die großen Fenster des Luxushotels waren mit dichten Stores verhängt, so daß sie in einem matten, warmen Gelb schimmerten, *dies war einmal meine Welt*, das Hotel wirkte an dem kalten Januarabend völlig abgeschlossen und reserviert, *mit Herbert könnte ich jetzt hineingehen*, sie erinnerte sich an den Tea-Room des Pavone – *Tee trinken und ›Vogue‹ betrachten oder flirten, während Herbert den Blue Guide studierte, alles in allem ist es gar nicht so sinnlos, sich den Geruch staubiger Dampfheizungen in billigen Hotelzimmern fernzuhalten, gute Kleider zu tragen, sorgfältig zu essen, in Ruhe zu lesen, mit angenehmen Männern umzugehen. Man hat nicht sehr viel vom Leben, wenn man nicht zu der Klasse gehört, die reisen kann, die sich schicke Wohnungen, Bibliotheken und die besseren Getränke und Ärzte leistet.* Franziska ging zögernd am Pavone vorbei, sie blieb stehen und blickte geistesabwesend auf die Seufzerbrücke, die von dem engen Rio aus, den sie überquerte, angestrahlt war. *Man braucht nicht einmal reich zu sein, wenn man seinen Tee im Pavone trinken will. Ich habe nie Geld gehabt. Ich bin immer eine bessere Sekretärin gewesen. Und Herbert ein besserer Vertreter. Aber plötzlich fängt man an, in die Pavones und zu den guten Schneidern zu gehen. Es ist nicht so, daß man sich ›emporgearbeitet‹ hat, im Gegenteil, man fühlt, daß das alles ein wenig trügerisch ist. Etwas Hochstapelei ist dabei und eine Masse Snobismus, eine ganz kurze Zeit spielt man sich etwas vor, später ist es langweilig, aber man bleibt dabei, nicht weil man den Schmutz fürchtet, das nackte Elend, sondern weil man der sauberen Misere entronnen ist, dem Sonntagsausflug mit dem Kleinauto, dem Theaterabonnement, dem Monatsgehalt. Gibt es keine andere Wahl als die zwischen dem schicken Leben und der sauberen Misere? Es muß doch noch eine dritte Möglichkeit geben!* Sie hatte die Hände in die Manteltasche gesteckt. *Wird es mir gelingen, bis zum Mittwoch oder Donnerstag die dritte Möglichkeit zu finden? Ehe die zehntausend Lire ausgegeben sind?* Sie wollte ihren Weg fortsetzen. *Mit den Pavones ist wenigstens Schluß.*

Im selben Augenblick fiel ihr die Szene mit dem Portier wieder ein; sie starrte in einer Art von Panik auf die Menschen, die an ihr vorübergingen, und dann drehte sie sich um, ging die paar Schritte zurück und trat durch die schmale Türe aus dunkelbraunem, schimmerndem Holz, die lautlos vor ihr geöffnet wurde, in das Luxushotel ein.

Fabio Crepaz, Mittag

Celia öffnete ihm, Giuliettas Schwester, als er an der Türe des obersten Stockwerks läutete, in einem alten Haus der Calle del Caffetier. Fabio hatte Celia nur zwei- oder dreimal gesehen; sie war ein Jahr jünger als Giulietta, also zwanzig; sie sah frisch aus, anmutig, herb, sie hatte eine feste kleine Figur und ein gebräuntes, zartes und energisches Gesicht, dessen Reiz sich noch nicht gänzlich entfaltet hatte; sie studierte in Padua Medizin; während des Semesters fuhr sie jeden Morgen nach Padua, wie Giulietta ihm einmal erzählt hatte.

»Was für eine Überraschung!« sagte Fabio. Er hatte sie noch nie bei Giulietta angetroffen. Die Schwestern waren nicht miteinander verfeindet, aber Celia war die brave Tochter und Giulietta das schwarze Schaf der Familie.

Ohne ihn anzublicken, sagte sie: »Giulietta ist da. Gehen Sie nur hinein! Sie liegt noch im Bett.«

Fabio verbot es sich, zu lächeln, obwohl er am Klang ihrer Stimme erkannte, daß es sie ein wenig Anstrengung kostete, sein Verhältnis mit ihrer Schwester anzuerkennen. Er vernahm aus dem Zimmer Musik. Giuliettas Wohnung bestand nur aus dem Flur, der Küche und einem einzigen Zimmer, das aber ein kleiner Saal war. Er hörte einen Augenblick der Musik zu. Brahms, stellte er fest.

Celia verschwand in der kleinen Küche, aus der sie offenbar gekommen war, denn sie hatte eine Schürze ihrer Schwester umgebunden. Fabio zog seinen Mantel aus und legte ihn auf einen Stuhl im Flur. Ehe er zu Giulietta hineinging, sah er in die Küche.

»Was machen Sie denn hier?« fragte er.

»Das Frühstück«, erwiderte Celia. In dem hellen Dampf, der aus einem Kessel mit heißem Wasser aufstieg, sah sie eine Spur aufgelöster, privater aus als an der Türe.

»Sechs Minuten«, sagte Fabio, »aber genau bitte!«

Sie sah ihn ratlos an. Er trat auf sie zu, legte ganz leicht seine Hände auf ihre Hüften und küßte sie auf die linke Seite ihres Kinns, dicht neben den Mundwinkel. Dann sagte er: »Das Ei für mich.«

Er hatte seinen kleinen Trick so sicher und schnell ausgeführt, daß sic wie gebannt stehengeblieben war. Mein alter erprobter Trick, dachte er, das Beste an ihm ist, daß ich ihn mir niemals vorher überlege; er kommt von selbst. Nach ein paar Sekunden, in denen sie sich atemlos ansahen, tat Celia etwas, was er bei ihr nicht vermutet hätte: sie streckte ihm die Zunge heraus.

Er hatte nicht mehr gewollt als die flüchtige Berührung. Der Wunsch, diese angenehme kleine Prüde zu berühren, hatte ihn genauso überrascht wie sicherlich das Mädchen. Jetzt, nachdem es ihm gelungen war, eine andere als eine rein formelle Beziehung mit ihr herzustellen, ließ die Spannung, die er empfunden hatte, nach. Er wandte sich ab und verließ die Küche.

Als er die Türe zu dem kleinen Saal öffnete, in dessen entferntester Ecke Giuliettas Bett stand, hörte er die Musik genau. Giulietta erblickte ihn und lächelte; sie sagte nichts, sondern machte nur mit der rechten Hand eine kreisende Bewegung, wobei sie den Zeigefinger ausstreckte; Fabio drehte sich gehorsam um, er schloß die Türe und wartete, bis sie ihren Kimono angezogen hatte, er erriet und fühlte, wann sie damit fertig war, und wandte sich ihr zu, als sie ihm über die großen roten Steinplatten des Fußbodens entgegenkam, barfuß. Sie umarmte und küßte ihn; als sie seinen Hals umschlungen behielt, spürte er ihre zarte, sprühende Körperwärme, den dünnen strahlenden Film, der die Konturen ihrer Schultern, ihrer Arme, ihres Busens so viel eindringlicher nachzeichnete, als es der schwache Duft ihres Parfüms und die weiße und schwarze Seide ihres Nachthemds und ihres Morgenmantels vermochten. Sie war so klein und schlank wie ihre Schwester, aber während Celia nur einfach schlank war, war Giulietta fast mager. Mager und elektrisch. Fabio nahm ein paar Flechten ihres schwarzen Haares in die Hand. »Coccola«, sagte er, »du wirst kalte Füße bekommen, wenn du hier noch lange stehenbleibst.« Er flüsterte es, um die Musik nicht zu stören.

Sie ging auf den Zehenspitzen, rasch ein paar Ballettschritte karikierend, mit angezogenen Armen und hochgehobenen Schultern, zum Bett zurück und schlüpfte hinein, wobei sie den Kimono anbehielt; danach lag sie ganz still, die Decke bis zum Kinn. Fabio sah, daß sie zuhörte. Sie war gänzlich vertieft in das Spiel.

Er ging leise zu einem der beiden Fenster, wo der Radioapparat mit dem Plattenspieler stand und sah auf die Schallplattenhülle, die Giulietta auf das Fensterbrett gelegt hatte. Brahms, Quintett opus 34 für Streicher und Klavier. Sie waren beim Adagio; Fabio bewunderte, wie die Violinen die Fermaten klar durchhielten. Das Quintetto Chigiano. Sie hielten Brahms' Pathos so weit zurück wie möglich, hielten ihn herb, fast trocken, sie gliederten das Gefüge seines Glaubens an den Menschen in eine Folge sehr reiner melodischer Bewegungen; dies war das Beste, was das 19. Jahrhundert zu bieten hatte, dachte Fabio; einen musizierenden idealistischen Bürger, aber ohne Heuchelei, liberaler Aufschwung und beseelte Kultur, Brahms hatte daran geglaubt, Fabio war hingerissen, wenn er eine der guten Sachen von Brahms hörte – gut waren sie, wenn sie nicht von Pathos verdorben wurden, ›mitten hinein ins Doppelkonzert rauscht uns Brahms' pathetischer Vollbart‹, hatte einer von Fabios Freunden, ein Kritiker, einmal geschrieben –, er war hingerissen und gerührt, wenn er sich vorstellte, daß Brahms geglaubt hatte, mit ein wenig Kultur, mit seiner Liberalität und harmonisch verschlungenem Takt dem Rausch Wagners und

Bruckners elefantenhafter Religiosität widerstehen zu können. Das Chigiano spielte ihn herrlich spröde, es machte ihn fast zu einem Modernen, auf einmal war etwas abgründig Verzweifeltes in der Musik; genauso würde ich das Quintett opus 34 spielen, dachte Fabio, wenn ich es so spielen könnte.

Er sah zum Fenster hinaus. Von Giuliettas Fenstern aus konnte man an den meisten Tagen zwischen zwei Dächern einen dreieckigen Ausschnitt der Lagune sehen, blau, weil die Fenster nach Norden gingen und man die Sonne im Rücken hatte, ein Stück blaue Lagune und ein Stück von der weißen Mauer der Cimitero-Insel dahinter, aber nicht heute. Heute sah man wegen des Nebels nur die sepiabraunen, ockerhellen und rötlichen Dächer aus runden Coppi-Ziegeln. Ich kann es so nicht spielen, dachte Fabio. Er erinnerte sich daran, wie er nach dem Kriege geglaubt hatte, eine Solistenkarriere schaffen zu können, er hatte wie ein Verrückter gearbeitet, aber er hatte aufgeben müssen. Beinahe zehn Jahre Unterbrechung durch Politik, zehn Jahre, ausgefüllt mit dem Spanien-Krieg, der illegalen Arbeit gegen den Faschismus, Weltkrieg und Partisanenkampf, waren nicht aufzuholen gewesen. Es war schon unglaublich, daß es noch zum Fenice-Orchester gereicht hatte. Immerhin eine relativ anständige Lösung der gespannten Beziehungen zwischen seiner Violine und seinen politischen Überzeugungen. Das gab es also: eine einfache Heimkehr nach Venedig, wenn alles vorbei war; aus dem Fehlbodenbrand des Jahrhunderts – der übrigens weiter schwelte – blieb einem nichts als eine halb geopferte Violine, die man in guter halber Form weiter spielte, sehr ähnlich der halben Leidenschaft zu einem jungen Mädchen, das aus anderen Gründen genauso gestrandet war, einem altmodischen frühreifen Mädchen, das allein in einem kleinen Saal im Dachgeschoß eines Hauses der Calle del Caffetier wohnte, mit Coppi-Dächern und einem Stück Lagune vor dem Fenster, mit konservierter Musik von Josquin de Pres, Mozart, Brahms und Debussy. In der Tiefe sah Fabio den Hof des verrotteten kleinen Palazzo, an den das Haus stieß, in dem Giulietta wohnte, den Hof mit den Architekturtrümmern und den alten Statuen. Architrave, Säulenfragmente, der Torso einer Göttin.

Das Quintett endete mit dem leisen, kratzenden Geräusch des Plattensaphirs. Fabio hob den Tonarm hoch und stellte das Laufwerk ab. Er blickte zu Giulietta hinüber und sagte: »Es ist gleich zwölf. Du bist ein faules Ding.«

»Ach«, sagte sie, »ich kann nichts dafür. Wir haben gestern in Chioggia für die RAI getingelt und sind erst gegen zwei Uhr heute morgen zurückgekommen.«

»Der Liebling des Publikums«, sagte Fabio. »War es schlimm?«

Sie nickte nur, den Rauch der Zigarette ausstoßend. Fabio hatte sie kennengelernt, als sie noch im Chor des ›Fenice‹ sang; aber schon damals war klar gewesen, daß ihre Stimme für eine Opernlaufbahn nicht ausreichte. Sie hatte eine hübsche kleine Stimme, und jetzt sang sie Schlager und Canzonen, aber sie wurde auch in diesem Metier nicht der Liebling des Publikums. Sie sah bezaubernd aus, aber sie hatte zu viel Geschmack, um Erfolg zu haben. Die Veranstalter bunter Abende, Leute, die oft einen sechsten Sinn für Kontrast-Wirkungen haben, schoben sie gerne zwischen die Darbietungen jener glitzernden Ziegen und strahlenden Kühe ein, die vom Publikum umjubelt werden. Sie fanden, Giulietta gäbe ›eine bestimmte Farbe im Programm‹. Sie meinten damit das Gefühl von Fremdheit, von Verlorenheit, von rührendem Alleinsein, das von der Bühne in den Saal wehte, wenn Giulietta sang; es wurde dann still, ein paar Minuten lang löste sie in den Herzen der Zuhörer eine kaum spürbare Faszination aus Befremdung und Angst aus, die dazu diente, daß die Leute sich danach um so erleichterter in die optimistische Routine der Stars retten konnten. Man reüssiert in dieser Branche nicht, dachte Fabio, wenn man für die Art, wie das Chigiano Brahms spielt, ein Gehör hat. Immerhin verdiente Giulietta, was sie zum Leben brauchte, obwohl sie es nicht nötig gehabt hätte, denn ihre Eltern waren reich. Aber sie wohnte schon lange nicht mehr zu Hause.

»Du hast dich drei Wochen lang nicht sehen lassen«, sagte sie.

»Warum hast du mich nicht angerufen?« fragte er. »Wenn du wild darauf gewesen wärst, mich zu sehen, hättest du es mir nur zu sagen brauchen.«

»Ich hatte so viel zu tun«, sagte sie. »Beinahe jeden Abend mußte ich irgendwo tingeln. Du weißt ja, wie es vor Weihnachten ist.«

Fabio verstand die Anspielung. »Entschuldige, daß ich mich Weihnachten nicht gemeldet habe«, sagte er. »Ich mach mir nichts aus Weihnachten. Ich hasse es.« Er fügte hinzu: »Außerdem fand ich dich zerstreut, als ich dich das letztemal sah.«

Er erinnerte sie mit dieser Bemerkung daran, daß sie ihn, als sie zuletzt beisammen gewesen waren, zweimal nach seiner Meinung über einen bekannten venezianischen Schauspieler gefragt hatte.

»O Fabio!« rief sie, »warum merkst du immer alles? Ja, ich war zerstreut.«

Er hatte damals sogleich gewußt, daß sie wieder einmal eine ihrer zahllosen kurzen Affären begonnen hatte, zu denen sie ihre naive Neugier verführte.

»Na, siehst du«, erwiderte er, »wozu dann von Weihnachten und von den drei Wochen reden.«

Celia kam mit dem Frühstück herein. Sie setzte das Tablett auf den kleinen Tisch neben Giuliettas Bett.

»Ich fand kein Ei in der Küche«, sagte sie zu Fabio. Er hörte die Genugtuung in ihrer Stimme. Sie war erfreut darüber, ihm diesen Korb geben und zugleich eine versteckte Kritik an ihrer Schwester üben zu können. In Celias Küche würde es immer Eier geben.

»Wolltest du ein Ei haben?« rief Giulietta. »Wenn ich gewußt hätte, daß du kommst!«

Fabio freute sich über das nachlässige, gar nicht ernst gemeinte Bedauern, mit dem sie den Klang ihres bekümmerten Ausrufs färbte. Meistens brachte er etwas zum Essen mit, wenn er in die Calle del Caffetier ging; in Giuliettas Küche gab es alles mögliche, aber fast nie die Dinge, die man wirklich brauchte. Man konnte Tütchen mit Kardamom finden, oder Anchovis-Büchsen, oder Flaschen mit Grenadine-Saft, oder auf dem Tisch, in einer Einkaufstasche, eine phantastische kleine Schlamperei aus Fenchel, Artischocken und Pflaumenkuchen, aber nur selten Eier, Öl, Brot und Wein. Wenn sie einmal damit anfängt, mir immer etwas Richtiges zu kochen, werde ich nicht mehr kommen, dachte Fabio.

Celia goß den Tee ein. Sie hatte nur zwei Tassen mitgebracht. Offensichtlich hatte sie nicht die Absicht, an dem Frühstück teilzunehmen. Giuliettas Schürze hatte sie schon in der Küche abgebunden. Sie trug ein sandfarbenes gestricktes Sackkleid. Ihre Haare waren etwas heller als die Haare ihrer Schwester. Sie trug sie im Gegensatz zu Giulietta kurz geschnitten.

»Wie findest du sie, Fabio?« rief Giulietta bewundernd. »Ist sie nicht schön?«

Fabio gab keine Antwort. Celia sagte wütend: »Du bist albern, Giulietta.«

Sie war in der Tat schön. In ihrem teuren kleinen Kleid war sie eine kostbar gefaßte perfekte Schönheit. Eine Spur zu perfekt, dachte Fabio. Er verglich ihr Kleid im Geiste mit den Kleidern Giuliettas, die nicht von dem alten jüdischen Schneider abzubringen war, bei dem sie arbeiten ließ, weil sie sich mit ihm angefreundet hatte. Er zog sie charmant, aber rettungslos altmodisch an. Manchmal versuchte er, seinen Liebling wie ein Zirkuspferdchen zu schmücken, so daß Fabio gezwungen war, das Schlimmste zu verhüten, und Giulietta in den Palazzo Labbia begleitete, in dessen von Handwerkern und dunklen Existenzen überquellendem Ganglien-System der Alte zwei verfallene Zimmer bewohnte.

»O ja«, sagte Giulietta, »du bist schön, Celia. Nimm dich in acht vor Fabio! Er ist ein Casanova.«

»Celia hat recht, du bist wirklich albern«, sagte Fabio. »Wenn du mich darauf aufmerksam machen willst, daß ich mich recht komisch ausnehme, hier zwischen euch Kindern . . .«

Er wußte nicht, ob er sich komisch ausnahm. Er hätte jetzt gern einen Spiegel gehabt, aber Giuliettas Spiegel hing so, daß er sich nicht darin sehen konnte. Celia freilich hatte vorhin in der Küche versucht, ihn in die Schranken seines Alters zu verweisen, indem sie ihm die Zunge herausgestreckt hatte.

»Die lieben unschuldigen kleinen Kinder«, sagte Giulietta, »und der gute komische Onkel – so sehen wir aus.«

»Vielleicht hast du recht«, sagte Fabio nachdenklich, »vielleicht bin ich tatsächlich ein netter, verständnisvoller Onkel.«

Giulietta lachte. »Du bist fast dreißig Jahre älter als wir«, meinte sie, »aber wenn du ein Onkel wärst . . .«

»Ich finde es reizend, daß Sie Ihrer Schwester das Frühstück machen«, sagte Fabio, um Giulietta von dem Thema abzubringen.

»Ich finde es auch reizend«, sagte Celia spöttisch. »Aber ich muß jetzt gehen.«

»Das Schwesternfrühstück«, sagte Giulietta. »Sie heiratet Sebastiano Rizzi, sie ist zu mir gekommen, um es mir zu sagen, und weil ich es ihr erlaubte, hat sie mir Tee gemacht. Das große Schwestern- und Versöhnungsfrühstück sollte eben stattfinden, Fabio, und du hast es gestört.«

Der kleine Rizzi, dachte Fabio, das sah ihm ähnlich. Giuliettas erste und große Liebe. Er hatte sie verlassen und seitdem vagabundierte sie, einmal hatte er für ein paar Wochen wieder mit ihr angefangen, sie war sofort gekommen, und dann hatte er sie wieder verlassen. Rizzi, der kleine Kaufmann in dunklen Geschäften, Besitzer eines englischen Sportwagens, der charmante Schuft mit seiner sentimentalen Beziehung zum Bösen, mit der er sich vor den Männern lächerlich, aber vor Mädchen wie Giulietta interessant machte, ein Kerl durchaus unter Giuliettas Niveau, aber die Neigungen der Frauen waren unberechenbar, und nun hatte sich Rizzi also Celia unter den Nagel gerissen. Celia, die brave Tochter, die klare, zielbewußte Schönheit, sie, die eine geordnete Küche führen würde, die gute Partie. Es war eine von Rizzis ausgesuchten Bosheiten. Und dahinter stand, wie Fabio schätzte, seine Absicht, Giulietta wieder zur Geliebten zu nehmen, wenn er erst einmal mit Celia verheiratet war. Rizzi war schon eine Nummer. Es gab für ihn nur eine unbekannte Größe in der Rechnung: Celia. Celia, das kleine Biest, das kühl zu Giulietta geht, ›um es ihr zu sagen‹, Celia wird ihm das Leben zur Hölle machen, dachte Fabio, er unterschätzt sie, er ist auch unter ihrem Niveau. Oder ist er vielleicht nicht so schlecht, wie ich denke, weil Giulietta ihn liebt und weil Celia ihn fertigmachen wird? Ist nicht immer der, der unterliegt, der Überlegene? Lautet die Rangliste also: Giulietta, Rizzi, Celia?

»Ich hätte es Ihnen nicht erlaubt«, sagte er zu Celia, »wenn ich Giulietta wäre.«

»Schade, daß meine Schwester so indiskret ist«, antwortete sie. Sie war eine junge Dame der Gesellschaft, ganz hochmütiges Bedauern. Wenn man sie so sieht und hört, dachte Fabio, hält man es für ausgeschlossen, daß sie jemals irgend jemand die Zunge herausstreckt.

Er begleitete sie hinaus. »Sie sind doch Medizinerin?« fragte er, als sie im Flur standen und sie nach ihrem Mantel griff.

»Ja«, antwortete sie. »Warum?«

»Ich fand Ihre Zunge vorhin ein wenig belegt.«

Sie sah ihn wütend an. Er half ihr in den Mantel, und als er ihn über ihren Schultern losließ, strich er mit der rechten Hand über ihren Busen. Er fühlte die dünne Wolle ihres eleganten Sackkleids unter seiner Handfläche und darunter ihre angenehm gewölbten kleinen Brüste, und dann bemerkte er, daß sie es sich eine Sekunde lang gefallenließ. Ihre Lippen öffneten sich ganz leicht, und ehe ihre Augen die vorschriftsmäßige Empörung sprühten, wurden sie zu Schlitzen, wie die Augen einer Katze, die gestreichelt wird. Aber einen Moment später hatte sie Giuliettas Wohnung verlassen.

Fabio ging in das Zimmer zurück. Er setzte sich auf einen Stuhl neben Giuliettas Bett. Sie unterhielten sich eine Weile über Celia, über Rizzi, über Giuliettas Familie, über berufliche Probleme. Nach einer Weile versiegte ihr Gespräch, und Fabio saß stumm, eine Zigarette in der Hand, während Giulietta mit geschlossenen Augen im Bett lag, dämmernd. Fabio blickte sich in dem kleinen Saal um, er betrachtete die roten Steinfliesen, den Strohbesen, der in einer Ecke stand, Giuliettas Kleid, das achtlos über einem Stuhl hing, ihren Toilettentisch mit den geschwungenen Rokokobeinen und den unzähligen Büchsen, Flakons, Tuben, Kämmen und dem Spiegel darüber, einem alten Spiegel in einem goldenen Rahmen, die Fenster mit dem Blick auf die Coppi-Dächer, sein Blick kehrte zu dem Mädchen zurück, zu der schwarzen Seide ihres Kimonos, unter dem ihre linke Schulter sich in ihren Atemzügen bewegte – schlief sie? –, zu ihren schwarzen Haaren, über das Kissen fließend, zu ihrem jungen blassen Gesicht, zu Giulietta, mit der er ein Verhältnis hatte, für die er eine halbe Leidenschaft nährte, einem Mädchen mit einer zu kleinen Stimme, einem Mädchen, das sich in einer winzigen chronique scandaleuse verlor, einem Mädchen, das ihn gern hatte, das ihm vertraute, weil er es ernst nahm, das aber keine Ahnung von seiner Vergangenheit hatte, seine Wirklichkeiten nicht kannte, in ihren Tag hineinlebte, ohne Zukunft war.

Franziska, gegen Abend

Franziska ging am Empfang vorbei in den Tea-Room. Er bot den Anblick, den ein sich in Auflösung befindlicher Fünf-Uhr-Tee bietet: die Kapelle war schon gegangen, leere, benutzte Tische, und die Gesellschaften, die sich nicht trennen konnten, weil sie nie vor neun Uhr zu Abend speisten und die Zeit vom Spätnachmittag bis zum Abendessen eine Zeit ist, mit der man nichts anfangen kann, besonders im Winter, wenn es draußen kalt und dunkel ist. Ein Junge kam und nahm Franziska den Mantel ab, *das kostet mich zweihundert Lire Trinkgeld, nachher, wenn er ihn mir wiederbringt*, sie setzte sich an einen Tisch, von dem aus sie durch die große Glasscheibe in die Empfangshalle hinaussehen konnte, *oder will ich etwa gesehen werden?*, der Gedanke verging sofort wieder, kehrte zurück, sie bestellte Tee, *hier hereinzukom-*

men war genauso falsch wie den Rapido nehmen, gestern, wie diese ganze Reise nach Venedig, in eine trügerische Sicherheit, ich habe Herbert verlassen, aber nicht die Welt, in der ich mit ihm gelebt habe, ich bin nicht konsequent, ich muß den Mut haben, mir einzugestehen, daß ich eine Frau ohne Geld bin, statt dessen sitze ich hier und ich habe mir eben vorgestellt, daß ich gesehen werde, eine einzelne Dame, die Anschluß sucht, es wäre eine Lösung auf Zeit, sie war starr über sich selbst, als sie sich klarmachte, was sie dachte, *so schnell geht das also,* sie bemerkte, daß sie eine Weile betrachtet wurde, *ich bin ja neu hier, sie sind eine geschlossene Gesellschaft, der smarte Club der Leute, die im Januar nach Venedig fahren,* der Tee kam, sie zündete sich eine Zigarette an, sie war erleichtert, als sie fühlte, daß die Blicke sich von ihr abwandten. Der Nebentisch war gut besetzt, deutliche Hauptperson war ein dunkler, blasser, offensichtlich leidender Mann, der vielleicht nicht ganz Sechzig war, die Kellner waren um ihn bemüht, einmal wurde er ans Telefon gerufen, so daß Franziska seinen Namen hörte, *ich kenne diesen Namen doch,* dann entsann sie sich, es war der Name eines ziemlich bekannten italienischen Dichters, sie hatte seine Gedichte nie gelesen, *eigentlich lese ich überhaupt niemals Gedichte, ich habe nicht das Bedürfnis, Gedichte zu lesen, welche Frau liest schon Gedichte?, es gibt Frauen, die Gedichte machen, aber es gibt keine, die sie lesen, Gedichte werden ausschließlich für Männer gemacht,* der Dichter kam von seinem Telefonat zurück, ein Kellner schob ihm den Sessel zurecht, er ließ sich nieder, leise und leidend, beugte sich zu der Dame rechts neben ihm, ohne Zweifel seine Frau, und Franziska hörte ihn sagen: »Olghina, wir müssen heute abend zu den Pelloris.« Die Frau des Dichters war klein, muskulös, schwarzhaarig, *nachgefärbt,* man sah die Kopfhaut durch ihre schwarzen Haare schimmern, die Haut eines klugen, energischen Kopfes, *eine Scharfe, eine Routinierte,* sie wechselte keinen Blick mit dem jungen Mann, der ihr gegenüber am Tisch saß, ehe sie sagte: »Aber was machen wir mit Giancarlo? Er muß mitkommen.« – »Natürlich«, sagte der Dichter, zu dem jungen Mann gewendet, »sie werden sich freuen, Sie kennenzulernen.« Er verlor keine Spur von Würde, *das Spiel ist akzeptiert, seit langem schon, in diesen Kreisen hat die Ehe ihre Schrecken verloren, der Dichter ist kein Hahnrei und Olghina ist keine, die Hörner aufsetzt, sie haben sich ganz einfach arrangiert, möglich, daß sie sogar manchmal noch miteinander schlafen, sie ist scharf genug, um solche Situationen herbeizuführen, warum ist es mir unmöglich, so mit Herbert zu leben, warum kann ich mich mit ihm nicht arrangieren, Herbert wäre dazu bereit, aber ich kann es nicht, für mich ist die bequeme Ehe mit Herbert voller Schrecken, man kann so leben mit einem Dichter, der Würde besitzt und der leidend ist, aber nicht mit einem Ästheten und Vertreter,* Franziska beobachtete den jungen Mann, *Giancarlo,* sein Gesicht von griechischer Vollendung, seinen unsicheren Blick, die Art, wie er die Zigarette hielt, eine Spur zu elegant in seiner edel geformten Hand, die braun und mit sinnloser Kraft gefüllt über der weißen, nicht mehr ganz sauberen Manschette hing, *peinlich ist die Situation nur für ihn, den Liebhaber, den sie sich geholt hat, vollkommen sicher mit ihrem Prestige und ihrem großen Leben hantierend, mit ihrem Geld und ihrer Prominenz, Giancarlo und das prominente Leben, der sinnlos schöne junge Mann und die kleine muskulöse scharfe Frau, die ihm bald den Laufpaß geben wird, man sieht es; daß sie keinen Blick mit ihm gewechselt hat, war nicht nur Routine, sie weiß schon, daß sie es nicht mehr nötig hat, sie weiß schon ganz genau, wie er im Bett ist, ihre Neugier ist befriedigt, und sie wartet bereits auf eine neue Gier, die Giancarlo ins Dunkel stoßen wird, ins nicht mehr prominente Leben, in dem er versagen wird, weil er sich einmal zu heftig mit der Illusion eingelassen hat. Ich habe kein Recht, ihn zu verachten, auch ich lebe in der Illusion, gerade jetzt lebe ich in der Illusion. Obwohl ich vielleicht schwanger bin.*

Sie stieß den Gedanken wütend von sich fort.

Die beiden anderen Männer, die am Tisch des Dichters saßen, waren das übliche Gefolge, der eine der ›alte Freund‹, *Redakteur vielleicht, im Journalismus steckengeblieben,* er sprach jetzt mit dem Dichter über eine Artikelserie in einer venezianischen Zeitung, der andere *ein jüngerer Verehrer, Kaufmann mit musischem Einschlag, wahrscheinlich Träger gewisser mäzenatischer Freundlichkeiten, Gastgeber, in der Lage, Landhäuser und Stadtwohnungen zur Verfügung zu stellen, wenn der Dichter, der von Hause aus gut situiert ist – man sieht es ihm an –, dergleichen benötigt.* Er sprach wenig und begann, Franziska anzublicken. Es war ihr lästig. Sie entdeckte an einem anderen Tisch die junge Rothaarige von gestern abend, vom Diretto-Boot, *also zum Fünf-Uhr-Tee geht sie ins Pavone,* nun sichtlich ein Starlet, umgeben von zwei jungen und einem älteren Herrn, eindeutig Filmbranche, zwei

Schauspielerkollegen und ein Produzent, die Jungen spielten dem kleinen Saal ihre reizende und ganz echte Bewunderung des schönen Mädchens vor, der eine chargierte tiefe, nur mühsam zurückgehaltene Verzauberung, der andere sachliches, kameradschaftliches Verständnis. Der Tisch war zu weit entfernt von ihr, als daß Franziska etwas von ihrer Unterhaltung hätte verstehen können, aber sie kannte die Art des Umgangs von Akteuren untereinander aus vielen Abenden in Düsseldorfer und Münchner Gesellschaften, ihr leicht durchschaubares, kindliches Raffinement, ihren Kavalierskult, den sie mit den Aktricen betrieben, wenn die Mädchen nicht mehr nur ›Nachwuchs‹ waren, nicht mehr Statistinnen, sondern schon kleine Idole, wie diese da, eine Beauté in einem dunkelroten, fast schwarzen Nachmittagskleid mit einem recht gewagten Ausschnitt, *sie ist noch zu jung für einen solchen Ausschnitt, und sie sollte ihre Haare offen tragen, nicht aufgesteckt, sie sollte die junge Romantische darstellen, nicht die junge Mondäne, windzerzaust, wie gestern abend, sahen ihre Haare eigentlich besser aus, hoffentlich findet sie einen guten Regisseur.* Sie fühlte den unablässigen Blick des Kaufmanns auf sich, *das ist so einer, der nicht wegschauen kann, ein Unbefriedigter,* sie wandte sich ihm zu, belästigt, betrachtete ihn, er senkte den Blick, hob ihn aber rasch wieder, um zu prüfen, ob sie ihn noch immer ansah, *sie blickte zurück, ich könnte etwas mit ihr anfangen, aber wie?, einen Zettel durch den Cameriere, nein, das ist doch altmodisch, eine Rothaarige und mein Typ, eine wunderbare Gelegenheit, nein, es hat keinen Sinn,* er wandte seinen Blick ab, nun für längere Zeit, *natürlich, er wagt es nicht, diese Kaufleute wagen es nie, sie schauen einen nur an, aber wenn man ihnen ein Zeichen gibt, daß man ihren Blick erkannt hat, schauen sie weg, sie haben Angst, sie haben Angst vor der Realität eines Abenteuers, weil jedes Abenteuer nicht nur ein Abenteuer ist, sondern auch das Gegenteil davon, eine Bindung, man muß in ein Abenteuer etwas investieren, Geld, Zeit, Schwierigkeiten, Lügen vor der Familie, deswegen gehen sie zu den Huren, bei denen sie es mit Geld allein abmachen können, obwohl sie sich hinterher miserabel fühlen, denn jede Hure ist ein verpaßtes Abenteuer, etwas Versäumtes, das, was Männer nicht gänzlich versäumen wollen, das Gefühl, das sie erfüllt, wenn sie mit einer fremden Frau geschlafen haben, das Gefühl, etwas Fremdes zu sich verführt und besessen zu haben, etwas Schönes, das fremd ist. Aber sie haben keine Zeit. Statt Zeit haben sie Angst. Es hat keinen Sinn, denkt der da und wendet den Blick ab, wenn er entdeckt, daß sein Blick Folgen haben könnte. Was für Folgen? Er müßte auf eine diskrete Weise Verbindung mit mir aufnehmen, er müßte heute oder spätestens morgen abend mit mir ausgehen, er muß einer Frau, die vielleicht schön und geistvoll ist und die er liebt, etwas sagen, es so gekonnt sagen, daß sie es glaubt, auch während der folgenden Tage, die richtigen Plätze muß er wählen, an denen er nicht gesehen wird, schließlich ist er ein bekannter Geschäftsmann, und Venedig ist klein, seine Kreditwürdigkeit leidet, wenn man sich erzählt, daß er Weiberaffären hat, und dann muß er sich auf mich konzentrieren, er muß es ja fertigbringen, mich zu verführen, das erfordert viel Nachdenken und einiges spontanes Handeln und sogar Gefühl, es zieht ihn von seinen Geschäften ab, besonders wenn er sich vorübergehend in mich verliebt, es ist sinnlos für ihn, so viel in eine so fragwürdige Angelegenheit zu investieren, er arbeitet zu viel, um sich eine Affäre leisten zu können, weil die Arbeit zu groß und zu schwierig und zu differenziert geworden ist, gibt es nur noch impotente und domestizierte Männer, es gibt nur noch Arbeiter, keine Spieler mehr, man hat keine Geliebten, höchstens klar finanzierte Maitressen, wenn man sinnlich und musisch veranlagt ist, finanziert man im besten Fall Gedichte. Die Gesellschaft besteht aus den monogamen Arbeitern und der Prostitution.* Franziska bemerkte, daß der Mann wieder zu ihr herübersah, sie drückte ihre Zigarette aus, erwiderte seinen Blick, aber sie legte auch nichts Abweisendes in ihre Haltung, *los, fang doch an zu spielen, wir Frauen sind zwar auch sehr monogam, aber wir sind außerdem furchtbar unlogisch, jede Frau läßt sich verführen, wenn der Mann, der hinter ihr her ist, ein richtiger Verführer ist. Es sei denn, sie befände sich gerade mitten in einer großen Leidenschaft. Nur die sehr große Passion schützt eine Frau vor dem Abenteuer.*

Unsinn, der Kerl ist mir ja unsympathisch. Sie stellte erleichtert fest, daß er sich abgewendet hatte; er begann, sich an der Unterhaltung mit dem Dichter zu beteiligen. Aber sie war unerbittlich, sie bemerkte, daß sie nicht nur erleichtert, sondern auch eine Spur enttäuscht war, *ich wollte also doch gesehen werden, deswegen bin ich hereingekommen, ich habe etwas über Abenteuer phantasiert, aber in Wirklichkeit bin ich bereit, mich prostituieren zu lassen, wenn es auf eine erträgliche Art geschehen könnte, ließe ich mich kaufen, weil ich Angst habe, Angst vor der Unsicherheit, vor dem, was kommt. Zehntausend Lire und ein Brillantring gegen ein fremdes Land, vielleicht gegen eine Schwangerschaft in einem fremden Land. Es ist aussichtslos. Darum habe ich diesem Mann, der mir unsympathisch ist, eine Chance gegeben, ich weiß, wie solche Leute sind; sie sind alle wie Joachim. Beschäftigt und geil. Joachim hat es besser wie die meisten von ihnen, denn er hat das Verhältnis mit mir.* Hatte, verbesserte sie sich. *Er wird explodieren, wenn Herbert ihm erzählt, was geschehen ist. Wenn ich nicht kapituliere und zurückkehre, wird er Herbert hinauswerfen. Auf seine Art liebt er mich. Eine reizende Art, geliebt zu werden. Herbert wird schon wieder eine passende Stellung finden. Er ist ein ausgezeichneter Vertreter.*

Ein Kellner kam und goß Tee nach, *sie sind wunderbar höflich hier, ein erstklassiges Hotel, geschultes Personal, gutes Publikum,* ihr gegenüber saß der amerikanische Gastprofessor, *very important person,* Franziska hatte einmal einen dieser VIP-Pässe gesehen, sie mußte lächeln, *sie charakterisieren ganz naiv, sie haben ein naives Verhältnis zur Sprache, der amerikanische Slogan ist mehr als nur ein Schlagwort, unsere Schlagworte sind nur routinierte Abstraktionen, die ihren sind naive Formeln, beim Übersetzen ist es mir immer aufgefallen, niemals brächten wir es über uns, einen bedeutenden Gelehrten als very important person zu bezeichnen,* der vielleicht bedeutende Gelehrte, klein und fett, Soziologie oder Krebsforschung oder Städtebau oder Musikwissenschaft, hatte Stapel von Zeitungen und Zeitschriften neben sich aufgebaut, er las die ›New York Herald Tribune‹ mit gerichtetem Blick hinter scharfen randlosen Gläsern, er ließ den gerichteten Blick manchmal auf Franziska oder dem Starlet ruhen, beim Umblättern, *es ist schwer, sich zwischen einer Jungen und einer Frau in mittleren Jahren zu entscheiden, besonders wenn sie beide schön und rothaarig sind, man müßte mit beiden zusammen ins Bett gehen, eine vergleichende Studie in Rothaarigkeit und der hellen Haut der Rothaarigen und der berühmten Sinnlichkeit der Rothaarigen, ich bin ein Schwein, nein, ich bin kein Schwein, ich bin ganz natürlich, meine europäischen Kollegen würden etwas von heidnischer Sinnlichkeit murmeln, wenn sie meine Gedanken lesen könnten, ich hasse ihr mythologisches Geschwätz, mit dem sie ihre eigenen Akademiker-Cochonnerien drapieren, Gott sei Dank habe ich eine kluge Frau, Jeanie hat nichts dagegen, wenn ich es manchmal mit den Mädchen treibe, Jeanie ist verständnisvoll und ein bißchen frigid, in einer monogamen Gesellschaft ist es gut, wenn man eine eher kühl temperierte Frau hat,* schließlich erfaßte Franziska die Bedeutung seiner beiläufigen, sachlichen, gerichteten Blicke hinter den randlosen Gläsern, *unglaublich, es geht doch nichts über die Erotik von Universitätsprofessoren, einfach sagenhaft, diese sachliche Unverschämtheit, very important person, klein und fett, und gar nicht unsympathisch,* aber sie wurde in ihren Gedanken unterbrochen durch den leisen dramatischen Auftritt einer jungen Frau.

Eine große, schwarzhaarige, blasse, *nicht besonders schön, aber anziehend, etwas zu weiche träge Lippen;* sie ging mit unsicheren, unmerklich kreiselnden Schritten auf den Tisch des Dichters zu, die Herren am Tisch erhoben sich, offensichtliches Erstaunen, aber sie faßten sich, die junge Frau blieb stumm vor ihnen stehen, natürlich rettete Olghina die Situation, sie sagte: »Aber Maria, Sie sind wieder hier? Wir vermuteten Sie in Cortina! Kommen Sie, setzen Sie sich!«

»Es ist zuviel Schnee in Cortina. Ich mag keinen Schnee«, sagte die junge Frau.

Dann der Kellner mit dem geschult herbeigezogenen Stuhl, man setzte sich, Maria ließ sich den Mantel nicht abnehmen, einen weichen, leichten, sehr hellen Mantel im Charleston-Stil mit einem etwas dunkleren runden Pelzkragen, aus einem langhaarigen kostbaren Pelz, der unter einer Bewegung, in einem Atemhauch, sich öffnete wie Gefieder oder Wassersträhnen, bernsteinfarben unter dem leuchtenden Nachtschwarz ihres, gleichfalls im Charleston-Stil gewellten, halblangen Haares, sie lehnte sich nicht zurück in ihrem Sessel, sie saß gespannt und geistesabwesend dem Dichter gegenüber und hielt ihren Blick auf ihn gerichtet.

»Ach so, ja«, sagte sie zu dem Kellner, »bringen Sie mir einen Cognac!«

»Ich mag Schnee gern«, sagte die Gattin des Dichters. »Wenn in den Dolomiten Schnee liegt, werde ich ein paar Tage skifahren gehen.« Sie wandte sich direkt an ihn: »Du wirst mich ein bißchen beurlauben müssen.«

Er beachtete sie nicht. »Aber Ihr Mann vermutet Sie in Cortina«, sagte er zu der jungen Frau, »er hat Sie nach Cortina gebracht, ehe er nach New York flog. Er wird Ihnen dorthin schreiben.«

Der Kellner stellte den Cognac vor sie hin, ein leises, wasserhartes Klirren, sie nahm das Glas und leerte es mit einem Zug. Sie trank sehr geübt und zielbewußt, aber ehe sie trank und nachdem sie getrunken hatte, bemerkte Franziska ein leichtes Zittern ihrer Hände. Hat sie schon vorher getrunken? Raucht sie zuviel? Sie rauchte nicht. »Aber ich habe es einfach nicht ausgehalten«, sagte sie. »Die Dolomiten interessieren mich überhaupt nicht. Ich habe sie mir angesehen. Ich finde sie langweilig.«

Sie sagte es ohne Betonung, wie man Formeln sagt, *es ist small talk, sie hat das gelernt, sie ist sehr gut erzogen, darum fängt sie jetzt nicht zu weinen an, obwohl sie weinen möchte.* Nur den Ausdruck ihres Gesichts konnte sie nicht bezähmen; es gab sich, auf jeden Schutz verzichtend, nur noch gehalten von einer Art träumerischer Sicherheit, den Augen des leidenden Mannes hin, der zu gewissen Stunden in der Lage war, Gedichte zu machen.

»Nun, das macht doch gar nichts«, sagte der ›alte Freund‹ schnell, »wir freuen uns, Sie wieder hier zu haben. Ich habe eine Idee, wir schreiben jetzt alle zusammen Attilio eine Postkarte nach New York, daß wir Sie wieder unter unsere Fittiche genommen haben.« Er blickte die anderen an, die stumm blieben. »Luftpost«, fügte er etwas unsicherer hinzu, »die Nachricht ist dann übermorgen in New York.«

»Maria«, sagte der Dichter, »kommen Sie, ich will eine halbe Stunde mit Ihnen spazierengehen. Ich habe mit Ihnen zu reden.«

Er nickte den anderen zu und erhob sich rasch und entschlossen, als ob ein Gran seines Leidens von ihm abgefallen sei, und ging hinaus, ohne sich nach der jungen Frau umzusehen, die ihm folgte; mit ihren wiederum unmerklich kreiselnden Schritten, eingesponnen in einen Traum; sie machte nicht einmal den Versuch, sich von den anderen zu verabschieden. Franziska sah durch die Glasscheiben des Tea-Rooms, wie dem Dichter der Mantel gebracht wurde und wie Maria sich bei ihm einhängte, das Wehen eines kleinen Bernsteinpelzes neben einem schweren schwarzen Mantel, die Türe des Pavone, aus dunkelbraunem schimmerndem Holz, war gerade breit genug, sie nebeneinander hindurchgehen zu lassen, einen großen leidenden älteren Mann und eine nicht sehr viel kleinere junge Frau, die litt.

Die von ihnen Verlassenen verharrten eine Weile stumm, Franziska wurde von Sympathie überwältigt, weil sie bemerkte, daß nichts als Teilnahme und Besorgnis am Tisch herrschten, nur Giancarlo versuchte die Andeutung eines spöttischen Lächelns, *natürlich, er gehört ja schon nicht mehr zu ihnen, er ist ja schon verstoßen, und er weiß es*, aber selbst ihm verging es, der Ernst der anderen zwang ihn, teilzunehmen. *Das sind sehr faire Leute, anständige Leute, sie können eine Lage ermessen, sie denken eine Situation durch, sie haben sich dazu erzogen, nicht konventionell zu reagieren, wahrscheinlich hat sie der Umgang mit dem Dichter dazu erzogen, fair zu sein, es bleibt nicht ohne Folgen auf die Intelligenz, auf den Charakter, wenn man lange Zeit mit einem Mann umgeht, der zu gewissen Stunden in der Lage ist, Gedichte zu machen. Wenn die Leute, mit denen er verkehrt, sich in einer Krise so verhalten wie Olghina und der ›alte Freund‹ und der Mäzen, den ich nicht mag, und sogar Giancarlo, dann muß dieser Dichter ein sehr guter Dichter sein.* Franziska nahm sich vor, eines Tages seine Gedichte zu lesen. *Wenn ich einmal wieder etwas Geld übrig habe, werde ich mir seine Gedichte kaufen.*

Schließlich wurde sie auf einen jüngeren Mann aufmerksam, *vielleicht so alt wie ich*, der in einer Ecke des Tea-Rooms saß, an einem Tisch mit einem älteren Mann, *vielleicht fünfzig*, er – der jüngere – war von einem Blumen-Arrangement ein wenig verdeckt, das neben ihm auf einem Kaminsims aus Marmor stand, über dem Marmorsims erhob sich ein Spiegel, so daß die große, mit Zinnien gefüllte Vase aus blauem und weißem Porzellan doppelt erschien, der Sessel des jüngeren Mannes stand in der Ecke, die der Kaminvorsprung mit der Wand bildete, und einige der Zinnien verdeckten, wenn er sich bewegte, für Momente sein Gesicht und seinen Oberkörper, Franziska bemerkte ihn nur, weil ihr auffiel, daß auch er die Vorgänge am Tisch des Dichters – der doch viel weiter von seinem Platz entfernt war als der Tisch, an dem Franziska saß –, daß er die so sanft gespielte tragische Farce, obgleich er fortwährend mit dem älteren Mann sprach, beobachtet hatte, was sie nicht während der Vorgänge selbst festgestellt hatte, sondern erst jetzt erfaßte. Sein Blick, mit dem er den Tisch musterte, zeigte ihr, daß er schon eine ganze Weile dem Verlauf des Ereignisses gefolgt war, was übrigens sicherlich auch ein paar andere Leute, die im Tea-Room saßen, getan hatten, *warum fällt mir gerade seine Beobachtung auf?*, sie konnte es sich nicht erklären, *vielleicht sind es die Zinnien, dieser Blick durch die Zinnien hindurch, oder einfach nur die Farben, die gespiegelten Gelbs und Rots*, aber dann tat er etwas, was sie nicht vorher sah: er wandte plötzlich seinen Blick von dem Tisch weg und sah statt dessen Franziska an, und zwar mit einem Komplicenblick liebenswürdigsten und hemmungslosesten Einverständnisses, der sie völlig überrumpelte: sie gab ihm den Blick zurück, vielleicht nicht ganz so liebenswürdig und hemmungslos wie er, aber doch einen Komplicenblick; für die Dauer der Zeit von einem Lidschlag zum anderen herrschte zwischen ihnen die verschwiegene Offenheit alter, sehr alter Bekannter, die sich wortlos und zynisch über eine Szene unter entfernten Bekannten verständigen. *Oh, das ist ein kleiner Teufel!* Er war wirklich klein, er saß schmal und klein in seinem Sessel, zurückgezogen und halb von den höllischen Schmelzflußfarben der Zinnien verdeckt, *das ist der Grund, warum mir gerade seine Neugier aufgefallen ist und nicht die der anderen, in seinem Blick ist etwas Besonderes, etwas Charmant-Freches, und dahinter noch mehr, etwas alte Zauberei, etwas schwarze Magie, schade, daß ich die Farbe seiner Augen von hier aus nicht erkennen kann, sie müssen grau sein, das ist einer, der sehr viel weiß, der alles erfährt, mit einem Blick, mit einem Blick ohne Hemmungen, vielleicht mit dem bösen Blick.* Sie notierte sich ihn diskret, dunkler Anzug, einfacher dunkler Anzug, sehr weißes Hemd, die schmale Krawatte aus goldener Seide gestrickt, glatte schwarze Haare über einem hellgeschliffenen, wie polierten Gesicht mit hochgesetzten runden Backenknochen, *die Art Haare, die ich an einem Mann gern habe,* obwohl er schwarzhaarig und klein war, sah er gar nicht italienisch aus, *er sieht aus wie ein Engländer, wie ein Engländer von der schwarzen kleinen sehr sympathischen Art, die es so häufig gibt wie die blonde große, er muß Engländer sein, goldener Windsor-Knoten also,* plötzlich kapierte Franziska, *ach so, ein Schwuler, einer von der angenehmen Sorte, von der harten, knabenhaften Sorte, von der Sorte der sehr männlichen Engel, die männlicher sein können als die meisten normalen Männer, ein kleiner englischer Teufel.* Jetzt sprach er wieder mit dem älteren Mann, *vielleicht eine Tante,* Franziska sah ihn sich nicht näher an, plötzlich war auch der ganze Zauber vorbei, der kleine schwule Engländer hatte mit seinem zynischen Blick den angenehm geheizten Teezauber gebrochen, aus dem Pavone-Tea-Room-Zauber hatte er sie in die Realität zurückgerufen, in die Zehntausend-Lire-Realität, auf einmal spürte sie wieder die Langeweile aller Parties, die sie jemals mitgemacht hatte, Cafard ergriff sie, aber zum erstenmal empfand sie den Zwang, in die Drohung zurückzukehren, die draußen, vor dem Luxushotel für sie bereitstand, wie eine Einladung zur Heimkehr. Hier waren sie alle: der kleine Teufel, der Dichter, Olghina und Maria, die very important person, der geile Mäzen, das Starlet, der ›alte Freund‹, auch Herbert und Joachim, und noch einmal der kleine Teufel, der sie alle im Brennpunkt seines bösen Blicks verzehrte. In allen Tassen standen Reste kalten Tees. Franziska winkte dem Kellner.

In der Halle gab sie dem Jungen hundertfünfzig Lire Trinkgeld, *zu viel, aber ich habe nie am Trinkgeld sparen können, fünfhundert Lire der ganze Fünf-Uhr-Tee also, ein bißchen teuer, ein bißchen viel, selbst für einen so guten Spaß, in meiner Lage ist alles zu teuer,* dann ging sie zu dem mahagonifarbenen Empfangstisch hinüber.

Der Chefportier war unverkennbar in seiner eisgrauen bauchigen Würde, er war mit der Lektüre der Zeitung beschäftigt, die sorgfältig ausgebreitet vor ihm auf der dunkelgrünen Schreibunterlage lag. Dunkelgrün, mahagonifarben, eisgrau; an ihn hatte sie sich zu wenden. Der Assistent hatte ein wenig entfernt mit dem Telefon zu tun.

»Kann ich Sie einen Augenblick sprechen?« fragte Franziska.

Er hatte schon aufgesehen, als sie herangetreten war.

»Aber bitte sehr, Signora«, sagte er.

»Ich möchte einen Rat von Ihnen.«

»Wenn ich es kann?« Er war erfahren. Unendlich erfahren und sehr, sehr freundlich.

»Ich bin Dolmetscherin«, sagte Franziska. »Italienisch, Englisch, Französisch, Deutsch. Außerdem Stenografie, Maschine und alle Sekretariatsarbeiten. Glauben Sie, daß ich eine Stellung bekommen kann? Entweder bei Ihnen oder irgendwo sonst in Venedig?«

»Nicht bei uns«, sagte er. »Nicht in der ganzen Hotelbranche, im Winter, in Venedig.« Er hatte seine Stimme nicht um die geringste Nuance verändert. *Er ist sicherlich der erfahrenste und souveränste Hotelportier, den es in ganz Venedig gibt. Er läßt nicht plötzlich die Maske fallen, wenn er entdeckt, daß er eine Bittstellerin vor sich hat, nicht eine gutsituierte Touristin.* »Wir haben unser Saison-Personal schon Ende Oktober entlassen«, sagte er, »und die Hälfte der Hotels ist überhaupt geschlossen.«

»Ich verstehe«, sagte Franziska.

»Dabei ist die Hotelbranche hier fast die einzige Branche, die für Sie in Frage kommt, Signora«, sagte der Chefportier. »Es gibt wenige Branchen, die Reise- und Schiffahrtsbüros arbeiten im Winter auch nur halb.« *Er ist nicht nur freundlich, er will wirklich helfen, er sagt sogar immer noch ›Signora‹.*

»Haben Sie im inneren Betrieb nichts frei?«

»Was meinen Sie mit innerem Betrieb?« fragte er.

»Ich meine, ich kann auch Betten und Zimmer machen, überhaupt alles. – Bis ich etwas gefunden habe«, fügt sie hastig hinzu, als sie bemerkt, daß der Ausdruck seines Gesichts sich veränderte.

»Nein«, sagte er. »Selbst wenn wir knapp an Zimmerpersonal wären, würden wir jemand wie Sie nicht einstellen.«

Er sagt nicht mehr, ›jemand wie Sie, Signora‹. Seine Stimme ist immer noch untadelig höflich, aber auf einmal ist sie kalt geworden. Untadelig und kalt. Sie sah ihm zu, wie er eine Schublade aufzog, die sich neben ihm befand.

»Sie hatten Auslagen bei uns«, hörte sie ihn sagen. »Erlauben Sie, daß das Hotel sie Ihnen zurückerstattet.«

Er reichte ihr einen Tausend-Lire-Schein herüber. Das Entsetzen schlug ihr eine harte Röte ins Gesicht. In blinder Verwirrung nahm sie die Banknote entgegen. *Das ist doch nicht möglich. Das ist doch nicht möglich.* Sie fühlte das Papier zwischen ihren Fingern, und dann wurde sie sich eines Restes eisiger Kälte bewußt, der irgendwo in ihrem Innern war. Sie steckte die Hand mit dem Schein in ihre Manteltasche.

»Danke«, sagte sie.

Der Chefportier zuckte nur die Schultern. *Tausend Lire läßt es sich das Hotel Pavone kosten, daß ich es nicht mehr betrete. Sehr elegant. Ein elegantes Hausverbot.*

»Sie sind doch Deutsche, Signora?« fragte der Chefportier.

Sogar die ›Signora‹ kann er sich jetzt wieder leisten. »Ja«, sagte sie.

»Venedig ist ein schlechter Platz für Sie«, sagte er. »Ich rate Ihnen, gehen Sie am Montag auf Ihr Konsulat und lassen Sie sich von Ihren Landsleuten helfen. – Luigi, weißt du, wo hier das deutsche Konsulat ist?« fragte er den Assistenten, der immer noch wartend am Telefon hing und mit den Fingern auf den Tisch trommelte.

»Calle Vallarasso«, sagte er, »wenn ich mich nicht irre.«

Franziska nickte, wandte sich ab und ging hinaus. Nacht, die

Gondeln, die Lampen, San Giorgio draußen in der dunklen Lagune, sehr feiner Sprühregen, einen Augenblick lang blieb sie stehen und wartete darauf, daß eine neue Röte in ihr Gesicht steigen würde, aber sie stellte fest, daß es nur die Röte der frischen Luft war, die sich auf ihre Haut legte. *Fünfhundert Lire Gewinn. Es hat sich doch gelohnt, zum Fünf-Uhr-Tee ins Pavone zu gehen. Tausend Lire Honorar für die Mitteilung, daß man bereit ist, Betten zu machen.* Sie ging rasch zu ihrem eigenen schäbigen Hotel hinüber, beinahe fröhlich. Der Schein in ihrer Manteltasche fühlte sich gut an. Als sie bemerkte, daß sie den Namen der Straße, in der sich das deutsche Konsulat befand, bereits vergessen hatte, lächelte sie. In ihrem Zimmer angekommen, zog sie nur den Mantel aus, ehe sie sich aufs Bett warf. Sie lag auf dem Bauch, ihre roten Haare breiteten sich über den Kissen aus, nachlässig streifte sie die Schuhe ab. Nach einiger Zeit gelang es ihr, einzuschlafen, trotz des vielen Tees, den sie getrunken hatte. Sie geriet in einen unruhigen, halben, in einen betäubenden Schlaf.

Der alte Piero, Ende der Nacht

das boot, die lagune, gestern waren die reusen leer, die frühe, die nacht in mazzorbo, ich stoße von mazzorbo ab, die kälte, die stange stoß ich ins dunkel, die kälte, wenigstens martas schal, rosas schal, der nebel, das dunkle wasser, der nebel, ich gleite, aale, paludi della rosa, ich fühle mich schlecht, kaffee bei paolo in mazzorbo, aufblickend blau, noch nicht die sonne, blau, sie wird kommen, torcello rechts, ich fahre nach westen, paludi, ins dunkelblau, della rosa, aufblickend das gebirge, die stange, keine handschuhe, das leere boot, im wasser ein stück holz, die reusen in den untiefen, der schal, ich huste, kein mantel, die aale, die reusen in den untiefen der grauen aale, kein geld, aufblickend sehe ich hustend das gebirge mit schnee unter dunkelblau über lagunennebel, dunkelblau, husten, nebel, schneegebirge, dunkelblau, sonne.

Sonntag

Ein Mann, der pazienza besitzt – Folgen eines Schocks – Der heilige Markus und die falschen Alternativen – Telefonat mit Dortmund – Mappa Mundi – Die Linien schneiden sich auf dem Campanile – Rock and Roll mit einem Mörder – Oststurm

Gegen Mitternacht erwachte Franziska. Sie stellte fest, daß sie hellwach war, stand auf, glättete die Falten ihres Rocks und begann, ihre vom Schlaf verwirrten Haare zu kämmen. *Die zehntausend Lire werden gerade für ein Billett nach München reichen. Bis Montag morgen ist das Hotel bezahlt. Montag früh fahre ich nach München, leihe mir von Bekannten dort etwas Geld und suche mir in München oder anderswo irgendeinen Job. Eigentlich wollte ich ja spurlos verschwinden, aber das hat eben nicht geklappt. Es war eine romantische Idee. Mit meinen Kenntnissen bekomme ich in Deutschland sofort einen hochbezahlten Job, und nach ein paar Monaten kann ich mir schon eine kleines Appartement leisten, eine süße kleine Appartement-Wohnung in München. Was wollte ich eigentlich hier in Venedig? Es war lächerlich, ein Fehlstart.* Sie überlegte, ob sie im Hotel bleiben oder noch einmal ausgehen sollte. *Ich bin ganz wach und ich habe nichts zu lesen, vielleicht bekomme ich auf der Piazza San Marco noch eine Illustrierte. In München kann ich gleich zum Arzt gehen, aber es ist eigentlich noch zu früh, sie können erst, nachdem die Periode ausgeblieben ist, mit Sicherheit feststellen, ob man ein Kind bekommt.* Franziska begann zu rechnen, sie wurde sich bewußt, daß es sich am Montag oder Dienstag oder Mittwoch herausstellen würde, ob sie die Periode bekam oder nicht, sie erschrak über die Nähe der Entscheidung, *aber wenn ich ein Kind bekomme, werde ich es bekommen, ich bin beruflich erste Klasse, keine Firma wird mir deswegen Schwierigkeiten machen, im Gegenteil, sie werden mir die zwei Monate, die ich deswegen fehlen muß, bezahlen, ich muß das sofort vereinbaren, und dann habe ich ein Baby und eine Appartement-Wohnung, und ich verdiene so viel, daß ich jemand bezahlen kann, der auf das Kind aufpaßt, wenn ich im Büro bin, es stört mich nicht, daß das Kind von Herbert ist, es ist, als wäre es von irgendwem, ich werde keinen Pfennig von Herbert annehmen, Deutschland, natürlich, das ist die Lösung, dieser Versuch, in Italien unterzutauchen, ist absurd gewesen, Schluß mit den venezianischen Erniedrigungen*, dennoch spürte sie, daß ihr Entschluß, nach Deutschland zurückzukehren, ihr nur eine Erleichterung verschaffte, während sie, als sie das Biffi verlassen und nach Venedig gefahren war und noch während des ganzen vergangenen Tages unter dem Zwang eines großen Impulses gestanden hatte, *ja,*

Zwang ist das richtige Wort und Lösung ist auch das richtige Wort, und eigentlich liebe ich den Zwang und den Impuls mehr als die Lösung und die Erleichterung, ich weiß schon, was nach der Lösung kommt, nach der Lösung kommt die Langeweile, die süße Appartement-Wohnung, das hohe Gehalt, die falsche Ordnung und die falsche Sauberkeit, der Mangel an Ideen, der Mangel an Leidenschaft, nicht einmal das Kind wird mich vor der deutschen Langeweile bewahren, vor dem Land ohne Geheimnisse, ich bin nicht die Frau, die nur noch ihr Kind sieht, und überdies wird das Kind mich hindern, nach einer Weile ins Ausland zu gehen, an einem Job in Deutschland hindert es mich nicht, doch eine Stellung im Ausland kriege ich nur sehr schwer, wenn ich ein Kind mitbringe, aber was erwarte ich denn vom Ausland?, daß es dort anders sei?, was habe ich von Italien erhofft?, daß es dort Geheimnisse gibt?, fremde Rituale oder die Rituale der Fremde, in die man aufgenommen wird, um fortan im Geheimnis zu leben?, ich kenne doch das Ausland, ich kenne Italien, es ist einfach dumm, daß eine Frau mit einem so glatten, polyglotten Beruf wie ich solchen Illusionen nachhängt, sie dachte an den Portier ihres Hotels und an den Portier des Pavone, aber dann erinnerte sie sich plötzlich des Hauses, gestern abend, auf der Strecke von Mailand nach Venedig, des Hauses nach der Ausfahrt Verona, *es war vielleicht einmal weiß gestrichen gewesen, jetzt hing der Bewurf schmutzig und in Fetzen an ihm, im ersten Stock waren die Fenster mit Holzläden verschlagen, ob die Wohnung im ersten Stock frei ist?, im Parterre waren die Läden zurückgeschlagen, aber alle Fenster waren dunkel, um das Haus war eine Fläche aus Kies und Erde, Wäschestangen, an denen ein paar Hemden und Handtücher hingen, die Landstraße führte an dem Haus vorbei, irgendeine Nebenstraße, kein Auto fuhr darauf, sie glänzte schwach im letzten Licht des wässerigen Ebenen-Himmels, auch die Gleise spannen sich wie schimmelig phosphoreszierende Fäden an dem Haus vorbei, die Ausfahrtgleise Veronas an dem lichtlosen Haus, es sind sicher Leute drinnen, sie machen nur kein Licht, das Haus war ein Würfel, ein Würfel aus Trostlosigkeit und Verfall und geheimem Leben, Leben im Dunkel, mit runden Ziegeln auf dem beinahe flachen Dach, die Kamine, beschädigt, ließen Mörtel auf die runden Coppi rieseln, Flecken von Feuchtigkeit zogen sich über die Wände aus nackten Ziegeln, aus grauen Lappen von Bewurf, ich habe mich immer nur für diese*

Häuser interessiert, ich wollte hinter das Geheimnis solcher Häuser kommen, ganz Italien besteht aus solchen Häusern, in denen die Leute abends im Dunkeln sitzen und Geheimnisse bewahren, arme, bittere, leuchtende Geheimnisse, wahrscheinlich ist das Ganze eine literarische Idee, ausgelöst von neorealistischen Filmen, ein bißchen Faszination von der Poesie südlichen Proletariats, das italienische Proletariat ist literarisch en vogue, aber vermutlich bedankt es sich dafür, vermutlich wünscht es, auf die Poesie zu verzichten, wahrscheinlich findet es nicht einmal Geschmack an jenen Filmen, die zwar sein Leben zu verändern wünschen, aber zugleich dem optischen Zauber dieses Lebens verfallen sind. Sie zuckte die Achseln. *Nun, dies ist nicht mehr mein Problem, ich gehe zurück nach Deutschland.*

Als sie ihre Haare gekämmt hatte, wandte sie ihren Blick vom Spiegel ab und entdeckte, daß sie die Fensterläden noch nicht geschlossen hatte, *jeder, der in der Nacht draußen vorbeiging, hat mir zusehen können, wie ich mich gekämmt habe,* sie trat rasch ans Fenster und öffnete es, um die Läden zu schließen, sie blickte auf die nun fast menschenleere Riva degli Schiavoni, die bleichen Lichtkreise der Bogenlampen, das diffuse Licht auf dem Pflaster des Kais, die schwappenden Gondeln im Schwarz des Lagunenwassers, an dessen gedachtem Horizont die Lichtpunkte der Lampen auf dem Kai der Giudecca glühten. Eine Weile beobachtete sie eine Hure, die zu Füßen eines Denkmals auf und ab ging, eine noch junge, hübsche Hure mit blondgefärbten Haaren, die einen grünen Mantel trug. Dann erst entdeckte sie den Mann aus dem Pavone, sie erkannte ihn sofort, den kleinen schwarzen Engländer, *wenn er ein Engländer ist?*, den schwulen Teufel, *wenn er schwul ist?*, obwohl sein Gesicht im halben Lampenlicht kaum zu erkennen war, er stand dort unten, an einen Pfosten der Vaporettostation gelehnt, klein, hutlos, schwarzhaarig, er hatte einen hellgrauen Mantel an, er blickte ganz ruhig zu Franziskas Fenster hinauf, und als er sah, daß sie ihn bemerkt hatte, hob er seinen rechten Arm und winkte ihr mit einer Geste, die ohne Zweifel bedeutete, sie solle zu ihm herunterkommen. Es war eine Geste voll selbstverständlicher Sachlichkeit und freundlicher Suggestion, nichts Böses war in ihr, wie in jenem Blick, den er ihr im Tea-Room des Pavone zugeworfen hatte, es war ein einfaches, stilles Winken ohne Arglist, das Signal eines alten Bekannten, und beinahe war es das Winken eines Engels. Franziska gab ihm kein Zeichen, aber sie war so überrascht, daß sie ihre Absicht, die Läden zu schließen, vergaß. Sie machte nur das Fenster zu, und dann schlüpfte sie in ihre Schuhe, zog den Mantel an, löschte das Licht und verließ das Zimmer. In der Halle, in der nur noch die Nachtbeleuchtung brannte, hielt sie der alte Mann, der Nachtportier, auf, indem er ihr erzählte, ein Herr habe in der Halle lange auf sie gewartet, von Zeit zu Zeit sei er hinausgegangen, aber er sei immer wiedergekommen. Er habe gesagt, man solle die Signora nicht stören, sie komme auf jeden Fall noch einmal herunter. »Ein Ausländer«, sagte der alte Mann, »ein Mann, der Geduld hat.« Er legte in das Wort ›pazienza‹ einen Ton von Bewunderung. »Vor einer Viertelstunde ist er gegangen, weil ich ihm sagte, um zwölf Uhr müsse ich die Hoteltüre abschließen.« Er ging mit ihr zu der Türe und schloß sie auf. Als sie vor dem Hotel stand, schlenderte der Unbekannte auf sie zu. »Ich dachte, wir könnten noch einen Kaffee zusammen trinken«, sagte er lächelnd auf deutsch. Er sprach nicht ohne Akzent, aber fehlerfrei. Er sprach den Satz mit dem Akzent, mit dem Engländer Deutsch sprechen.

Franziska nickte. Aus der Nähe wirkte das Gesicht des Fremden geschlossen und sympathisch, ein ganz reines festes Oval. Seine hochgesetzten Backenknochen stachen nicht hervor, sondern waren rund modelliert. Seine Augen wirkten auf Franziska kalt, aber angenehm kalt, und in ihrem Hintergrund spürte sie eine reine Freundlichkeit, jene Art von Freundlichkeit, wie man sie für Kinder und Tiere hegt.

»Was für eine Augenfarbe haben Sie?« fragte Franziska, denn sie konnte in der Lampennacht zwar den Ausdruck seiner Augen, aber nicht ihre Farbe erkennen.

»Grau«, sagte er.

»Ich dachte es mir.«

Er faßte sie einen Augenblick am Arm, um sie in den dunklen Durchgang zu lenken, der neben dem Hotel nach S. Zaccaria führte. Sie gingen an der blond-grünen Hure vorbei, die sich in den Eingang der Schattenhöhle gestellt hatte, sie phosphoreszierte dort förmlich und blickte ihnen voller Neugier nach. Dann waren sie auf dem Platz, an dessen Seitenwand die Fassade der Kirche wie die Schale eines Krustentiers schimmerte.

»Sie sind Engländer, nicht wahr?« fragte Franziska.

»Ire«, antwortete der Unbekannte. »Anglo-Ire. Ich habe einen englischen Paß. Mein Name ist Patrick O'Malley.«

»Sie können Englisch mit mir sprechen, wenn Sie wollen, Mr. O'Malley.«

»Gern, wenn Sie mich Patrick nennen.«

Franziska beantwortete diese Aufforderung nicht, aber sie sprachen von jetzt an Englisch miteinander.

»Haben Sie eine bestimmte Bar, in der Sie Kaffee trinken wollen?« fragte Franziska. »Das Viertel ist etwas ungewöhnlich«, fügte sie hinzu. Sie waren in die finsteren Gassen hinter S. Zaccaria eingetaucht.

»Keine Bar«, sagte er. »Ich möchte unseren Kaffee bei mir zu Hause machen, Franziska.«

Sie blieb stehen. »Woher wissen Sie meinen Namen?«

»Ich weiß alles über Sie«, sagte er. »Sie heißen Franziska Lucas, Sie sind am 5. November 1926 in Düren im Rheinland geboren, verheiratet, von Beruf Dolmetscherin, Sie wohnen in Dortmund.«

»Der Portier in meinem Hotel hat Ihre pazienza bewundert, Mr. O'Malley«, sagte sie. »Vermutlich hat er Ihr Trinkgeld gemeint.« Sie ging weiter.

»Ein freundlicher alter Mann«, sagte ihr Begleiter. »Viel freundlicher als dieser Kerl im Pavone.«

»Das wissen Sie also auch?«

»Ja. Ich stand in der Halle, als Sie Ihre Unterhaltung mit dem Portier hatten. Und dann bin ich Ihnen nachgegangen, um zu sehen, wo Sie wohnen. Aber ehe ich mich in die Lobby Ihres Hotels setzte, um auf Sie zu warten, bin ich noch einmal ins Pavone zurückgegangen, um dieser Luxusausgabe von Hotelportier meinen Standpunkt klarzumachen. Sie hätten dabei sein sollen. Ich habe ihm vor mindestens zehn Zeugen meine Meinung gesagt.« Franziska sah, wie er wieder zum bösen kleinen Teufel wurde. »Ich kann das: jemandem meine Meinung sagen.«

»Besten Dank«, sagte Franziska trocken. »Und weshalb das Ganze?«

»Ich weiß es nicht«, antwortete O'Malley, »wirklich, ich habe keine Ahnung, warum ich Ihnen in die Halle des Pavone folgte. Vielleicht, weil Sie mir gefielen, die Art, wie Sie die Leute beobachteten, und weil ich den Eindruck hatte, daß Sie nicht zu ihnen gehörten.« Er schwieg. Dann sagte er: »Ich habe eine Schwäche für Leute, die nicht dazu gehören. Eine Schwäche und einen Blick.«

Eine Weile gingen sie schweigend nebeneinander her. O'Malley war ein wenig kleiner als Franziska; sie konnte auf seine glatten schwarzen Haare blicken. Sein grauer Mantel war lebendig und hell in der Schwärze der Gasse, durch die sie gingen, ein Fischgrätenmuster in lebendiger grauer Wolle, englischer Tweed.

»Sind Sie sicher, daß ich Sie in Ihre Wohnung begleiten werde?« fragte Franziska.

»Stellen Sie sich nicht töricht«, sagte er. »Sie wissen genau, auf welche Weise ich nicht zu den Leuten gehöre. Zu den Normalen, von denen Sie etwas zu befürchten hätten.«

»Woraus schließen Sie, daß ich es weiß?«

»Ich wußte es gar nicht. Jetzt weiß ich es.«

»Sie sind ein kleiner Teufel, Patrick!«

»Vielleicht. Manchmal. Aber Sie sind auch kein Engel. Ich bin Ihnen nachgegangen, weil ich den Eindruck hatte, daß zwei arme gefallene Engel sich kennenlernen sollten.« Sie kamen auf einen kleinen, sehr schlecht beleuchteten Platz, der zwischen niedrigen Häusern lag. An zwei Seiten war der Platz gepflastert, nur die Steine an der Kante des Kanals waren aus weißem Granit, ein weiß schimmerndes Band in der Dunkelheit, das vor dem Wasser warnte. Auf der anderen Seite des Kanals stand ein Palast, eines seiner Fenster war erhellt, und sie hörten Gesang, von Instrumenten begleitet. Sie blieben stehen und lauschten. »Donizetti«, sagte Franziskas Begleiter. Es war irgendein Spätkonzert von Radio Italia, oder vielleicht war es eine Schallplatte, und ein lyrischer Tenor sang eine Arie aus Donizettis ›Elisir d'Amore‹. Sie gingen unwillkürlich in die Töne hinein, bis sie am Rande des Kanals standen, auf den weißen Granitsteinen, zwei Stufen führten zu einem Pfad, an dem eine Gondel festgemacht war, und Franziska setzte sich, trotz der Kühle, auf die oberste Stufe und hörte zu, während Patrick O'Malley neben ihr stehenblieb. Er bot ihr eine Zigarette an, und sie rauchten, der Tenor sang unglaublich weich und doch präzis die Worte ›Una furtiva lacrima‹, der Liebestrank mischte sich in das schwarze Wasser des Kanals, die verstohlene Träne rann über das Antlitz der Nacht. Als er geendet hatte, wurde der Lautsprecher abgeschaltet, das Licht erlosch.

»Es gibt auch einiges, was ich nicht weiß«, sagte O'Malley. »Zum Beispiel weiß ich nicht, warum Sie in Venedig sind. Genauer gesagt: warum sie ohne Geld in Venedig sind und sich hier eine Stellung suchen wollen. Sie müssen ziemlich in der Klemme sitzen.«

Zu seinen Füßen hockend, erzählte sie ihre Geschichte der Nacht und einem Fremden, der auf eine so übertriebene Weise ein Mann war, daß sie ihn nicht zu fürchten brauchte. Sie machte es kurz; obwohl sie ihm nichts verschwieg, nicht einmal ihre Angst vor einer Schwangerschaft, war sie schon zu Ende, als sie ihre Zigarette fertig geraucht hatte. Sie erhob sich.

»Was ich an der ganzen Sache nicht verstehe«, sagte sie, »ist, warum ich mit diesen beiden Männern, dem einen, den ich nie geliebt habe, und dem anderen, den ich nicht mehr liebe, weiter geschlafen habe.«

Er lachte trocken. »Aus Lust«, sagte er.

Franziska schüttelte den Kopf. »Es war nie sehr lustig«, sagte sie. »Es war eher traurig. Besonders hinterher.«

»Nun gut«, sagte O'Malley, »lassen wir die Lust. Es ist etwas anderes. Es ist der Automat, den man in uns eingebaut hat. Hier«, er deutete auf sein Handgelenk, »ich habe eine Uhr, die sich von selbst aufzieht. So ist das mit uns, mit unserer Lust. Wir werden automatisch aufgezogen. Eine feine Erfindung.«

»Aber man kann sich doch dagegen wehren!«

»Nein«, sagte er erbittert, »das können Sie nicht. Das ist ein Schwindel der Priester. Es gibt ein paar Leute, bei denen der Automat nicht richtig funktioniert – die zeigt man uns als Vorbilder: die Asketen.« Er schleuderte die Zigarette in den Kanal. »Dieser Kerl vorhin mit seinem Liebestrank. Als ob wir einen Liebestrank nötig hätten. Kommen Sie, lassen Sie uns lieber unseren Kaffee kochen! Der hält wach.«

Sie gingen weiter. Franziska kannte das Viertel nicht, durch das sie sich bewegten; sie wußte nur, daß sie nach Norden gingen und daß sie auf die Fondamente Nuove kommen würden, wenn O'Malley seine Richtung nicht änderte.

»Es wäre schrecklich, wenn Sie recht hätten«, sagte sie. Sie hatte es mehr zu sich selber gesagt, und deshalb auf deutsch.

»Schrecklich«, wiederholte er. Er schien sich das Wort zu übersetzen. »Der Schrecken. Der Terror. Ja, wir leben unter dem Terror. Unter dem automatischen Schrecken.« Er faßte sie am Arm und riß sie zu sich herum. »Es gibt nur einen Schrecken«, sagte er, ganz nah, flüsternd, »den automatischen. Den Terror der Automaten.«

Er ließ sie fast sofort wieder los. Sie hatte seine Augen aus der Nähe gesehen. *Er ist einer, der etwas Schreckliches erlebt hat. Aber das ist ja nichts Besonderes. Es gibt fast niemanden mehr in unserem Jahrhundert, der nicht etwas unvorstellbar Schreckliches erlebt hat.*

Wirklich gelangten sie auf die Fondamente Nuove. Die Lagune lag hier weiter und dunkler vor ihnen als im Blick von der Riva degli Schiavoni aus. Da sie sich nicht mehr in der Enge der Gassen befanden, spürten sie wieder die weiße Watteluft, den feinen Nebel, das Galaktische, das die Nacht erfüllte. Es war feucht und kalt. Die Lampen der Cimitero-Insel leuchteten undeutlich über das Wasser. Wohnt er auf den Fondamente? Hier gibt es doch gar keine Hotels. Er scheint wirklich eine Wohnung zu haben.

Sie gingen den Kai entlang bis zu den Dampfer-Pontons, den Brücken der Motorboote nach Torcello und Punta Sabbioni, aber noch immer machte O'Malley nicht halt, sie gingen auch noch an der Flanke der Jesuiten-Kirche vorbei und bis zur äußersten Spitze der Fondamente, einem verlorenen, am Wasser endenden Stück Kai an einer nackten türlosen Hauswand. Der Ire ging einige Stufen zu einer Buhne aus Beton hinab. Als er bemerkte, daß Franziska zögerte, ihm zu folgen, deutete er auf einige Boote, die am Ende der Buhne an Pfählen festgemacht hatten, Franziskas Widerstand, der schon in Ärger umzuschlagen drohte, verwandelte sich in Verwunderung. O'Malley ging voran. Die Schiffsgruppe bestand aus drei kleinen Segeljachten und zwei Motorbooten. Zu einem der Motorboote führte von der Buhne aus ein Brett, und ihr Begleiter betrat es, er reichte ihr die Hand und half ihr auf das Deck. Sogar im Dunkel erkannte Franziska, daß es sich um ein großes, schweres Motorboot handeln mußte, denn es bewegte sich fast gar nicht, während sie an Bord gingen. O'Malley schloß die Türe der Kajüte auf, er legte irgendeinen Hebel herum, und das Licht einer elektrischen Laterne erhellte den Raum der Kajüte, einen Raum aus warmem, braunem Teakholz und golden schimmernden Messingbeschlägen. Franziska hatte solche Boote in den Stockholmer Schärenhäfen gesehen. »Treten Sie ein«, sagte O'Malley.

Die Kajüte war geheizt. Der Ire schloß die Tür, als sie hereingekommen war.

»Sie verstehen sich auf Überraschungen«, sagte Franziska. "It tastes so clean, it tastes so cool, O'Malleys beer from Liverpool", sagte er. »Jede zweite Flasche Bier, die in Liverpool getrunken wird, wird von meinem Vater gebraut. Der Vers ist von mir. Ich habe ihn mir mit diesem Boot bezahlen lassen. Legen Sie Ihren Mantel ab! Ich mache den Kaffee.«

Er verschwand in einem Nebenraum, aber Franziska ging ihm voller Neugierde nach, es war eine kleine Teakholz-Pantry, und sie beobachtete ihn, wie er mit schnellen sicheren Bewegungen einen wahrhaft teuflischen Kaffee braute, nachdem er auf einem Petroleumofen Wasser zum Kochen gebracht hatte. Er schüttete vier Löffel Kaffeepulver in jedes ihrer beiden Gläser, in Gläser, die in silberne Becher eingeschlossen waren, goß Wasser bis zur Hälfte darauf, füllte den Rest mit Kondensmilch auf und tat große Stücke braunen Kandiszuckers hinein.

»Sie sind total übergeschnappt«, sagte Franziska.

»Versuchen Sie's nur!« sagte er.

Sie kostete das Getränk. Er schmeckte heiß und süß.

»Sie haben schon wieder gewonnen«, sagte Franziska. Der Geschmack von O'Malleys Kaffee erfüllte sie mit einem Rausch des Glücks.

»Und jetzt noch O'Malleys Spezial-Whisky«, sagte er. »Den trinkt nicht jedermann in Liverpool. Den braut der Alte nur für sich und seine Freunde.«

Er ergriff eine Flasche und zwei Wassergläser, und sie gingen wieder nach nebenan, in die Kajüte. Sie setzten sich an den Tisch und tranken den heißen berauschenden Kaffee und den kalten nährenden Roggen-Whisky.

»Herrlich«, sagte Franziska. »Ich danke Ihnen.«

»Hier denke ich auch immer, das Leben sei herrlich«, sagte der Fremde. »Hier vergesse ich den Schrecken.«

»Sie haben ein Boot. Sie haben Geld. Sie kümmern sich nicht um die Frauen. Sie sind frei«, sagte Franziska. »Es ist kein Krieg. Solange kein Krieg ist, können Sie tun, was sie wollen. Sie sind der glücklichste Mensch der Welt. Oder sind Sie krank? Haben Sie irgendein unheilbares Leiden?«

Er schüttelte den Kopf. »Sie haben mir Ihre Geschichte erzählt. Ich will Ihnen meine erzählen. Ich werde etwas länger brauchen als Sie. Ich will Ihnen eine Geschichte vom Schrecken erzählen, vom Terror.«

Ich war einen Augenblick lang glücklich. Kaffee-glücklich, Whisky-glücklich. Auch deshalb glücklich, weil ich mich entschlossen hatte, nach Deutschland zu fahren, in die Sicherheit, in eine langweilige Sicherheit, aber doch in das gesicherte Leben, in das

Leben mit einem Kind, wenn es ein Kind sein soll. Aber der Schrecken ist überall.

»Wohnen auf den anderen Booten auch Leute?« fragte sie.

»Nein«, sagte er. »Wir sind ganz allein hier.«

Sie blickte auf das Barometer in seinem schimmernden Messinggehäuse. Die Nadel stand auf Schönwetter. *Wird der Nebel morgen früh vorbei sein?* Heute früh, verbesserte sie sich. O'Malley hatte eine Seekarte der Lagune mit Reißnägeln an die Wand geheftet, ein seltsames Gewirr aus Sänden, Strömungen, Untiefen, Land, Seezeichen, Leuchtfeuern und Namen. Die Stille nahm zu, während sie der Geschichte des Unbekannten zuhörte, an die Wand der Kajüte gelehnt, ihren Blick auf die Karte gerichtet, auf ein Gespinst von Geheimnissen.

Folgen eines Schocks

Es begann damit, daß ich durch die Nacht fiel. Die Nacht pfiff an mir vorbei, die Nacht vom 3. auf den 4. Mai 1944, oben war sie eine ganz klare Sternennacht, unten war sie leicht dunstig, wie ich feststellte, als ich den Fallschirm zusammenraffte, auf einem Rodungsstück am Rande eines Waldes bei Hildesheim, nachdem ich ein paar Sekunden auf dem Boden, dem Boden aus Gräsern und Moos liegengeblieben war, nach dem Aufschlag. Man schwebt ja nicht, man saust doch ziemlich, auch wenn der Fallschirm sich geöffnet hat, man schlägt auf und ist einen Moment lang betäubt, vielleicht auch von dem Schock, den man beim Absprung erlebt hat, dem Sprung aus einer Luke in einen Abgrund von dreitausend Metern, und den Sekunden, die dann folgen, den Sekunden, ehe der Fallschirm sich öffnet, in denen die Nacht an einem vorbeipfeift. Ich habe nur noch wenige Schreckträume seither, weil ich einen der ältesten Schreckträume der Menschen verwirklicht habe.

Bedenken Sie, daß man dies freiwillig tut! In keiner Armee der Welt wird man dazu gezwungen, mit dem Fallschirm abzuspringen; man hat sich freiwillig dazu gemeldet. Die, die es tun, meinen, sie täten es aus Vaterlandsliebe, aus dem Wunsch nach Heldentaten. Aber die Situation, in die sie sich begeben, ist viel zu phantastisch, um noch irgend etwas mit so einfachen Gefühlen wie Vaterlandsliebe und Heldentum gemein zu haben. Ein Mensch, der aus einem sich in rasender Fahrt befindlichen Flugzeug in einen unermeßlichen Abgrund springt, das ist doch einer, der aus allem stürzt, was er gewußt hat, aus so kleinen umgrenzten Dingen, wie sie ein Volk oder eine Idee sind. Er stürzt aus Zeit und Raum heraus. Denken Sie daran, wenn Sie davon hören, daß Fallschirmjäger sehr tapfere Soldaten und sehr gemeine Folterer sind! Wer zu diesem Sprung ins Nichts fähig ist, ist auch zu allem anderen fähig, zu jeglicher Größe, zu jeglicher Niedrigkeit. Ich sage dies nicht, um die sehr spezielle Niedrigkeit, die ich begangen habe, zu entschuldigen.

Ich bin übrigens nicht einmal ›im Verband‹ abgesprungen, wie die Fallschirmjäger sagen, sondern ganz allein. Ich war auch gar kein Fallschirmjäger, sondern ich gehörte der Gegenspionage an, und ich trug einen grauen Zivilanzug, einen Regenmantel und braune Halbschuhe, obwohl ich damals den Leutnantsrang der Royal Air Force hatte. Ich hatte drei flache C-Rationen Verpflegung und einige deutsche Lebensmittelkarten und deutsches Geld und ausgezeichnet gefälschte Ausweispapiere in meinen Taschen und eine Adresse in meinem Kopf. Es war die Adresse eines Mannes, der zwischen Hildesheim und Hannover für uns einen Sender betrieb. Ich hatte den Auftrag, Näheres über den Standort von ein paar sehr wichtigen industriellen Spezialanlagen in der Umgebung von Hildesheim zu erkunden, und wenn mir das gelungen war, sollte ich zu dem Mann mit dem Sender gehen, der meine Angaben nach England melden würde. So war das. Der Auftrag war ganz klar, wenn auch nicht einfach. Ich hatte auch Generalstabskarten des Gebietes bei mir, das ich sondieren sollte. Ich wußte recht genau, wo ich gelandet war.

Ich fand eine Vertiefung unter niedrigen Fichten, im Unterholz, in die ich den Fallschirm verstecken konnte, aber es hatte keinen Zweck, mitten in der Nacht loszugehen, ein einsamer Mann auf einer Landstraße in der zweiten Nachthälfte wandernd wäre viel mehr aufgefallen als einer am Tage, so legte ich mich auf die Fallschirmseide, wartete bis gegen Morgen und dachte über meine Situation nach. Ich gehöre nicht zu den Leuten, die ›einen gewissen Abstand zu den Ereignissen‹ brauchen, um sich klar darüber zu werden, was mit ihnen passiert ist. Im gleichen Augenblick, in dem etwas mit mir geschieht, fange ich auch schon an, über das Geschehnis und seine Bedeutung für mich zu reflektieren. Zum Beispiel bin ich mir vollkommen im klaren darüber, warum ich jetzt mit Ihnen zusammen sitze und Ihnen diese Geschichte erzähle, Franziska; warum ich mich für Sie interessiert habe, Ihnen nachgegangen bin und in Ihrem Hotel stundenlang auf Sie gewartet habe: ich tat es, weil ich Angst habe, und weil ich, wie ich Ihnen schon sagte, einen Blick für Leute habe, die nicht dazu gehören, Leute, die selbst in einer so extremen Lage sind, daß man seine Angst bei ihnen sozusagen deponieren kann.

Während jener Nachtstunde stellte ich fest, daß ich mich in einer für mich charakteristischen Situation befand. Es war typisch für mich, daß ich allein gesprungen war, und in einem Zivilanzug. Ich war in der Lage gewesen, mich zu einer Spezialtätigkeit in der Armee zu melden, weil ich in Oxford Deutsch studiert hatte. Ich hatte in Oxford Deutsch studiert aus dem Wunsch, mich mit meiner deutschen Mutter vollkommen fließend und fehlerfrei unterhalten zu können. Meine deutsche Mutter war eine edle, dunkelblonde, asthenisch-zarte und vollkommen fehlerfreie Frau. Weil meine Mutter so war, wie sie war, bin ich so geworden, wie ich bin. Sie können alles Nähere über die Entstehung einer Veranlagung wie der meinen in der analytischen Fachliteratur nachlesen. Meine Mutter ist übrigens tot; sie ist während des Krieges gestorben, zu der Zeit, als ich in Deutschland in einem Offiziersgefangenenlager saß. Aber ich greife vor. Als der Krieg ausbrach, war ich achtzehn Jahre alt. Er brach genau in dem Augenblick aus, in dem ich vollständige Klarheit darüber gewonnen hatte, daß ich nicht zu den Normalen gehörte. Weil ich nicht zu den Normalen gehörte, habe ich Deutsch gelernt, und weil ich mich damals, am Ende meiner Pubertät, als auserwählt und ausgestoßen empfand, habe ich mich zum Counter Intelligence Corps gemeldet. Ich wollte nicht zum großen Haufen der Normalen. Ich lache über Leute, die die Kausalgesetze leugnen. Mein Schicksal ist die Folge einer lückenlosen, einer automatischen Kette von Kausalitäten.

Ich geriet also in eine Tätigkeit, wie sie für einzelne, für Abgesonderte bereitliegt, aber merkwürdigerweise habe ich nie Geschmack an der äußersten Steigerung des Dienstes gefunden, zu dem ich mich gemeldet hatte: ich meine den Fallschirmabsprung. Man hat mich dafür trainiert, aber ich mußte jedesmal vor dem Sprung Aufputschungsmittel nehmen, um dafür in Form zu kommen. Auch in jener Nacht habe ich Tabletten geschluckt, und deshalb lag ich hellwach in einem Zustand zwischen Betäubtheit und äußerster Erregung auf der Fallschirmseide, im Unterholz, und wartete auf das Morgengrauen. Ehe ich aufbrach, zwang ich mich mit ein paar Zigaretten zu einer Ruhe, die keine war.

Ich fand die Landstraße nach Hildesheim sehr rasch und nach einer Weile ein Schild mit der Angabe, daß es noch sieben Kilometer bis zur Stadt seien. Nach ungefähr zwei Kilometern kam ich in ein Dorf, das eigentlich kein Dorf mehr war, sondern eine Industriesiedlung. Die Siedlung und die Fabrik, die zu ihr gehörte, waren in der Nacht, noch vor meinem Absprung, von einer Bomberstaffel der Amerikaner angegriffen worden – ich hatte übrigens, vor meinem Absprung, die Feuer mehrerer Brände in der Gegend gesehen –, ein Drittel des Ortes war zerstört, die ganze Bevölkerung war auf den Straßen, um die noch brennenden oder nur noch rauchenden Gebäude herum, ich fiel in dem Tumult nicht auf, oder jedenfalls glaubte ich nicht aufzufallen, ich erinnere mich sogar noch, daß ich vor einem Hause mithalf, Möbel und allerhand Hausrat zurechtzustellen, die ein paar Männer aus dem brennenden Inneren holten. Ich ging weiter und kam zu einer großen Zementbaracke, oder vielmehr zu dem, was von ihr noch übriggeblieben war, Sanitätsautos hielten davor, aus dem Keller der Baracke hörte ich lautes Jammern, ich ging hinein und schritt über Zementschutt ein paar Stufen hinab in den Keller, in dem in einer langen Reihe tote Arbeiterinnen lagen, während ihre Kolleginnen, die sie überlebt hatten, vor ihnen knieten und in einer fremden Sprache klagten oder beteten. Wie ich aus dem Reden der Leute entnahm, die betroffen vor den Toten standen, waren es Russinnen, Zwangsarbeiterinnen, die in der Fabrik beschäftigt waren, die von unseren Bomben Getöteten brauchten nun nicht mehr zu arbeiten, sondern sie lagen, zwanzig bis dreißig junge Frauen, in einer langen Reihe still auf dem Boden des Kellers; über ihre Körper waren Decken geworfen, und ihre Gesichter starrten grau und bleich mit noch geöffneten Augen auf den nackten Plafond des Kellers.

Ich verließ den Keller und den Ort, das Wetter war sehr schön, ein strahlender Morgen im Mai, der in unerträglichem Gegensatz zu den grauen Gesichtern der toten Frauen stand, die Erregung kehrte zurück, ich faßte das Erlebnis als böses Vorzeichen auf. Bedenken Sie, daß ich den größten Teil des Krieges in einem geheimen, sehr verborgenen Ausbildungszentrum des Nachrichtendienstes verbracht hatte, ich hatte wenig von den Bombenangriffen auf England gesehen, ich war nicht naiv, aber ich hatte in der

Vorbereitung auf die Aufgabe, die mir eines Tages gestellt werden sollte und die mir nun gestellt worden war, doch an einer Vorstellung von etwas Abenteuerlichem gehangen, und nun enthüllte sich mir gleich zu Beginn, daß ich keineswegs an einem Abenteuer teilnahm, sondern an etwas furchtbar Sinnlosem. Ich war nicht darauf gefaßt.

Nach einer Stunde Marsch gelangte ich in die Stadt Hildesheim. Kennen Sie Hildesheim? Es ist eine hübsche, saubere, nicht sehr große Stadt. Ich kam durch die Vororte mit Einfamilienhäusern, die in kleinen Gärten lagen, und dann in zusammenhängende Straßenzeilen aus größeren Häusern, ich ließ mir Zeit, studierte die Auslagen der Geschäfte, in denen aber nicht viel zu sehen war. Obwohl sie große Ähnlichkeit mit den Kriegsauslagen englischer Geschäfte hatten, kam mir alles sehr fremd vor, ich befand mich in der Fremde, und ich ging immer langsamer, ich begann zu bummeln, um mich in die fremde Atmosphäre einzuleben, ich sagte mir, ich müsse mit ihr verschmelzen, um nicht aufzufallen, plötzlich ertappte ich mich bei dem Gedanken, daß ich nahezu ein Deutscher werden müsse, wenn ich erfolgreich durchführen wollte, wozu man mich beauftragt hatte. Besonders der Anblick der Leute auf den Straßen brachte mich auf solche Gedanken. Vor den Geschäften standen Frauen Schlange, und in dem Zustand der Erregung, in dem ich mich befand, wurde ich die Vorstellung nicht los, daß sie ebensogut, wie sie hier hintereinander standen, bald nebeneinander tot auf dem Boden von Kellern liegen würden. Ich hatte ja gesehen, daß dies möglich war. Schließlich drang ich in den mittelalterlichen Kern von Hildesheim ein. In seinem Inneren fand ich ein Haus, das Ähnlichkeit mit den Fachwerkbauten englischer Landstädte hatte, aber es war viel größer als sie, es hatte nichts Kleines, Idyllisch-Hübsches, Anheimelndes, sondern es war ein großes, ein richtiges Haus, ausgewogen in seinen Verhältnissen, Körper und Giebel waren von einer kunstvollen Komposition aus schwarzen Balken und weißgetünchter Ziegelwand überzogen, die Balken waren dekorativ geschnitzt und bemalt, das Wetter von Jahrhunderten hatte an ihnen gearbeitet, sie waren dunkel und kostbar geworden, das Haus war ein herrliches Zeugnis deutschen mittelalterlichen Geistes, schwer, würdevoll und phantastisch, im Schaufenster eines Ladens daneben hingen Postkarten, auf denen las ich den Namen des Hauses: es hieß Knochenhauer-Amtshaus, ich trat auf den Platz zurück und betrachtete es, ich lehnte mich an den Brunnen vor dem Haus und sann darüber nach, warum ein so makelloses Haus einen so abscheulichen Namen trug, hieß der Mann, der es gebaut hatte, so?, oder war es das Haus einer Handwerkergilde gewesen, einer Gilde von Metzgern oder Folterknechten? Der Name lag plötzlich wie ein Makel auf dem Haus, aber während ich noch über den Widerspruch zwischen dem Haus und seinem Namen nachdachte, traten zwei Männer in Zivil auf mich zu und verhafteten mich.

Offenbar ist mir schon mein Aufenthalt in jenem brennenden Dorf zum Verhängnis geworden. Ich hatte dort mit dem oder jenem ein paar Worte gewechselt, und einem von ihnen muß mein englischer Akzent aufgefallen sein. Sie hören ihn ja sicherlich heute noch. Er war schuld daran, daß man lange gezögert hat, mich auf den Raid nach Deutschland zu schicken; seinetwegen wollte man mich ein paarmal zur Truppe, zum großen Haufen, versetzen; es bedurfte einiger diplomatischer Künste, damit ich bei der Spionage bleiben konnte und schließlich losgeschickt wurde; vom militärischen Standpunkt aus war es unverantwortlich, daß man meinem Drängen nachgegeben hat, aber natürlich habe ich nicht das Recht, meinen Vorgesetzten einen Vorwurf zu machen. Wie mir Inspektor Kramer, dem ich verdanke, daß ich noch am Leben bin – und an was für einem Leben! –, bestätigte, hat von jenem Ort aus ein Unbekannter die Leitstelle der Geheimen Staatspolizei in Hildesheim angerufen und empfohlen, sich für mich zu interessieren. Kramer hat mir auch erzählt, daß die meisten Anzeigen, die sie gegenwärtig erhielten, anonym seien. Er war in dieser Hinsicht gänzlich zynisch. In einer vollständig ausgebildeten Diktatur, mit deren Zusammenbruch zu rechnen ist, so meinte er, lebe die Bevölkerung in einer unbewußten Gewissensspaltung. Zu den Aufgaben einer vollkommenen Diktatur gehöre es, diese Spaltung im Unterbewußtsein zu fixieren.

Zunächst freilich war ich ein toter Mann, als man mich vor dem Knochenhauer-Amtshaus verhaftete. Es war klar, daß ich nach allen völkerrechtlichen Regeln erschossen werden würde. Ehe man an die Vorbereitungen ging, das Urteil zu vollziehen, wurde ich jedoch verhört und, als ich nicht sprechen wollte, gefoltert. Darauf war ich vorbereitet worden. Ich fand die Art der Folterung primitiv. Sie bestand im Grunde in nichts weiter als in Schlägen. Man schlug mich mit Fäusten, mit Stöcken und mit schweren Peitschen. Wenn man nicht gleich im ersten Schock versagt, erreicht man dabei sehr rasch jene Grenze, an der man unempfindlich wird; der Schmerz erreicht ein solches Maß, daß der Körper nicht mehr fähig ist, es zu registrieren. Die deutsche Methode der Folterung ist nicht kalt genug, sie ist eigentlich nicht sadistisch, sondern in ihr lebt sich nur eine dumpfe Wut aus, die darauf ausgeht, die Knochen und die inneren Organe zu zerschlagen; im Grunde will man nicht mehr als den Feind töten. Sadismus ist etwas anderes; für den Sadisten ist die Folter Selbstzweck, Kunst, Raffinement, eine Form des Genusses; am Ende des sadistischen Aktes steht fast immer die sexuelle Befriedigung, das Opfer wird, ehe man es tötet, geliebt. Halten Sie sich die Ohren zu, wenn Sie solche Enthüllungen nicht vertragen! Ich will damit nicht sagen, daß meine Folterknechte es nicht genossen, mich zu schlagen. Aber sie waren nicht intelligent genug, in mir das Opfer zu sehen: sie sahen mich nur als Feind. In ihnen war nichts als der schreckliche Automatismus der Hypnose, in der sie lebten, der Hypnose durch die Ideologie, der sie folgten, und in der sie nichts mehr wahrzunehmen vermochten als den Feind, der zu vernichten war. Weil sie so dumm waren, widerstand ich ihnen.

Als sie mit mir fertig waren, kam Inspektor Kramer. Er sprach kaum fünf Minuten mit mir, als ich auch schon begriff, wie absurd es war, in blutbesudelten Kellern zu liegen und sich quälen zu lassen. Kramer war ein großer, vollblütiger Mann mit weißblonden Haaren, auch seine Augenbrauen und seine Gesichtshaut waren weiß, er war intelligent und zynisch und vollblütig, er war das Leben selbst, und das Leben ist, wie Sie ja wissen, intelligent, zynisch und bluterfüllt. Weil das Leben so ist, wie es ist, hasse ich es heute. Aber damals machte mir Kramer in wenigen Gesprächen klar, daß es dumm von mir war, dem Leben zu widerstehen; weniger durch das, was er sagte, als durch die Art, wie er war, spürte ich, wie wertvoll es sein würde, am Leben zu bleiben. Kramer appellierte an meine Intelligenz; und einer Verführung mit diesem Argument habe ich niemals widerstehen können, wenigstens damals nicht. Erst ganz zuletzt, als er erreicht hatte, was er wollte, ließ er einen Augenblick lang die Maske fallen; er lehnte sich in seinen Stuhl zurück, und sein weißhäutiges Gesicht, seine farblosen Augen unter den weißblonden Augenbrauen, sie nahmen einen harten triumphierenden Ausdruck an. Niemals habe ich etwas so Merkwürdiges, so Paradoxes gesehen: ein Gesicht, das sich entspannte, indem es hart wurde. Als er die Maske aus Leben, die er mir vorgehalten hatte, entfernte, erblickte ich die eiserne Konstruktion eines Apparates, eines Automaten, dem ich ein Pennystück gespendet hatte, damit er funktionieren konnte. Er grinste nicht einmal. Er blickte mich nur metallen an, während ich nach der schäbigen Packung Leben griff, die er für meinen Penny rasselnd ausgespien hatte. Er verpflichtete mich als V-Mann der Gestapo. Ich wurde in ein Offiziersgefangenenlager gebracht, aus dem ich Informationen zu liefern hatte. Dort nahm ich sofort mit einem Colonel Wilcox, der als rangältester Offizier Lagersprecher war, Rücksprache und enthüllte ihm meine Lage. Er war nicht sehr erbaut davon, aber wie die Dinge nun einmal lagen, konnte er mir seine Hilfe nicht versagen. Er und ein kleiner Kreis englischer und amerikanischer Offiziere lieferten mir halbwegs glaubwürdiges Material, mit dem ich die Erfüllung meines Auftrags vortäuschen konnte. Die Kameraden fanden schließlich so viel Spaß an der Sache, daß sie zweimal fingierte Fluchtversuche veranstalteten, die ich dann zu ›verraten‹ hatte. Allerdings wäre ich wohl kaum über die Runden gekommen, wenn der Krieg noch lange gedauert hätte. Nach unserer Heimkehr ging Colonel Wilcox mit mir zu meiner Dienststelle, um mich zu rehabilitieren. Mein Vorgesetzter, Major Roberts, dankte ihm für seine Erläuterungen. Als ich mit Wilcox zusammen den Raum verlassen wollte, bat er mich, noch einen Augenblick zu bleiben. »O'Malley«, sagte er, nachdem sich die Türe hinter Wilcox geschlossen hatte, »da ist noch ein Punkt, den Sie vielleicht aufklären können.«

Ich sagte »Bitte, Sir?« und sah ihn fragend an, obwohl ich genau wußte, was jetzt kommen würde.

»Dieser Sender, zu dem Sie sich begeben sollten, wenn Sie Ihre Feststellungen gemacht hatten ...« Ich sehe Major Roberts noch vor mir sitzen, eisengrau und kühl, wie er sich unterbrach, seine Pfeife weglegte und wie er schließlich fortfuhr: »Dieser Sender also schwieg, eine Woche, nachdem Sie gesprungen waren. Der Mann, der ihn bediente, ist am 12. Mai von den Deutschen erschossen worden. Eine Woche, nachdem Sie gesprungen sind. Haben Sie dazu irgend etwas mitzuteilen?«

Ich erinnere mich noch sehr genau, daß Roberts mich nicht ansah, als er diese Frage an mich stellte. Ich wußte, daß es keinen Sinn gehabt hätte, ihm von dem zu berichten, was mir zugestoßen war, an jenem Tag, nachdem ich gesprungen war, von dem Anblick der toten russischen Mädchen, vom Knochenhauer-Amtshaus, später von der Folter und von dem Gesicht Kramers, der Molluske Leben über einem Stein, der ich erlegen war, von all den Unabwägbarkeiten die nicht in der Rechnung dieses Auftrags gestanden hatten, und die ich wie ein Löschblatt aufgesogen hatte, weil meine Natur mich dazu treibt, Unwägbares zu empfinden. Noch einmal und zuletzt, Franziska: ich sage dies nicht, um mich zu entschuldigen. Obwohl Sie vielleicht versuchen, mich zu verstehen, während für Roberts irgend etwas dergleichen gar nicht in Frage gekommen wäre. Er sah vielmehr zum Fenster hinaus, in das Blaugrau des Abends einer Londoner Straße. Er sah mich nicht an, weil seine Frage für ihn nur eine Routinefrage war. Genau wie ich, wußte er die wahre Antwort auf seine Frage. Aber so gut wie er, kannte ich die Spielregeln der Gesellschaft, in der wir lebten, die Gesetze der englischen Gesellschaft, nach denen ich meinen Charakter als Gentleman nicht zurückgewonnen hätte, wäre meine Antwort die Wahrheit gewesen. In dieser Hinsicht war der Major Roberts sehr viel machtloser als der Inspektor Kramer. Der Inspektor Kramer konnte mir für einen Penny Information das Leben schenken, während der Major Roberts mir nicht einmal für den Schatz einer Beichte die Ehre hätte zurückgeben können. Ich stamme aus einer anglo-irischen, also aus einer katholischen Familie, daher weiß ich, daß man ein Verbrechen beichten und danach die Absolution empfangen kann. Man kann es beichten, es bereuen, dafür Buße tun und danach wieder ein Christ sein. Aber es ist ausgeschlossen, nach einem Verrat wieder ein Gentleman zu werden. Nicht einmal der Tod löst diesen Bann. Daher war es gleichgültig, was ich Roberts auf seine Frage antwortete, und so sagte ich: »Nein, Sir, ich habe dazu nichts mitzuteilen.«

»Schon gut«, sagte er. »Auch die Akten der Gestapo geben darüber keinen Aufschluß.« Er hob weder, noch senkte er seine Stimme, als er fortfuhr: »Sie erhalten morgen Ihre Entlassungspapiere. Sie können gehen.«

Er ist sitzen geblieben, während ich hinausging, er nannte meinen Namen nicht mehr, er hat mir nicht die Hand gegeben. Ich verließ ein halbes Jahr später England, und ich habe es nie wieder betreten.

O'Malley hatte seine Geschichte langsam erzählt, nicht stokkend, aber langsam, manchmal mit langen Pausen zwischen seinen

Sätzen. Ein paarmal hatte Franziska ihn auch unterbrochen, zum Beispiel, als er von seiner Mutter erzählt hatte. Sie hatte ihn gefragt, woher er wisse, daß seine Mutter ›vollkommen fehlerfrei‹ gewesen sein. »Wie hat sie reagiert«, wollte sie wissen, »als sie bemerkte, daß Sie sich nicht für Mädchen interessierten?« – »Natürlich hat sie es abgelehnt, es überhaupt zu bemerken«, hatte er erwidert. »Über solche Dinge sprach meine Mutter einfach nicht.« – »Und das nennen Sie fehlerfrei?« hatte Franziska geantwortet.

Zuletzt aber hatte sie ihn sprechen lassen und nichts als zugehört, während sie noch immer auf die Seekarte der Lagune blickte. Sie hatte ihren Whisky ausgetrunken, er hatte ihr Glas nachfüllen wollen, aber sie hatte die Hand darüber gehalten, *ich bin ganz wach, so wach war ich selten, der Kaffee, aber auch der Schnaps halten mich wach, harte Drinks halten mich immer wach, das war eine alte Geschichte, eine Geschichte von Sänden und Untiefen, von Nebel und Nacht, von verborgenen Seezeichen und gelöschten Leuchtfeuern. Man setzt uns in Boote, man gibt uns Karten in die Hand, man lehrt uns sogar ein bißchen Navigation, aber dann kommt die Nacht, dann kommt der Nebel, die Zeichen verschwinden, die Feuer werden gelöscht, und wir bleiben allein in einer Welt aus ziehenden Sänden, aus Untiefen und Strömungen, die wir nicht kennen, aus unbekannten Namen. Die Welt ist eine Lagune. Er hat gesagt, daß er Angst hat. Weil er Angst hat, hat er mir diese alte Geschichte erzählt.*

»Warum haben Sie Angst?« fragte sie. »Die Geschichte ist schon so lange her. Dreizehn Jahre. Quält Sie der Gedanke an den Mann, der erschossen wurde?«

Er schüttelte den Kopf. »Das ist es nicht«, sagte er. »Ich habe ihn auf dem Gewissen.« Er unterbrach sich. »Es ist eine Binsenwahrheit«, sagte er, »aber man kann sich mit einem schlechten Gewissen ganz gut einrichten.«

»Warum also dann die Angst, Patrick?«

Er blickte sie an. »Ich habe Inspektor Kramer wieder getroffen«, sagte er.

Franziska löste ihren Rücken von der Wand der Kajüte. Sie richtete sich nicht auf, eher krümmte sie sich zusammen vor Spannung.

»Wo?« fragte sie. »Hier in Venedig?«

Er nickte.

»Patrick!« sagte sie ganz schnell, »lassen Sie ihn in Ruhe! Er ist es nicht wert. Und es ist dreizehn Jahre her!«

Aber sie bemerkte zu ihrem Entsetzen, daß er ihr gar nicht zuhörte. Er sah sie an, geistesabwesend und beinahe glücklich. Sie gewahrte, daß er sich wieder in den Mann zurückverwandelte, den sie im Pavone erblickt hatte, er war nicht mehr der Mann, der ihr vom Pier der Riva degli Schiavoni aus gewinkt hatte, einfach und ohne Arglist, der Mann mit den Augen voll einer Freundlichkeit, wie man sie für Kinder und Tiere hegt, sondern er hatte sich verändert, wieder war er der kleine Teufel, der kleine Grauäugige, mit dem verborgenen Blick hinter den höllischen Schmelzflußfarben der Zinnien, mit dem Blick ohne Hemmungen, der satanische Engel, der einen ganzen Raum im Brennpunkt seines bösen Blicks verzehren konnte. *Sie sind zusammen in einem Käfig, der Venedig heißt, er und dieser große weiße Böse, der ein Albino sein muß, wenn er ihn mir richtig beschrieben hat. Das wird ein eisiger stummer Mord im Dunkeln.*

Dann hörte sie wieder die Wellen, wie sie in weichen leisen Stößen gegen die Bordwand klatschten. Hinter dem Bullauge, das sich neben der Seekarte der Lagune befand, wurde die Luft grau, und etwas später schob sich eine rote Linie von links in das Grau hinein. Franziska stand auf. Sie fröstelte plötzlich. Sie blickte durch die runde Scheibe. Das Wasser wurde sichtbar, silbergrau, in lange, schleierige Linien gegliedert.

»Es wird Tag«, sagte sie.

Fabio Crepaz, Vormittag

»Keine Angst, Crepaz«, sagte Professor Bertaldi, »befürchten Sie nicht, ich wolle Ihnen heute wieder einmal zureden, mitzumachen. Im Gegenteil. Ich habe Sie nur um Ihren Besuch gebeten, um Ihnen zu sagen, daß Sie recht behalten haben.«

»Das tut mir leid«, sagte Fabio Crepaz. »Es tut mir aufrichtig leid, Professor.«

»Ich weiß.« Bertaldi blickte aus einem der Fenster seines Arbeitsraumes in der Marciana auf die Piazzetta. Eine Hundertschaft Polizei in Paradeuniformen war vor dem Dogenpalast angetreten, die Männer standen schweigend in Rührt-euch-Stellung, während sich eine Menge Leute auf dem Platz ansammelten. Das Wetter war sonnig und festlich. Gronchi hat schönes Wetter, dachte Fabio, wie es sich gehört für einen Staatsbesuch des Präsidenten der Republik.

»Gronchi weiß schon Bescheid«, erzählte Bertaldi. »Er weiß, daß sein Empfang heute eine meiner letzten Amtshandlungen ist. Nach dem Essen wird er versuchen, ein paar Leute von den Liberalen und den Katholiken umzustimmen – natürlich vergeblich. Es sind die üblichen Routinegespräche.«

Fabio bewunderte die Gelassenheit Bertaldis. Der Professor hatte ihn gestern nachmittag angerufen und ihn gebeten, heute morgen zu ihm in die Bibliothek zu kommen, und obwohl Fabio sich immer unwillig gebärdete, wenn Ugo ihm berichtete, Bertaldi wolle mit ihm sprechen, gab er doch jedesmal nach, wenn er des alten Mannes Stimme am Telefon hörte, die würdevolle mitreißende Stimme, die in der neueren Stadtgeschichte Venedigs eine so bedeutende Rolle gespielt hatte. Der Siebzigjährige hielt sich jeden Morgen von sieben bis neun Uhr in seinem Arbeitsraum in der Marciana auf, wo er den Tag mit Meditationen und Gesprächen begann, ehe er sich zu seiner Arbeit in den Gran Consiglio begab, der Regent Venedigs, der Doge, wie Fabio ihn für sich spöttisch und verehrend nannte, ein würdiger Nachfahre der Foscari und Dandolo.

Natürlich war Fabio von Bertaldis Mitteilung nicht überrascht. Die Nachrichten darüber, daß die Ära von Bertaldis Koalition zu Ende ging, standen seit ein paar Wochen in allen Zeitungen. Ein großer Mann, dachte Fabio, ein Mann, der alles war: Christ, Marxist, Liberaler, Konservativer – ein Parteiloser, der im Gran Consiglio eine Koalition aus Kommunisten, Sozialisten und christlichen Demokraten zustande gebracht hatte, über die er einige Jahre geherrscht hatte und die nun auseinanderfiel, weil die Faktionen ihre Vertreter zurückpfiffen.

»Wie verhält sich der Kardinal?« fragte Fabio. »Er hat Sie doch immer unterstützt?«

Der Professor sah Fabio lächelnd an: »Der Kardinal predigt mir seit Jahren ungefähr dasselbe wie Sie«, sagte er. »Lassen Sie die Politik, mein Sohn, sagte er, Leute wie Sie und ich werden mit der Art von Politik, die wir im Sinn haben, zwischen den beiden Mühlsteinen zermahlen werden. Ich glaube ihm und ich weiß, daß er machtlos ist. Er ist von seinem Apparat umstellt.«

Fabio wußte, daß es keinen Sinn hatte, nach den anderen Figuren auf dem Schachbrett zu fragen, den Führern der Kommunisten etwa oder den Funktionären der katholischen Partei. Es ist Krieg, dachte er, im Kriege herrschen die Kriegsgesetze. Die Apparate und ihre Kriegsgesetze. Die Polizisten in ihren glänzenden Uniformen hatten begonnen, ein Spalier vom Molo, wo Gronchis Barkasse anlegen würde, bis zur Porta della Carta des Dogenpalastes zu bilden. In einer Stunde wird Bertaldi dort drüben vor der Porta stehen, überlegte Fabio, an der Spitze der Honoratioren und Notabeln, um Gronchi zu empfangen. Dann werden sie ins Anticollegio gehen und unter Tintorettos Bildern Reden halten. Was für ein Zirkus!

Er hält sich großartig, dachte Fabio und betrachtete den Professor, den großen alten Mann, der auch körperlich groß war, nicht fett, aber von wuchtiger Statur, die den glattrasierten Kopf trug, den Kopf mit den stets wie auf irgendeinen fernen Horizont gerichteten Augen, der geraden, gutgeschnittenen Nase, den schneeweißen Haaren über den flachen hellen Schläfen; für einen Mann, der sein politisches Werk zerbrechen sieht, hält er sich großartig. Fabio und der Professor kannten sich seit der Befreiung, der Professor, der damals von Lipari zurückkehrte, war der einzige gewesen, der Fabio hatte bewegen können, die Partisanenbrigade von Dona di Piave, die er damals führte, entwaffnen und auflösen zu lassen; in einem langen nächtlichen Gespräch hatte er ihn davon überzeugt, daß eine revolutionäre Aktion im Augenblick der Befreiung nicht gerechtfertigt sei, sie wäre die terroristische Aktion einer Minderheit, während es jetzt gelte, die Freiheit zum freiwilligen Werk einer Mehrheit zu machen; allerdings kapitulierte Fabio nicht nur, weil er die politisch-historische Analyse Bertaldis für richtig hielt, sondern mehr noch aus praktischen Gründen: er hatte sich die Aufmarschbasen von General Mark Clarks achter Armee in der Po-Ebene genau angesehen; man hatte Fabio und seinen Stab dazu eingeladen, und man heftete ihnen amerikanische, französische, griechische und polnische Orden an die Brust, vor einer Kulisse aus Tausenden von Sherman-Panzern und bei Diners aus Feldküchen, die als normale Verpflegung Steaks und Spargel lieferten. Die Kapitulation der Partisanen-Brigade Dona di Piave war ein prächtiges Schauspiel gewesen, verglichen mit dem Untergang der Internationalen Brigade Matteotti, sieben Jahre zuvor, auf den

Schlachtfeldern von Katalonien. Aber obwohl Fabio sich den Gründen des Professors gebeugt hatte, war er nicht zu bewegen gewesen, weiter mitzuspielen; zunächst hatte er sich den Anforderungen Bertaldis versagt, weil er ganz einfach enttäuscht gewesen war, später hatte er den Gründen seiner Enttäuschung nachgeforscht und herausgefunden, daß er nicht enttäuscht war, weil er zu den Besiegten gehörte, sondern weil die Revolution, für die er gekämpft hatte, aus einer Idee zur Schimäre verdampfte, ebenso übrigens wie die Idee der Freiheit, von der Bertaldi gelebt hatte. Gerade der Verlauf des Experiments Bertaldi hatte ihn gelehrt, daß die Ideen ihre Inhalte verloren, wesenlos wurden; an ihrer Stelle erhoben sich die reinen Machtblöcke, die beiden großen nihilistischen Apparaturen, vor denen alle Ideen verblaßten, weil ihr Kampf, wenn er die äußerste Form annahm, das Ende der Zeiten voraussehen ließ, die Apokalypse. Als Fabio dies erkannt hatte, trat er aus der Kommunistischen Partei aus. Er beobachtete übrigens, daß auch die besten seiner Gegner, die geistigen Häupter des konservativen Katholizismus, der Monarchisten, des Faschismus, sich zurückzogen oder ausgeschaltet wurden; alle jene, die im Vorstellungskreis einer alten Welt lebten, in dem die menschliche Geschichte eine Geschichte der Entscheidungen zwischen geistigen Prinzipien war. Und nun war also Bertaldi dran, der Mann, der als letzter eine große Synthese versucht hatte, dem es eine Weile lang gelungen war, die Kräfte in der Schwebe zu halten, und der nun scheiterte, weil die Mächte sich endlich aller Prinzipien entledigt und den Gedanken der völligen gegenseitigen Vernichtung ins Auge gefaßt hatten; in dem toten Raum, den die gestorbenen Ideen hinterließen, hörte man nur noch das Rasseln der Automaten, die anstatt Gedanken die falschen Münzen der Ideologien ausspuckten.

»Was werden Sie tun«, fragte Fabio, »wenn alles vorbei ist?«

»Ich werde an die Universität zurückkehren«, sagte Professor Bertaldi, glücklich lächelnd. »Denken Sie nur, Crepaz, darauf warte ich nun schon fast zwanzig Jahre. Ich will eine Neufassung meines ›Entwurfs‹ schreiben, meine Erfahrungen darin verwerten. Und der Kardinal will mich auf ein paar Missionen nach Asien schicken, er sagt, es müsse ein Venezianer sein, der für ihn in den Orient geht, um ein paar Gespräche zu führen, einige Terrains zu sondieren; nur der Orient kann Europa retten, meint er. Auch Gronchi ist daran sehr interessiert.«

Diese alten Herren sind unverwüstlich, dachte Fabio. Gronchi, der Kardinal, der Professor – die Generation, der sie angehörten, kam überhaupt nicht auf den Gedanken, alles, was sie getan und gedacht hatte, könnte sinnlos gewesen sein. Sie war ganz anders als seine, Fabios Generation. Während Fabio schon an der Front in Spanien in eine immer resignierendere und zynischere Haltung geraten war, hatte der Professor, der zur gleichen Zeit als Verbannter auf Lipari lebte, seine berühmte Studie ›Entwurf zur Vorbereitung einer Philosophie der Freiheit‹ geschrieben, die in Abschriften unter den Gebildeten der Resistenza von Hand zu Hand ging. Weil der ›Doge‹ zu alt war und weil mächtige Gönner sich um ihn kümmerten, hatte er nicht in den Bimssteinbrüchen arbeiten brauchen; immerhin hatte er diese, wenn auch nicht optimistische, so doch zukunftsgewisse Schrift unter Lebensgefahr verfaßt, während Fabio – wie er überlegte, während er neben Bertaldi am Fenster der Marciana stand – sich zwar viele Male in Lebensgefahr begeben hatte, aber niemals mit der Überzeugung, der Zukunft gewiß zu sein.

Von Lipari hatte Bertaldi auch mit Croce korrespondiert; der Briefwechsel war nach Croces Tod veröffentlicht worden, er trug in gewissen Passagen den Charakter eines Streitgesprächs, in dem Bertaldi Croce vorwarf, er halte an einer veralteten idealistischen Position fest, er interpretiere Hegel, um ihn zu überwinden, falsch, nämlich idealistisch und liberal, während er doch höchstens marxistisch und liberal, am besten aber überhaupt nicht zu betrachten sei; Bertaldi war auf Lipari Marxist geworden, er war es auch heute noch; in seinem zweibändigen Werk ›Geistesgeschichte der venezianischen Handelsbeziehungen vom 14. bis 17. Jahrhundert‹, zu dem er sich die Zeit von seinen Staatsgeschäften abgerungen hatte, wies er nach, daß die Geschichte auf den Produktionsformen beruhte, auf der Art und Weise, wie die Menschen arbeiteten.

Aber zu jeder Zeit war der Professor vor allem Christ geblieben, den geheimsten Grund seiner Existenz hatte er in einer kleinen Schrift zur Exegese von zwei syrischen Pilastern des sechsten Jahrhunderts angedeutet, seltsamen Bruchstücken, die sich, mit Rebengewinden und merkwürdigen Monogrammen bedeckt, an der Südecke der Markuskirche befanden; noch überzeugender als die Lektüre dieser kryptischen und fast privaten Aufzeichnung hatte aber auf Fabio die unnachahmliche Handbewegung gewirkt, mit der Bertaldi ihn einmal auf das Gotteshaus hingewiesen und gesagt hatte: »Es ist unmöglich, Venezianer zu sein und nicht an Christus zu glauben.« In des Professors Geste war San Marco als das erschienen, was es war: als ein Wunder.

Seine wissenschaftlichen Gegner warfen ihm natürlich Synkretismus vor, seine politischen behaupteten, er koche seine Suppe auf zu vielen Öfen, aber sie konnten nicht verhindern, daß dieser Gelehrte und Staatsmann, der die Democrazia Cristiana eines Tages genauso verlassen hatte wie Fabio die PCI, sie lange Zeit mit freundlicher Härte aneinander band. Zu solcher Arbeit hatte er Fabio immer wieder verpflichten wollen. »Sie sind auf der Linken genau der Mann, den ich brauche«, hatte er gesagt, »und wenn ich bedenke, was für eine Autorität Sie unter Ihren Freunden hätten, wenn Sie in die Politik zurückkehrten . . .« Er hatte mit Fabio die Meinung Vittorinis debattiert, daß die italienischen Intellektuellen sich unter dem faschistischen Druck aus Liberalismus der PCI angeschlossen hätten und daß sie die Partei als Liberale verließen – sie hatten an eine Verbindung von Kommunismus und Freiheit geglaubt. Er hielt die Analyse Vittorinis für richtig, behauptete aber, seine Schlußfolgerung sei falsch; man dürfe die PCI nicht den kalten Funktionären überlassen. »Die Kommunistische Partei könnte das sein, was die italienischen Intellektuellen aus ihr machen.« Fabio hatte über den Idealismus dieses Anti-Idealisten gelächelt, er hatte dem Professor widersprochen, übrigens hatte er hinzugefügt: »Mich geht das eigentlich gar nichts an, ich bin kein italienischer Intellektueller. Ich bin ein italienischer Musiker, und zu gewissen Zeiten war ich ein italienischer Revolutionär und Soldat, aber ich war niemals das, was man einen Intellektuellen nennt.«

»Eben«, hatte der ›Doge‹ geantwortet, »und deswegen brauche ich Sie. Sie haben die Bildung und die Sensibilität und den kritischen Geist eines Intellektuellen, ohne einer zu sein. Weil Sie keiner sind, haben Sie Organisationstalent, einfache praktische Kraft, die Fähigkeit, zu handeln. Sie haben es in Spanien und in der Resistenza bewiesen. Begabungen wie die Ihre sind sehr selten.«

Wenn ich mich von solchen Sirenenklängen hätte verführen lassen, dachte Fabio, würde auch mir heute der Präsident der Republik, der Duzfreund des großen alten gescheiterten Mannes da, die Hand schütteln; mit solchem Unsinn müßte ich mich abgeben und dabei wissen, daß ich von der Partei aus dem Experiment Bertaldi zurückgepfiffen und, fügte ich mich nicht, kaltgestellt würde. Natürlich hätte ich auch einen anderen Weg einschlagen können; wenn ich es darauf angelegt hätte, vor Jahren schon, wäre mir eine Karriere sicher gewesen, gerade weil ich mich so kostbar gemacht habe, eine Karriere im politischen Hintergrund, auf die es mir ankäme, wenn ich wieder mitspielen würde, ich bin kein Redner, dachte Fabio, kein Mann des demokratischen Vordergrunds, ich wäre ein Organisator, ein Berater, eine Figur des taktischen und strategischen Gehirntrusts, einer, der die Fäden zieht, die Fäden um den Dogen von Venedig oder vielleicht sogar um den Präsidenten der Republik. Er hatte sich so heftig in diese Erwägungen versenkt, daß er aus ihr so erleichtert auffuhr wie aus einem bösen Traum: sich erinnernd, stellte er fest, daß er frei geblieben war. »Sie wundern sich vielleicht darüber, daß ich so wenig unglücklich scheine«, hörte er Bertaldi sagen. Der Professor wartete keine Antwort ab, sondern fuhr sogleich fort: »Ich will Ihnen sagen, Crepaz, daß ich zurücktreten würde, auch wenn die taktische Konstellation in Venedig meine Stellung noch eine Weile begünstigte. Ich habe nämlich herausgefunden, daß meine Gegner recht und ich unrecht habe.«

Fabio sah den Professor sprachlos an. Bertaldi lächelte und sagte: »Nein, was Sie jetzt denken, ist falsch. Ich gehe natürlich nicht ins Lager des Gegners über.« Er wandte sich vom Fenster ab, und während er einige Papiere vom Schreibtisch nahm und in seine Aktentasche stopfte, erklärte er: »Wenn eine Situation entsteht, in der zwei mächtige Faktionen nichts anderes mehr wünschen als den Krieg, ist jeder, der sich nicht einer von ihnen anschließt, ein Verräter. Ich meine das in vollem Ernst: meine Politik war die Politik eines Verräters.«

»Und Ihr Konzept einer dritten Kraft?« fragte Fabio.

». . . war eine Weile lang als Versuch berechtigt, scheidet aber im Kriegsfalle aus. Ich habe die Frage historisch und staatsrechtlich genau untersucht. In einem Krieg gibt es nur Freunde, Feinde und Neutrale. Neutrale sind keine dritte Kraft, sondern nichts weiter als Nichtkombattanten. Kriege zwischen Blöcken, die an nichts als an die Entscheidung durch die Macht, also an das Nichts glauben, werden niemals durch eine dritte Kraft, die sich zwischen sie schiebt, verhindert oder beendet, sondern allein durch den Sieg oder durch die Erschöpfung.«

»Sie geben der Vernunft also keine Chance?«

»Nein«, erwiderte Bertaldi und fixierte Fabio einen Augenblick lang. »Bestien sind der Vernunft nicht zugänglich.« Noch nie hatte Fabio einen solchen Ton der Verachtung in der Stimme des ›Dogen‹ gehört. Einen Moment später klang sie wieder gefaßt: »Gott hat den Menschen die Vernunft als höchstes Geschenk gegeben. Aber leider hat er ihnen auch die Freiheit gelassen, vernünftig oder unvernünftig zu sein. Menschlich oder bestialisch. Ich muß gehen«, sagte er, auf die immer stärker anwachsende Menge deutend, »sonst komme ich nicht mehr durch und dann stehe ich unter den Zuschauern, wenn Gronchi kommt. – Obwohl das jetzt eigentlich der richtige Platz für mich wäre«, fügte er ohne Bitterkeit hinzu.

»Einen Augenblick, Eccellenza«, sagte Fabio. »Was wird aus denen, die Menschen bleiben wollen?«

Der Professor hatte schon die Türe geöffnet. Er wandte sich um und fragte: »Erinnern Sie sich an die Legende, in der erzählt wird, wie man die Gebeine des heiligen Markus geborgen hat?«

Fabio kannte sie; jedes Kind in Venedig lernt die Legende des Schutzpatrons der Stadt in der Schule, aber er schüttelte den Kopf, teils um Bertaldi einen Gefallen zu tun, teils weil er zu wissen wünschte, worauf der Professor hinauswollte.

»Zwei venezianische Kaufleute fanden die Leiche des Heiligen in Alexandrien auf«, erzählte Bertaldi. »Sie bargen die Knochen in einer Kiste unter Schweinefleisch und trugen sie davon, indem sie ›manzir‹, das heißt, ›Schweinefleisch‹ schrien, vor dem die Mohammedaner sich ekeln. So brachten sie den Evangelisten nach Venedig. Gehen Sie hinüber nach San Marco und schauen Sie sich die Mosaiken im rechten Schiff des Chores an, da ist die Geschichte dargestellt; es sind übrigens die ältesten Mosaiken der Kirche.«

Er schwieg. Fabio wartete gespannt. In einer rätselhaften Mischung aus Liebe und Haß sagte der alte große Mann: »Merken Sie sich eines, Fabio Crepaz: was immer auch geschehen mag – der Tag wird kommen, an dem man die Reliquien des lebendigen Menschen unter einem Haufen toten Schweinefleisches nach Venedig retten wird.«

Er winkte Fabio zu, ehe er den Raum verließ.

Sie sprachen eine Weile miteinander; nach sieben Uhr machte Patrick das Boot von der Anlegestelle los und setzte den Motor in Gang. Das Barometer hatte recht behalten; der Widerschein der Morgensonne überzog das Grau und Rosa der Häuser auf den Fondamente Nuove mit glänzendem Lack. Weil es Sonntag war, sahen sie kaum einen Menschen auf dem Kai, und dort, wo er endete, begannen die leblosen Fronten der Mauern, fensterlos in die Lagune abfallend, vor der dünnen Linie von Mazzorbo im Norden waren ein paar ausfahrende Fischkutter zu sehen, Patrick ließ den Canale San Pietro rechts liegen, er schnitt nicht ab, er sagte, mit dem großen schweren Boot ginge er ungern in die Kanäle hinein, er umrundete vielmehr die ganze Stadt, bis zur Landspitze der Isola Elena, als wolle er Franziska das Panorama der morgendlichen Annäherung bieten, die Vedute der Kuppeln, Türme und Dächer in geschnitten scharfem, wie emailliertem Rosa, Gelb und Braun unter dem Sonnenblau des Januarmorgens, die Vedute, die sich schließlich im Anblick der Piazzetta kristallisierte. Er legte am Molo vor der Säule mit dem Markuslöwen an, um Franziska abzusetzen. Als sie zusammen auf dem Deck des Bootes standen, fragte er: »Was werden Sie heute tun?«

Sie lächelte. »Schlafen.«

»Schlafen ist gut«, sagte er. »Schlafen Sie sich aus! Und am Abend oder morgen früh werden Sie nach Deutschland zurückfahren, nicht wahr?«

»Sie haben viele Antennen«, sagte sie.

»Das ist doch nicht schwer zu erraten«, sagte Patrick. »Sie haben keine andere Wahl. Außer, Sie nehmen meinen Vorschlag an.«

Er hatte ihr gegen Morgen vorgeschlagen, eine Weile mit ihm zu fahren. »Ich biete Ihnen einen Job als Reisebegleiterin an«, hatte er gesagt, »wirklich, ich kann eine Deckshand gebrauchen, Sie ahnen nicht, wie ich diese Jünglinge, die sich danach drängen, mit mir zu reisen, satt habe; es wäre wunderbar für mich, einmal eine Weile mit einer gebildeten Frau zu reisen. Mit einer so schönen Frau, wie Sie es sind«, hatte er offen und jungenhaft grinsend hinzugefügt, »wir wären ein sehr interessantes Paar, wir beide. Sie würden in jedem Hafen auffallen, mit Ihren roten Haaren, auf dem Bootsdeck, Sie müßten natürlich Blue jeans anhaben und einen schweren dunkelblauen Seemannspullover, ich weiß ein Geschäft hier in Venedig, wo wir alles bekommen, was Sie brauchen.« – »Grau«, hatte Franziska geantwortet, »kann es nicht ein grauer Pullover sein? Grau steht mir besser als dunkelblau.« – »Meinetwegen auch grau«, hatte er geantwortet, »wir fahren die italienische Adriaküste hinunter und verbringen den Rest des Winters in Sizilien, und im Frühjahr gehen wir an die Côte d'Azur, dort finden Sie jeden Job, den Sie haben wollen, wenn Sie keine Lust mehr haben, bei mir zu bleiben.« *Er hat vergessen, daß ich vielleicht schwanger bin, an der Côte d'Azur wäre ich schon im vierten oder fünften Monat,* aber er hatte es nicht vergessen, er hatte gesagt: »Und wenn Sie ein Kind bekommen, dann nehmen Sie sich den Sommer über eine kleine Wohnung in Cannes und machen Übersetzungen, damit Sie etwas zu tun haben, ich verschaffe Ihnen Übersetzungsaufträge, und ich schaue manchmal nach Ihnen; im September kriegen Sie dann das Kind, und dann werden wir weitersehen.« Franziska hatte zwischen Rührung und tollem Gelächter geschwankt, *mein Gott, das ist ja ein Heiratsantrag, ein Schwuler macht mir etwas, was einem Heiratsantrag so nahe wie möglich kommt, und das passiert ausgerechnet mir, unglaublich, wie behend er sich meine Termine ausgerechnet hat, ein Normaler wäre nie fähig, sich so schnell und praktisch in die Lage einer Frau zu versetzen, ausgerechnet ein Schwuler muß es sein, der nicht auf die Idee kommt, ich solle mir das Kind abtreiben lassen, es wäre eine herrliche Lösung, zu schön, um wahr zu sein, es würde an Zauberei grenzen, und darum stimmt irgend etwas daran nicht, es gibt keine Zauberei, und wenn es sie gibt, so muß man dafür zahlen, allen Zauberern auf der Welt geht es darum, einen Aladin zu finden, der ihnen die Wunderlampe bringt,* und sie hatte richtig geraten, denn er bekam wieder sein Zinnien-Gesicht, seinen bösen Pavone-Blick, als er sagte: »Sowie ich die Sache mit Kramer hinter mir habe, können wir abreisen.«

Daran erinnerte sie sich, jetzt, am Molo vor der Piazzetta, im Begriff, das Boot zu verlassen, und so antwortete sie: »Ich kann Ihren Vorschlag nicht annehmen, weil Sie dann die Sache mit Kramer hinter sich haben werden.«

»Ich habe nicht die Absicht«, sagte er, »Sie in diese Angelegenheit hineinzuziehen, wenn es das ist, was Sie befürchten.«

Sie lachte und schüttelte den Kopf. »Ich bin schon drin«, erwiderte sie. *Wenn ich nur wüßte, was er eigentlich von mir will? »Ich habe eine Schwäche für Leute, die nicht dazugehören«, hat er gesagt. Gut. Und etwas später: »Ich kann meine Angst bei Ihnen deponieren.« Auch gut. Die Schwäche und die Angst waren zwei gute Gründe. Aber sie waren nicht der eigentliche und letzte Grund dafür, daß er sie in diese Sache hereingezogen hatte und sie noch weiter hereinziehen wollte. Wenn er ein Normaler wäre, könnte ich mir sagen, daß er sich in mich verliebt hat, daß er mich haben will, das wäre ein Grund. Aber so ...*

»Ich will Sie einfach bei mir haben«, sagte er. Er sagte den kurzen, im Englischen so unauffällig lautenden Satz vollkommen aufrichtig, weder zu gleichgültig, noch zu pathetisch. »Seit ein paar Tagen«, fuhr er fort, »seitdem ich Kramer wiedergesehen habe, weiß ich, daß etwas mit mir geschehen wird. Und als ich Sie gestern im Pavone erblickte, wußte ich, daß ich Sie gerne bei dem, was mit mir geschehen wird, dabei hätte. Es ist eine Laune, gewiß. Erinnern Sie sich noch daran, was ich Ihnen von den toten russischen Mädchen erzählte – daß sie mir als böses Vorzeichen erschienen? Nun, als ich Sie sah, hatte ich das Gefühl eines guten Vorzeichens.«

»Sie sind reichlich abergläubisch«, sagte Franziska und lachte gezwungen. *Er hat etwas Zwingendes.* Dann nahm sie sich zusammen, wehrte sich gegen die Hypnose, die von ihm ausging, sogar am hellen Tag, im blendenden Morgenlicht. »Was soll schon mit Ihnen geschehen?« fragte sie. »Wenn Sie keine Vernunft annehmen, werden Sie Kramer oder Kramer wird Sie töten. Das ist alles. Dazu brauchen Sie keine Vorzeichen, weder gute noch schlechte.«

Er hörte ihr wieder nicht zu. *Ich brauche nur zu einer Warnung anzusetzen, so verschließt ein automatischer Schatten seinen Blick. Dies ist ein merkwürdiger Mann. Ein scharfer, ein sehr bewußter, ein kleiner schwarzer gefallener Engel, aber er lebt von Empfindungen, von Vorzeichen, von Unwägbarkeiten. Einer, dem nicht zu helfen ist. Es wird etwas mit ihm geschehen.* Sie warf einen Blick voller Sorge auf ihn, dann trat sie auf die Stufen der Steintreppe, die vom Anlegepfahl auf die Piazzetta führten.

»Gehen Sie wenigstens mit mir essen«, sagte Patrick, »heute abend, ehe Sie abreisen.«

»Ich werde es mir überlegen«, antwortete sie. *Ich werde es mir tatsächlich überlegen, obwohl ich es mir nicht überlegen sollte. Ich sollte abreisen, ohne ihn wiederzusehen.*

»Heute abend um sieben Uhr«, sagte er. »Wieder hier, an der gleichen Stelle.« Plötzlich schlug er sich an den Kopf. »Mein Gott«, rief er aus, »ich denke nicht an das Wichtigste!«

Er verschwand in der Kajüte, kam aber sofort zurück. »Hier«, sagte er und hielt ihr zwei Geldscheine hin, »ich hätte beinahe vergessen, daß Sie in der Klemme sitzen. Nehmen Sie dies bitte an!«

Franziska blickte von der Treppe aus kühl auf ihn hinab. Sie sah das Geld, es waren zwei Zehntausend-Lire-Noten. »Das ist wohl das Handgeld?« fragte sie.

Er sah so überrascht zu ihr auf, daß sie lachen mußte und ihm das Geld aus der Hand nahm. »Danke«, sagte sie.

Sie sah ihm zu, wie er das Tau löste und das Boot wieder in Fahrt brachte. Sie winkten sich nicht zu. Das Boot war im Gegenlicht bald nur noch ein Schatten auf der glitzernden Silbermasse, die sich zwischen San Giorgio und der Piazzetta erstreckte und die Franziska so blendete, daß sie sich umwandte und über den Platz ging, den kalten glühenden Morgen-Platz, auf dem sich so wenige Menschen bewegten, daß sie seine Leere nur noch betonten. *Jetzt habe ich plötzlich dreißigtausend Lire. Mehr als vorgestern nachmittag, im Biffi, als ich Herbert verließ.* Sie ging wieder, wie gestern morgen, an der Fassade San Marco entlang, der große Platz lag noch im Schatten, auf der Piazzetta war sie auf Goldgrund gegangen, während die Piazza noch mit kühlen blauen Schatten grundiert war, sie beobachtete, daß Männer damit beschäftigt waren, aus den Fenstern der Prokurazien blaue und rote Seidentücher zu entfalten, *ist heute etwas Besonderes los in Venedig?*, da das obere der beiden Stockwerke der westlichen Prokurazien schon von der Sonne beschienen wurde, glitt jedesmal, wenn dort ein Fenster geöffnet wurde, ein Streifen Licht über den Platz, ein Signal aus Weiß und Gold, gefolgt von dem matten Seidenblau oder Seidenrot der alten Tücher. *Dreißigtausend Lire und der Ring. Auf einmal ist alles wieder ganz anders.* Sie tauchte unter dem Uhrturm in den Korridor der Mercerie ein. *Zur Hauptpost, mit Joachim telefonieren. Jetzt habe ich wieder mehrere Möglichkeiten. Ein etwas billigeres Hotel nehmen und vierzehn Tage lang auf die Suche gehen, Annoncen, und überall fragen, es wird sich vielleicht etwas finden. Oder nach Deutschland zurück. Oder Patricks Angebot annehmen. Vielleicht war es nur eine Laune von ihm, wahrscheinlich wird er es sich sehr schnell anders überlegen, wenn er heute abend nicht kommt, hat er es sich anders überlegt, und wenn er sich auf die Sache mit Kramer einläßt, scheidet die Möglichkeit sowieso aus, das fehlte noch, mit einem Mörder auf Reisen gehen, wenn ich schwanger bin, kann ich mich nicht auf ein Abenteuer mit einem Mörder einlassen. Aber immerhin, ich kann einmal so tun, als wäre es keine Laune von ihm und daß ich ihn von seinem Plan mit Kramer abbringe und daß ich nicht schwanger bin, dann ist auch Patrick eine Möglichkeit, eine hübsche Variante, ich habe ja Zeit, ich kann mir eine Bummelei leisten. Ich kann auch billig, zweiter Klasse, nach Mailand zurückfahren, dort finde ich sicher einen Job. Es gibt eine Masse Möglichkeiten, seitdem ich wieder etwas Geld habe. Seit ein paar Minuten also.*

Im engen Schacht der Mercerie war es kühl. Franziska ging an den geschlossenen Geschäften vorbei, an den heruntergelassenen Rolläden. *Weil ich jetzt wieder ein paar Möglichkeiten habe, muß ich mit Joachim telefonieren. Ich habe Herbert eine letzte Chance gegeben, und die ganze Zeit über, seitdem ich aus dem Biffi weggegangen bin, habe ich gewußt, daß ich auch Joachim noch eine Chance geben würde. Schließlich hat er nie mit einem solchen Schritt von mir gerechnet. Vielleicht reagiert er ganz anders darauf, als ich es mir denke? Jedenfalls muß ich wissen, wie er darauf reagiert. Liebe ich ihn noch? Nein, schon lange nicht mehr. Würde ich bei ihm bleiben, wenn er sich richtig verhält, jetzt, nachher, am Telefon? Ich weiß es nicht. Ich weiß es wirklich nicht. Ein Mann vermag sehr viel, wenn er hartnäckig ist und sich richtig verhält. Ich konnte ihm keine Chance geben, solange ich in der Klemme saß. Doch jetzt will ich mir anhören, was er zu sagen hat. Weil ich keine Hilfe mehr nötig habe, kann ich es mir leisten, ihn um Hilfe zu bitten. Ich bin gespannt darauf, was er antworten wird. Es ist ein Test. Der große Joachim-Test.* Sie blieb plötzlich stehen. *Welches Recht habe ich, andere Leute zu testen? Bin ich so viel besser als Joachim, daß ich es wagen darf, ihn zu prüfen? Wie moralisch wir Weiber doch sind; immer fühlen wir uns besser als die Männer. Seit Jahren habe ich Joachims Spielregeln akzeptiert, und nun bin ich entschlossen, ihn zu verwerfen, wenn er sie nicht aufgibt, bloß weil ich sie aufgegeben habe. Nein, kein Test. Nur ein kleiner Anruf, weil ich ihn einmal geliebt habe, weil wir zusammen gelebt haben, und weil ich eine*

Frau bin. Weil ich eine Frau bin, kann ich nicht einfach aufhören, ohne bis ans Ende gegangen zu sein. Bis ans Ende der Worte. Das ist es, was die Männer unsere Szene nennen: daß irgend etwas in uns uns unwiderstehlich antreibt, bis ans Ende der Worte zu gehen.

Sie betrat den Hof des Hauptpostamtes, den überdachten Hof des Fondaco dei Tedeschi, sie blickte die bleichen Galerien empor, der Hof war grau und verlassen, alle Schalter unter den Arkadengängen waren geschlossen, *es ist Sonntag, noch vor acht Uhr,* aber Franziska fand das Büro für Telegramme und Telefonate, es war geöffnet, die Lampen brannten in dem trüben, verbrauchten Raum. Sie bestellte das Gespräch, der Beamte, ein grauer, magerer Mann, nahm ihre Order auf, als schmiede er ein Komplott mit ihr, *eine Rote, morgens, eine Ausländerin, sie ist schön, sie ist allein, auch Italienerinnen kommen oft allein hierher, aber nie sieht das Alleinsein bei ihnen so selbstverständlich aus wie bei gewissen Ausländerinnen,* Franziska setzte sich an den abgenutzten Tisch mit den gebrauchten Löschblättern, den versenkten Tintenfässern, den Federhaltern, von denen die Farbe abgeblättert war.

Das Gespräch kam schnell. So früh am Sonntag waren die Leitungen frei. Der Beamte rief ihr vom Schalter das Wort ›Dortmund‹ zu, es hörte sich seltsam und neu an in seinem italienischen Akzent, der die Vokale zuspitzte und die Konsonanten verwischte, Franziska sah ihn fragend an und er sagte: »Apparat zwei!« in einem vertraulichen Ton, sie waren allein miteinander, allein und übernächtigt zusammen in dem frühen Sonntags-Postamt, Fondaco dei Tedeschi, Franziska war aufgeregt, als sie sich erhob, zur Kabine ging und den Hörer abnahm, aber sie war nicht verwirrt, es war eine Art von ruhiger Erregung, die sie ergriffen hatte. Sie machte die Türe der Telefonzelle hinter sich zu, ehe sie »Hallo« sagte.

Die Verbindung war schon hergestellt, sie hörte sogleich Joachims Stimme, kein Telefonfräulein aus Venedig oder Dortmund, das eine Zäsur aus Indiskretion und Postgeheimnis schuf, vermittelte und trennte sie von dieser Stimme, die sofort da war.

»Also in Venedig bist du«, hörte sie ihn sagen.

Er hatte demnach schon von ihrer Flucht gehört. *Herbert muß entweder sofort nach Hause gefahren sein, gestern, oder vielleicht hat er Joachim angerufen, so schnell kommt man gar nicht mit dem Wagen von Mailand nach Dortmund.* Sie überlegte sehr rasch und beschloß, vorsichtig zu sein.

»Willst du nicht etwas sagen?« fragte er.

Er hat das Telefon am Bett. So früh am Morgen liegt er noch im Bett. Ich habe schon ein paarmal neben ihm im Bett gelegen, während er telefoniert hat. Zu der Zeit, als ich ihn liebte, sah ich ihm gerne zu, wenn er telefonierte, im Bett liegend, den Hörer zwischen sein Ohr und seine Schulter geklemmt; er hat eine ruhige, gesammelte und überlegene Art, zu telefonieren, wenn man so telefonieren kann wie er, hat man Erfolg.

»Hör mal«, sagte er, »es geht mich ja nichts an, aber es kostet dein Geld. Eine Verbindung von Venedig nach Dortmund ist nicht gerade das Allerbilligste, nicht einmal sonntags vor acht. Du hättest ein R-Gespräch anmelden sollen.« Er wurde gedämpft ironisch. »In diesem Falle hätte ich ausnahmsweise ein R-Gespräch angenommen.«

»Ist Herbert schon in Dortmund?« fragte sie, um Zeit zu gewinnen.

»Nein, aber er ist auf dem Wege.«

Sie atmete auf. *Das bleibt mir also erspart, daß er Herbert Order gibt, mich hier aufzustöbern.*

»Es war dumm von dir, von Herbert wegzulaufen.«

Sie lauschte seiner Stimme nach. Das Telefon veränderte sie. Es brachte den rheinischen Akzent stärker heraus, den man sonst kaum spürte. Der rheinische Akzent schliff seine Stimme ab, machte sie glatt und routiniert, er machte sie zur Stimme eines jener Männer, die man im Rheinland ›Schwittjeh‹ nannte. *Aber Joachim ist kein Suitier. Er ist zwar glatt, ein glatter kalter Kaufmann, der keine R-Gespräche annimmt, aber er ist auch humorlos, er ist nur sachlich, er ist nicht oberflächlich genug, um ein Suitier zu sein.*

»Ich bin nicht nur von Herbert weggelaufen«, sagte sie. »Außerdem ist es mir egal, ob es dumm ist oder nicht.« *Ich rede schon wie O'Malley.* Sie erinnerte sich an ihr nächtliches Gespräch mit dem Fremden, der nun kein Fremder mehr war. »Mr. O'Malley«, hatte sie gesagt und ein wenig feierlichen Spott in ihre Stimme gelegt, »bleiben Sie auf Ihrem Boot. Irgendwann einmal, vor langer Zeit, in einem früheren Leben, haben Sie eine Schuld auf sich geladen. Die meisten Leute haben irgendeine Schuld, mit der sie leben müssen. Aber jetzt sind Sie ein Mann, ein Mann ganz allein auf einem Boot. Es wäre einfach dumm von Ihnen, wenn Sie sich darin stören ließen.« Joachims Meinung, es sei dumm von ihr gewesen, wegzulaufen, war wie das Echo ihrer Mahnung an Patrick. Und ihre Antwort an Joachim war das Echo der Antwort, die Patrick ihr gegeben hatte: »Auch Kramer«, hatte er gesagt, »hat damals an meine Intelligenz appelliert. Ich habe es Ihnen ja erzählt. Seitdem habe ich mir geschworen, niemals wieder auf diesen Trick hereinzufallen.« Sie erinnerte sich, daß in seine Augen die Farbe des Hasses getreten war, des Hasses, der sich erinnert.

»Dann verstehe ich nicht, warum du mich anrufst?« hörte sie Joachim fragen.

»Ich brauche Geld«, antwortete sie.

»Herbert hat also recht«, sagte er. »Er meinte, du hättest zu wenig Geld bei dir und müßtest bald aufgeben. Ich habe zu ihm gesagt, das hielte ich für ausgeschlossen; wenn du so etwas machtest, dann hättest du es vorher gründlich geplant.« Er unterbrach sich, dann schloß er ärgerlich: »Ich habe mich also geirrt.«

»Und du irrst dich schon wieder, Joachim«, sagte sie, ihre Stimme voller Katzenspott. *Wenn er sich über mich ärgert, mag ich ihn sehr gern. Oh, wenn er nur wüßte, wie gern ich ihn mag, wenn er sich über mich ärgert.* »Ich gebe gar nicht auf. Ich denke nicht daran, aufzugeben. Ich will nur, daß du mir etwas Geld gibst, damit ich nicht aufzugeben brauche.«

Sie wartete mit Spannung auf seine Antwort. *Bin ich schon zu weit gegangen? Ist es schon zu offensichtlich, daß ich ihm eine Chance gebe? Gebe ich ihm denn eine Chance? Will ich ihm die Hoffnung lassen, daß er eines Tages eine Frau lieben kann, die nicht mehr seine Gefangene ist? »Sie täuschen sich, Patrick!« habe ich vor ein paar Stunden gewarnt, »dieser Mann weiß ganz genau, was er von Ihnen zu erwarten hat.« »Möglich«, hat er geantwortet, »aber ich bin nicht mehr sein Gefangener. Ich kann handeln.« Das ist der Unterschied zwischen dem schwarzen kleinen Teufel und mir: ich bin nicht mehr Joachims Gefangene, aber ich habe nicht den leisesten Wunsch, Joachim etwas anzutun.* Sie erinnerte sich, daß sie zu Patrick gesagt hatte: » Und doch haben sie Angst!« In diesem Augenblick, im Gespräch mit Joachim, verstand Franziska O'Malleys Beweggründe. *Seine Angst weiß mehr als er selbst. Sie weiß, daß er noch immer Kramers Gefangener ist. Er muß töten, nicht um seine Ehre wiederzugewinnen, die gibt ihm auch die Rache nicht zurück, sonden einfach, um nicht mehr Kramers Gefangener zu sein. Ich aber, ich bin nicht mehr Joachims Gefangene. Ich bin nicht mehr seine Gefangene, weil ich mich nicht an ihm rächen will, weil ich keine Angst mehr vor ihm habe, weil ich ihm sogar schon wieder eine Chance geben kann.* Sie war zu sehr darin vertieft gewesen, ihren Gedanken zu Ende zu denken, daß sie ein paar Sekunden brauchte, um in ihr Bewußtsein aufzunehmen, was Joachim geantwortet hatte.

»Ich denke nicht daran, dir Geld zu schicken«, hatte er gesagt. »Ich schicke dir eine Fahrkarte Venedig–Dortmund.« In einem Ton, der beinahe schon Haß war, hatte er hinzugefügt: »Schlafwagen natürlich.«

Ich könnte eigentlich den Hörer schon auflegen. Ich bin am gleichen Punkt wie vorgestern nachmittag mit Herbert, als Herbert das Wort ›Betriebsunfall‹ gebrauchte. Für Männer wie Herbert und Joachim gibt es nur Betriebsunfälle. Aber auch bei Herbert habe ich bis über das Ende hinaus gefragt. Was frage ich Joachim?

»Glaubst du denn wirklich, Joachim«, fragte sie, »daß es immer so weitergegangen wäre?«

»Es wird so weitergehen«, erwiderte er. »Du hast es immer sehr gern gehabt.«

Sie spürte, wie ihr die Schamröte ins Gesicht stieg, sogar hier, wo sie allein war. *Er hat recht. Es hat mir immer sehr gefallen. Bis zuletzt habe ich es immer sehr gern gehabt. Obwohl es nie sehr lustig gewesen ist, obwohl es eher traurig gewesen ist, besonders hinterher, habe ich es gern gehabt.* Dann sagte sie sich, daß dies die Methode Kramer sei. *Kramer hatte gesiegt, weil er sein Opfer spüren ließ, wie wertvoll es war, am Leben zu bleiben. Und Leben war das, was man gern hatte. Der Terror von Menschen wie Kramer und Joachim war wirksamer als der Terror der Folterknechte. Er rechnete mit dem, was Patrick ›eine feine Erfindung‹ genannt hatte. Damit, daß wir automatisch aufgezogen werden.*

Aber dann geschah ein Wunder, und der Terror fiel von ihr ab. Das Wunder bestand darin, daß sie sich plötzlich daran erinnerte, daß sie vielleicht ein Kind bekommen würde. Mit einem einzigen Schritt gelangte sie durch ein Gefühl, das sie bisher nur als Angst empfunden hatte, in die Freiheit. *Er hat unrecht. Es geht nicht mehr so weiter. Weil ich ein Kind bekomme, kann es so nicht mehr weitergehen. Weil ich vielleicht ein Kind bekomme. Er hat sich einen falschen Zeitpunkt ausgesucht für seinen Terror. Ich bin nicht mehr, was Leute wie Kramer und er brauchen: Opfer mit gebundenen Händen. Ich bin jemand, der nicht mehr automatisch aufgezogen wird. Obwohl ich etwas erleide, obwohl ich nicht mehr wählen kann, muß ich nicht mehr tun, was ich gern gehabt habe.* Schon längst hatte die Schamröte ihres Gesichts sich in die Röte der Verwirrung verwandelt; Franziska war verwirrt von den paradoxen Gedanken, die um ein völlig neues Gefühl kreisten, sie vermochte nicht mehr, sie zu entwirren, aber sie spürte ganz deutlich, daß sie frei war.

Kaum noch, daß sie an den Mann dachte, dort, am anderen Ende der Leitung. Dann erinnerte sie sich seiner. Er lag dort, in seinem Haus in Dortmund, in seinem Bett, und weil er im Bett lag, weil er nicht an seinem Schreibtisch stand, wie sonst, wenn er mit ihr telefonierte, korrekt angezogen und glatt, spürte sie seinen Haß, den Haß eines Mannes, der wehrlos war, der wollte, daß es weiterging, der schon wußte, daß irgend etwas in seinem Leben zerbrach, wenn es nicht weiterging, der mit dem Mittel des Terrors darum kämpfte, daß seine Gefangene ihm erhalten blieb, *er braucht mich, aber er kann mich nur brauchen, wenn es so weitergeht, es ist eine besondere Art von Perversion, es ist eine sadistische Variante,* sie konnte jetzt ganz kühl darüber nachdenken, beinahe kalt ermaß sie die Qual, die den Mann in seinem Bett überfallen würde, wenn sie den Hörer auflegte, aber sie empfand kein Mitleid, *es ist seine Sache, damit fertig zu werden,* er tat ihr nur leid, *ich habe ihm etwas angetan.* Mit der unbewußten Grausamkeit der Frau, die nicht mehr liebt, der Frau, die frei ist, legte sie den Hörer auf.

Das Gespräch kostete zwölfhundert Lire; Franziska bezahlte und verließ das Büro, wieder die bleichen Galerien des Fondaco dei Tedeschi, das wäre also erledigt, sie trat auf eine Gasse hinaus, an deren Ende sie die Stufen der Treppe erblickte, die zur Rialto-Brücke hinaufführte, sie waren von der Sonne beschienen, und Menschen gingen auf ihr hinauf und hinab, *gut, daß ich es hinter mir habe,* sie empfand Genugtuung, *Genugtuung ist ein schlechtes Gefühl, aber es gibt Situationen, in denen man Genugtuung empfindet, ich kann mir nicht helfen, ich bin froh, daß ich mit Joachim quitt bin,* unwillkürlich ging sie auf die Brücke zu, soll ich von Rialto aus mit dem Vaporetto nach Zaccaria fahren, *vor das Hotel, schlafen gehen?*, sie spürte, daß sie übernächtigt war, *ich bin noch nicht richtig müde, nur übernächtigt; ich muß schrecklich aussehen*, sie betrat eine der Bars an der Haltestelle der Motorboote und trank einen Espresso, aber dann nahm sie nicht den Vaporetto, *ich muß gehen, die Luft ist frisch und schön, so schön war es nicht, seitdem ich angekommen bin,* und sie schlug wieder den Weg durch die Mercerie ein.

Auf dem Markusplatz waren nun viele Menschen, ein Geflecht von Menschen überströmte den Platz, ein zerfasertes Delta aus menschlichen Gruppen, die aus den Öffnungen des Platzes wie aus Röhren quollen, rings um den Platz hingen die seidenen Tücher, blau und rot, alt und vornehm, während von den Fahnenmasten die Trikoloren ihr neues Grün-Weiß-Rot im Seewind bauschten. *Es muß etwas Besonderes los sein, irgendein Fest,* die festliche Piazza badete schon ihre Westseite in der Sonne, so daß Franziskas Blick unwillkürlich den Schattenturm hinaufglitt, das dunkle Rot des Campanile, dessen weiße Spitze in ein unerhörtes Blau zeigte, ein Blau von durchsichtiger Tiefe, *ich war noch nie da oben, es ist eine Sache für Touristen, aber vielleicht ist es eine große Sache, ich will sie versuchen, weil ich mit Joachim quitt bin und weil etwas Besonderes los ist, weil ich wieder Möglichkeiten habe, es muß wunderbar sein, in dieser Luft dort oben zu stehen, vielleicht bin ich heute morgen allein dort oben, es sind wenig Touristen da, und so früh sind sie noch nicht auf, das hier sind alles Venezianer,* sie hatte Glück, die Frau an der Kasse des Campanile war schon da, sie sagte, es sei noch zu früh, aber sie verkaufte Franziska eine Karte, und sie öffnete sogar den Lift und schloß das Gitter hinter ihr. Langsam glitt Franziska nach oben.

Als sie aus der Kabine des Aufzugs trat, mußte sie den Kragen hochklappen und sich in ihren Mantel vergraben, weil der Ostwind von schneidender Stärke war. Sie fand eine Nische, neben einer der Glocken, in der sie geschützt stehen konnte, wenn auch frierend und geblendet. Erst nach einigen Sekunden wagte sie es, die Augen zu öffnen; sie erblickte das Meer. Von dieser Höhe aus war das Meer eine hohe Wand, deren oberer Rand, der Horizont, dunkler war als der Himmel, dunkel und ohne feste Grenze, der Horizont der Adria war an diesem Morgen ein schieferfarbenes, durchleuchtetes Gewölk, aus dem Gewölk entwickelte sich die Fläche des Meeres in eine graue Lasur, unter der Violett lag, gegen das Land zu hellere Tinten, hauptsächlich ein fast süßes Lila, aber immer der graue leuchtende Lack darüber, das Land war der Lido, wie mit dem Bleistift gezogen, von der sichersten Hand in die Karte eingetragen, eine gezeichnete Linie zwischen dem Schiefer-Meer, dem Opal-Meer und der silbern blendenden Lagune.

Weil die Lagune sie blendete, wandte Franziska sich um, dorthin, wo der Himmel sich in reinstem Ultramarin wieder zur Erde senkte; wo er sie berührte, lag ein Streifen aus schneeweißen Wolken, *aber das sind ja keine Wolken, das sind die Berge, das ist der Schnee der Dolomiten,* überrascht nahm sie die Gipfel wahr, die schneeweiß zwischen dem Blau des Himmels und dem Braun der Ebene schwebten; weil der Himmel und die Ebene in Farben von durchsichtiger Klarheit tönten, hatte sie die Berge für Wolken gehalten, *was für eine Sicht!, nie war ich auf dem Campanile, ich bin dumm gewesen, aber vielleicht war nie ein so einzigartiger Morgen, früher, während meiner früheren Venedig-Besuche, und vielleicht hat es heute geschehen müssen, daß ich hier herauf komme, es war mir aufbewahrt, dieses Panorama von der Adria bis zu den Alpen, das Campanile-Panorama, das Touristen-Panorama, geht es mich eigentlich etwas an?, merkwürdig, ich habe das Gefühl, daß es mich etwas angeht, es ist das berühmte Touristen-Panorama, aber dennoch ist es ganz unabgenutzt, das eisige Januar-Panorama, die Vogelperspektive, winterwinddurchströmt, das Cosmorama, ultramarintief und golden.*

Zum Beispiel zeigt es mir, daß ich hinter die Berge muß, wenn ich nach Deutschland zurückreise, heute nacht oder morgen früh. Vom Campanile zu Venedig aus gesehen, erschien Franziska dieser Gedanke absurd. Es war ganz offensichtlich, vom Campanile zu Venedig aus, daß hinter der Glocke aus Blau, die sich über dem Alpenkamm schloß, nichts mehr kam, dahinter konnte nur noch irgend etwas diffus Graues liegen, *hinter den Bergen, bei den sieben Zwergen, bei Joachim und Herbert, natürlich ist das Unsinn, dahinter liegt der große graue Norden, der lichtdurchsprühte Norden, den ich doch liebe, aber im Vogelblick, unter dem blauen Glockenhimmel ist es, als gäbe es nichts mehr dahinter. Hinter dem Himmel gibt es nur noch das Nichts.*

Dann wandte sie ihre Aufmerksamkeit der Stadt zu, den vom Wasser durchwirkten Inseln aus Dächern, den Türmen, die sie kannte, und denen, die sie nicht kannte, aber der Anblick der Stadt vermochte sie nicht so zu fesseln, wie der Anblick des Meeres, des Himmels und der Berge, sie war froh, daß Herbert nicht bei ihr war, der ihr die Einzelheiten der Stadt erklärt hätte, sie wurde sich einiger Namen bewußt, aber fast ärgerlich, lieber hätte sie nicht gewußt, daß die Kuppel über der Mündung des Canal Grande die Kuppel von Santa Maria della Salute war, *die Namen stören nur, man denkt: Canal Grande, und man denkt: die Salute-Kuppel, und so sieht man nicht mehr, das Sehen wird von Namen verdeckt, in Wirklichkeit ist da nur ein Halbrund aus Grünspan und Schwarz über Schattenkuben neben blausilbernem Wasser, aber Herbert würde jetzt sagen: »Sieh mal, wie Longhena die Kuppel gewölbt hat, einzigartig!«*, sie schüttelte sich, *gut, daß ich allein bin*, fast ärgerlich nahm sie wahr, daß sie nicht mehr allein war. Ein Mann war heraufgekommen; er stand an der nördlichen Seite der Plattform, auf die Balustrade gelehnt, und blickte zur Piazetta hinab. Er hatte keinen Hut auf, seine dunklen Haare waren kurz geschnitten, und der Wind schien ihn nicht zu stören. Franziska konnte sein Gesicht nicht sehen.

Die Boote, die Gondeln, die Schiffe dort unten ließen sie an Patrick O'Malley denken, der vielleicht auf dem Wasser fuhr oder das Boot schon wieder irgendwo festgemacht hatte, *ich habe vergessen, ihn zu fragen, was er heute tut, wo er sich aufhält, aber was immer er tun wird, er wird sich auf der Verfolgung Kramers befinden, ein Junge auf dem Kriegspfad, die Formel klingt harmlos, aber Patrick ist so wenig harmlos wie jeder Junge auf jedem Kriegspfad, immer haben sie den Feind im Sinn, den Albino, den weißen Wal, den Bösen.* Unwillkürlich stellte sie sich Kramer als einen großen weißen Fisch vor, einen weißen Fisch mit kleinen, bösen rötlichen Augen, der sich schnell und behutsam in Venedigs Kanälen bewegte oder stumm unter dem Pfahlwerk stand, verfolgt von Patrick, klein, mager und schwarz, Patrick mit der Harpune, *ich habe literarische Assoziationen, ich habe viel gelesen, aber literarische Assoziationen sind so wirklich oder unwirklich wie alle anderen, ich kann es nicht rückgängig machen, daß ich gelesen habe, ich kann die Wirklichkeit der Literatur nicht widerrufen, wenn die Literatur irgendeinen Sinn hat, dann den, wirklich zu sein, Moby Dick, von dem ich ›nur‹ gelesen habe, ist so wirklich wie Inspektor Kramer oder Joachim, die es doch in ›Wirklichkeit‹ gibt, so wirklich wie Joachims »Es wird so weitergehen, du hast es immer sehr gern gehabt«, wie Kramers*

Behauptung, es sei absurd, in blutbesudelten Kerkern zu liegen, anstatt die schäbige Packung Leben anzunehmen, die er Patrick, die Joachim mir hingehalten hat. Plötzlich entdeckte sie, daß sie in die Stadt verstrickt war, *es ist die Stadt von Patricks erbarmungsloser Suche nach Kramer und meiner entschlossenen Flucht vor Herbert und Joachim;* die Schönheit der Insel aus Terrakotta-Dächern und irisierenden Kanälen enthüllte sich vor Franziska auf einmal mit der Gewalt eines Schicksalbilds, *es geht um dort unten,* es schien ihr, als strahle die Sonne des Januarmorgens geradezu finster auf Venedig, auf Venedig, in dem der weiße Fisch umging, der Albino, der Böse. *Ich sollte Patrick helfen; man kann niemand alleinlassen, der es mit dem Bösen zu tun hat.*

Aber natürlich ist das vernünftigste, hinter die Berge zu reisen, den sicheren Job anzunehmen, es ist die kleine, die vernünftige Lösung; wenn ich ein Kind bekomme, kommt keine andere in Frage, und selbst wenn ich keines bekomme, wenn ich mich ganz umsonst aufgeregt habe, wäre die Reise mit Patrick, das Abenteuer, eigentlich keine Lösung, es wäre nicht die große Lösung, auf die ich warte, seitdem ich den Tisch im Biffi verlassen habe, vorgestern nachmittag, in Mailand. Ungeduldig empfand Franziska die Stadt dort unten, die Berge und das Meer als Möglichkeiten, aus denen sie wählen konnte. *Die große Lösung, die richtige Lösung wird eine sein, die mir nicht die Freiheit läßt, sie zu wählen.*

Einen Augenblick lang hatte sie den Blick des Mannes, der noch immer an der Balustrade stand, auf sich ruhen gefühlt, er hatte sie angesehen; irritiert löste sie sich aus der Nische, der Wind erfaßte sie, trieb ihr die Haare vom Kopf weg, als sie an ihm vorbeiging; er hatte sich schon wieder abgewendet und blickte zur Piazzetta hinab. Indem Franziska sich dem Ausgang zuwandte, kam jener Teil der Aussicht in ihren Blick, der ihr in der Nische, in der sie gestanden hatte, verborgen geblieben war, sie erblickte die mächtige Ebene, die sich gegen Westen und Süden erstreckte, das Festland, *auf dem ich hätte bleiben sollen, die Po-Ebene, die viel besser gewesen wäre als diese Insel,* sie sah Mestre liegen, am Ende des Dammes, sie erinnerte sich an den kurzen Aufenthalt des Zuges, vorgestern abend, in Mestre, *dort hätte ich aussteigen sollen, das Festland bietet viel mehr Chancen, vom Festland aus wäre ich weitergekommen, ich hätte in Mailand bleiben sollen, in Mailand oder in Mestre, irgendwo, wo es Fabri-*

ken gibt, Büros, Arbeitsplätze, in diesem Augenblick begannen die Glocken zu schlagen, der metallische Überfall der Klänge geschah so schnell, in einem so rasenden Ausbruch eines Schreis aus Erz, daß Franziska entsetzt zurückwich, sie stand plötzlich neben dem Mann, der sich, wie sie selbst, die Ohren zuhielt, erschrocken starrten sie zusammen auf die Glocken, die sich unerbittlich in ihren Lagern bewegten, die Glocken des Campanile von San Marco in ihrem Neun-Uhr-Geläut, schließlich wandten Franziska und der Mann sich ihre Gesichter zu, sie lachten, gequält; als die Glocken nicht aufhörten zu läuten, senkten sie ihre Hände, gewöhnten sie sich an die wilden, nicht endenwollenden Erzklänge.

Ich mag sein Gesicht, sein mageres, weder braunes, noch bleiches, sein unauffälliges, gut geschnittenes Gesicht. Ein Venezianer? Er sieht so aus wie die Männer, die ich mir vorgestellt habe, als ich das Licht vor dem Dogenpalast sah, vorgestern abend, das Licht hinter rosa-violetten Gläsern, die den Palast in weißes Gold tauchen, in eine Tafel aus glühendem, eisigem Stolz, dieses Licht haben raffinierte Männer angezündet, dachte ich, Männer, die beinahe alles wissen, raffinierte, wissende, kalte Männer, und ich habe bei diesem Gedanken ein vages Gefühl von Hoffnung empfunden. Ich weiß noch, daß es schnell zerging, aber ich erinnere mich jetzt daran. Er ist so groß wie ich. Er trägt eine braune, gefütterte Jacke, eine Canadienne, wie man in Frankreich sagt. Er lacht jetzt, wegen der Glocken, der furchtbaren Glocken wegen, aber sein Gesicht ist ernst. Nicht in der Art ernst wie die Gesichter der Carabinieri, die ich in der Galleria beobachtete; seines ist ernst ohne Pose.

Wie im Widerstand gegen die Glocken, entschlossen, sich ihren unaufhörlichen Schlägen zu entziehen, hatten sie sich gemeinsam abgewandt, und auch Franziska konnte nun die Vorgänge auf der Piazzetta beobachten, die Spaliere von Zuschauern, die eine Gasse vom Molo bis zum Eingang des Dogenpalastes frei ließen, die Uniformen der absperrenden Soldaten, die flatternden Fahnen, *es ist etwas los in Venedig,* heute, durch das Gelärm der Glocken schrie sie den Gedanken als Frage dem Mann neben ihr zu.

»Staatsbesuch von Gronchi«, schrie Fabio Crepaz zurück. Als er bemerkte, daß sie nicht sogleich begriff, schrie er: »Der Präsident der Republik.«

Sie erinnerte sich an den Namen. *Gronchi, der italienische Heuss,* sie spürte, daß der Mann auf dem Turm ihr die Information, obwohl er hatte schreien müssen, ohne Begeisterung gegeben hatte, kalt, wissend, *Gronchi geht ihn nichts an, sowenig, wie Heuss mich etwas angeht, das Besondere, das in Venedig oder wo immer auch los ist, geht uns nichts an,* und dann hörten die Glokken auf zu läuten, sie schlugen noch ein paarmal nach, aber das große Dröhnen hörte so plötzlich auf, wie es begonnen hatte, es ließ sie taub zurück, taub und ernüchtert, auch der Zauber, der von dem Mann neben ihr einen Moment lang ausgegangen war, war vorbei, Franziska empfand nichts mehr als die Kälte des Windes, die Taubheit, die Ernüchterung und ihre Erschöpfung nach der durchwachten Nacht; kühl nickte sie dem Mann zu und wandte sich zum Gehen. Sie benutzte nicht den Lift, vor dem sie hätte warten müssen, bis er nach oben kam, sondern ging die Treppen des Turms hinab, das graubleiche Innere des Campanile von San Marco hinab, in dem es nach Urin roch.

Fabio Crepaz, Vormittag

Fra Mauro muß von der Kugelgestalt der Erde überzeugt gewesen sein, dachte Fabio Crepaz, während er die Umrisse Skandinaviens auf der Karte verfolgte, beinahe kniend, denn der Norden befand sich auf der Weltkarte des Fra Mauro am unteren Rand, und Skandinavien erschien ziemlich gequetscht, weil der Mönch im Jahre 1458 die gesamte damals bekannte Erde in die flache Kreisform hatte zwängen müssen. Die Kirche leugnete zu jener Zeit noch die Existenz von Gegenfüßlern.

Fabio versäumte es nie, die Mappa Mundi aufzusuchen, wenn er in der Marciana zu tun hatte, und heute war er ganz allein mit ihr, nachdem Professor Bertaldi ihn verlassen hatte. Von Bertaldis akademischer Zelle aus hatte Fabio noch eine Weile den Vorbereitungen zu Gronchis Empfang zugesehen, dem Aufzug der schmetternden Carabinieri-Musik, den Posaunen, die in der Morgensonne aufflammten, aber übertönt wurden vom schnellen, quäkenden Klang der Clairons, die man kaum sah; gelangweilt hatte er den Raum verlassen, war den langen Korridor mit den Bibliotheksschränken entlang gegangen und hatte die Türe zu dem Kabinett geöffnet, in dem sich ein paar alte Globen, die

Bände der Aldinischen Ausgaben und, an einer der Schmalseiten, hinter einem Vorhang, die große alte Karte befand. Er nutzte die Gelegenheit aus; der Eingang zu den Sammlungen, in die sich übrigens auch während der guten Jahreszeit kaum jemals ein Tourist verirrte, war heute geschlossen. Wenn man sich auskannte und wenn man mit einem Gelehrten zu tun hatte, deren Arbeitsräume mitten in den Archiven lagen, so hatte man das Breviarium Grimani, die Inkunabeln von Pomposa und die Karte des ›Geographus Incomparabilis‹ für sich. Wie ein Dieb oder ein kleiner Junge, der sich in einen verbotenen Raum geschlichen hat, hatte Fabio den Vorhang so leise wie möglich beiseite geschoben. Die Posaunen und Clairons waren in dem Kabinett nur noch wie aus weiter Ferne zu hören, ein sordiniertes Echo der Welt, die es hier in Farben von nicht verblaßtem, nur ein wenig dunkel eingesunkenem Blau, Grün und Braun zu betrachten gab. Die Karte, zwei Meter hoch und aufrecht hinter dem Vorhang aufgestellt, war in einen Schild von erblindetem, fast schwarzem Gold eingelassen.

Fra Mauro war ein viel zu guter Geograph, um im Jahre 1457, als er die Karte begonnen hatte, noch an der Kugelgestalt der Erde zu zweifeln, überlegte Fabio. Außerdem hatte er den Auftrag von König Alfons und den portugiesischen Prinzen erhalten, kurz nachdem der Hof in Lissabon Toscanellis Ansicht über den kürzesten Seeweg nach Indien eingeholt hatte. Fra Mauro kannte jede Karte, die es damals in Europa und Vorderasien gab, er hat gewußt, daß an Toscanellis Portolan-Karten, diesen genauen Beschreibungen der Fahrten von einem Hafen zum anderen, nicht zu zweifeln war; wenn aber Toscanellis Berechnungen stimmten, dann war die Oberfläche der Erde gekrümmt und ihre Krümmung mußte sich ins unendliche der geschlossenen Kugel fortsetzen, weil sonst das Weltmeer nach den Rändern zu ablaufen würde. Also hatte – Fra Mauro muß sich darüber im klaren gewesen sein, dachte Fabio – Krates von Mallos gesiegt, und von den Kirchenvätern Jacobus von Edessa, die Geographie der Globen, die von der Kirche nicht anerkannte Ansicht von der Ballform des Planeten, die Untergrundbewegung der Wissenschaft.

Wenn aber der Camaldulenser Mönch an die kirchliche Lehre von der Erde als einer runden flachen Scheibe nicht mehr glaubte, nicht mehr glauben konnte, warum hatte er sie dann nicht aufgegeben, sondern wider sein besseres Wissen die Erdteile an ihren

Rändern ein wenig gequetscht, um sie in die Kreisform zwängen zu können? Sicherlich nicht aus der Furcht vor der Häresie und ihren Folgen; um die Mitte des 15. Jahrhunderts konnte ein unentbehrlicher Fachmann beinahe alles sagen, die Kardinäle waren aufgeklärte Herren, die wußten, daß die Fürsten ihre Spezialisten brauchten, erst hundertfünfzig Jahre später war die Kirche wieder so weit, Giordano Bruno zu verbrennen, Galilei widerrufen zu lassen. Also Angst konnte es nicht gewesen sein, dachte Fabio; nicht einmal vor der Autorität des Ptolemäus hatte Fra Mauro Angst gehabt; Fabio betrachtete amüsiert die Punkte auf der Karte, an denen der Mönch von Murano Angaben des Ptolemäus übernahm, die er bezweifelte. Er hatte mit feinem Pinsel hinzugeschrieben: »Ich glaube Ptolemäus nicht.« Den Kosmos Indikopleustes muß er verachtet haben, dessen war sich Fabio sicher.

Es gab nur eine Erklärung: Fra Mauro muß die Vorstellung von der Erde als einem flachen Teller geliebt haben, überlegte Fabio; Fra Mauro oder die Besessenheit von der Topographie der Scheibe. Fabio wußte, warum er so gern in dieses Kabinett der Marciana kam, den Vorhang beiseite zog, die Karte betrachtete: weil auch er, wie der 1460 verstorbene Mönch, lieber auf einer Scheibe gewohnt hätte als auf einer Kugel. Jedesmal, wenn er sich den Ball imaginierte, langweilte er sich; er ist eine vorgetäuschte Unendlichkeit, dachte er; weil die Kugel keine Ränder besitzt, kommt man immer wieder dort an, wo man begonnen hat. Weil die Erde eine Kugel ist, reise ich nicht gerne, habe ich mich, von meinem Spanienabenteuer abgesehen, kaum aus dem Veneto entfernt. Reisen hätte Sinn, wenn man irgendwo einmal dorthin käme, wo die Erde zu Ende ist. Er versank im Anblick der blauen Wogen des Weltmeeres, das auf der Mappa Mundi die Kontinente umgab und den Erdkreis ausmaß. Wer an die Scheibe, an den Teller, an die flache Schüssel glaubte, der glaubte daran, daß der Mensch, wenn er den äußeren Rand des Weltmeeres erreichte, wenn er das Gebirge erstieg, von dem das Meer gehalten wurde, in das All hinausblicken konnte, in das All oder in das Nichts. Wie mochte es dort aussehen, wo die Erde endete, wo die Zeit endete und es nur noch Raum gab, den unendlichen Raum? Brach das Gebirge dort in ungeheuerlichen grauen Schluchten ab? Konnte der Blick die Abgründe ausmessen bis dortin, wo die Unterseite der Erde begann? Fabio ahnte die

Geröllhalden, in die man sich hinabtreiben ließ, wenn man wollte, wenn man vom Wahnsinn, den dieser Blick erregen mochte, geschlagen war; es war auch möglich, daß die Kanten der Erde von Vulkanen aufgerissen waren, feurigen oder erloschenen Kratern, mondhaft bleichen Aschenseen und spiegelschwarzen Obsidian-Wildnissen, wie sie Empedokles verlockt haben mußten, in ihnen zu verschwinden, nicht ohne vorher einen seiner Schuhe zurückgelassen zu haben. Aber die größte Sache wäre es, dachte Fabio, sich eine vorgeschobene Klippe auszusuchen und sich von ihr aus in den Raum fallen zu lassen, in den Raum, das All oder das Nichts. Man würde fallen, ohne jemals aufhören zu fallen, man würde den Rest der Lebenszeit hindurch fallen, Stunden, Tage, am Ende zeitlos durch den Raum ohne Zeit fallen, in einen Sturz ohne Aufschlag fallen, das Bewußtsein würde auslöschen und wieder aufflammen, auslöschen und aufflammen, und schließlich würde man fallend sterben und tot weiterfallen und fallend sich auflösen, ein Partikel anorganischer Materie, zerstiebend in der Unendlichkeit.

Die Fanfaren von der Piazzetta rissen Fabio aus seiner Meditation; widerwillig erinnerte er sich daran, daß die Erde Kugelgestalt besaß, man war dazu verdammt, auf einer Kugel umherzukriechen, niemals an Ränder zu kommen. Er schloß den Vorhang wieder vor Fra Mauros Karte: die mittelalterliche Topographie war falsch, aber sie regte seine, Fabios, Phantasie viel stärker an als die neueren Kosmologien, für die sogar der Weltraum gekrümmt und geschlossen war.

Während er die Marciana verließ, rasch unter den Arkaden der Bibliothek entlangging, um dem Gedränge auf der Piazzetta zu entgehen, spürte er die Welt der Bücher, die er verließ, wie einen Vorwurf. Er hatte sich in seiner Jugend für die Aktion entschlossen, aber von einem gewissen Augenblick an hatte die Aktion ihn im Stich gelassen, sie hatte sich in Perspektiven entfernt, in die er ihr nicht mehr zu folgen vermochte, so daß er am Ende allein geblieben war, allein mit seiner Geige. Werke wie die Mappa Mundi flößten ihm manchmal Stimmungen des Neides ein; wenn ich die Wissenschaft gewählt hätte statt der Aktion, dachte er dann, brauchte ich nicht so dahinzuleben, wie ich jetzt lebe, ein Mann, der alles verlor, als er die Aktion verlor, ein Mann, der sich mit einem Stück gerade noch brauchbar gespielter Musik zufriedengibt, und im übrigen ein Betrachter, ein Zuschauer, ein Dilettant. Die Wissenschaft ist die andere große Möglichkeit, vielleicht ist sie die wirkliche Aktion, aber ich habe sie versäumt, ich habe nicht rechtzeitig begriffen, daß die Wissenschaft die reinere Aktion ist, die Veränderung der Welt durch Deskription, durch exakte Aufzeichnungen, durch nichts als kaltes Konstatieren. Ich war nicht kalt genug, ich war nicht intelligent genug, ich war nicht schnell genug, um die Chance zu begreifen, die Chance, die die Forschung zu bieten hat, dachte er auch heute, als er die Weite der Piazza erreichte, die menschenleer schien nach dem Gewühl zwischen der Marciana und dem Dogenpalast, aber während sein Blick an den alten blauroten Tüchern entlangstreifte, die in der Sonne sanft leuchteten, erinnerte er sich an das Elend von Mestre, in dem er aufgewachsen war, an sein jugendliches Geigenspiel im Elend von Mestre, es war schon genug, erinnerte er sich, daß ich nicht in meine Geige versunken bin, daß ich sie immer klarer und genauer spielen lernte, immer klarer und genauer das Elend von Mestre erkannte, nicht ins Geigen-Elend versank, nicht dem Elend mit meiner Geige aufspielte. Mestre. Er entsann sich nicht mehr, wann er zuletzt ›drüben‹ gewesen war, irgendwann im Sommer, überlegte er, und wieder einmal machte er sich klar, daß er immer mehr einrostete, stationär wurde, ein Inseldasein führte, ein venezianisches Insel-Leben in einem festen Netz von Gewohnheiten, die Ghetto-Wohnung, das Teatro Fenice, Ugos Bar, hin und wieder der kleine unverbindliche Giulietta-Zauber, hin und wieder die verborgenen magischen Augenblicke, vor einer alten Landkarte, in einem Gespräch, in einem Traum, manchmal sogar die Anläufe zu Taten, ein Legato, in dem die Violine für ein paar Sekunden etwas mehr herzugeben schien als gutes Handwerk, oder die Stunden, wenn er seinen Zettelkatalog aus der Schublade des Tisches holte, wenn er die kleinen weißen Karten, die er mit einfachen Sätzen beschrieb, auf der Fläche des leeren Tisches anordnete – nur die Reproduktion von Giorgiones ›Sturm‹ ließ er darauf stehen –, um zu ergründen, ob sie einen Sinn und vielleicht sogar einen Plan ergaben, die Patience eines Denkentwurfs in einzelnen Sätzen, wie sie ihm einfielen, wenn er zu den Proben ging, oder an den Abenden vor Ugos Theke, oder im Sommer, wenn er seinen Vater zum Fischen begleitete, wenn das Boot vor Torcello lag, über die Paludi della Rosa dümpelte, oder auch auf der Piazza San Marco, während des Hin- und Hergehens auf den Platten aus bräunlichem Trachyt von den euganeischen Hügeln, die, von weißen Marmorbändern eingefaßt, seine Neigung zur Geometrie befriedigten.

Er blickte auf, weil er den scharfen Ostwind spürte, der über die Piazza fuhr, er sah den leergefegten blauen Himmel, in den der Turm, der Campanile von San Marco, eingelassen war wie eine hohe Terrakottaplatte, wie ein Totempfahl, es fiel ihm ein, er könne wenigstens wieder einmal nach Mestre hinüberschauen, es herrschte ideales Campanile-Wetter, Wetter, wie es nur ein- oder zweimal im Jahr eintraf; hinter der Lagune, über der Ebene, würden die Alpen zu sehen sein.

An der Kasse des Turmes befand sich niemand, die Frau, die sie bediente, mußte weggelaufen sein, um sich den Gronchi-Rummel anzusehen. Fabio schüttelte den Kopf, er öffnete selbst das Scherengitter des Fahrstuhls, trat ein, schloß das Gitter wieder und drückte auf den Knopf. Er sah die graue Treppe des Turms, eine steinerne Spirale, unter sich verschwinden, während er nach oben schwebte. Er schlug den Kragen seiner gefütterten braunen Jacke hoch, ehe er die Kabine verließ, denn er war auf den Oststurm gefaßt, der oben auf der Plattform toben würde und der ihn traf, als er draußen stand und nach Mestre blickte. Er sah Mestre am Ende des Damms, die Entfernung war doch größer, als er sie in Erinnerung hatte, Mestre lag klein im Westen, jenseits der Lagune, klein aber vom Ostwind präzis auf die Fläche gezeichnet, eine kristallene Miniatur, links vom Damm die großen Montecatini-Bauten, die silbernen Tanks der Ölraffinerie. Fabio bildete sich ein, sogar das Gespinst der Pipelines und Röhren zu sehen, das sie umgab, rechts vom Damm die anderen Fabriken und vor ihnen die Häuser der Stadt, die Häuser entlang der langen Hauptstraße, wie Fabio wußte, aber die Entfernung war doch zu groß, als daß er das Haus, in dem seine Eltern und seine Schwester wohnten, hätte erkennen können, er konnte es nur ahnen, am Ende der Hauptstraße, dort, wo Mestre begann, sich in zerstreuten Häusergruppen aufzulösen. Das Haus lag nach der Lagune zu, auf Kiesflächen, auf Baugelände, das sich bis zum Schilfgürtel hinzog, Vater würde bei dem Wetter nicht zum Fischen ausgefahren sein, klares Ostwetter war schlechtes Wetter für Fischer, die Aale glitten hinweg, wenn sie die dunkle Masse des Bootes über sich sahen, aber vielleicht war Vater gestern bei dem günstigen Nebelwetter ausgefahren, hatte auf Torcello übernachtet, dann mußte er heute abbrechen, zurückkehren, wahrscheinlich ohne Fang, dann waren sie zu Hause wieder ein paar Tage knapp mit Geld, noch knapper als sonst, dann hatten sie nur Rosas Verdienst aus ihrer Arbeit in der Seifenfabrik, und Fabio mußte aushelfen, weil Rosa nicht viel zu Hause hergeben konnte, weil sie an den Sonntagen nach Venedig herüberkommen wollte, im schönen Kleid, weil sie in Venedig ins Kino und zum Tanzen gehen wollte, weil sie doch noch einen Mann finden wollte, obwohl sie schon dreißig war und zu dick geworden war und keinen guten Ruf mehr hatte, denn sie hatte sich schon zuviel mit Männern eingelassen, sie war eine großmütige und muntere Person, und so würde sie keinen Mann mehr finden, wenn nicht ein Wunder geschah. Das also war Mestre, Montecatini und die Seifenfabrik und andere Fabriken und die lange Hauptstraße und der Schilfgürtel, und es war Rosa, seine auf unwiderstehliche Weise dumme Schwester, ein Frauenzimmer, das auf jeden Mann hereinfiel und das er liebte, und es war der alte Piero Crepaz, der beinahe letzte Fischer von Mestre, einer Stadt, in der die Lagunenfischerei heruntergekommen war, in der nur noch ein paar alte Männer den Aalfang betrieben, und schließlich war es seine Mutter, die, während sie die Wäsche anderer Leute wusch, seinem Geigenspiel zugehört hatte, seinen Lagenübungen, und die später für seine revolutionären Freunde dünnen Kaffee kochte, wenn sie sich bei Fabio trafen, um sich zu beraten, seine Mutter, die niemals geklagt hatte, als sein Geigenspiel immer härter und klarer wurde, als die Zusammenkünfte nicht mehr in ihrem Hause stattfanden, weil die Miliz begonnen hatte, aufmerksam zu werden, seine Mutter, die kein Wort der Klage geäußert hatte, als Fabio fortging, nach Spanien. Erst in den letzten Jahren hatte sie begonnen, auf Alte-Leute-Art zu räsonieren, erst als sie begriff, daß es keine Enkel geben würde, kein Kindergewühl um ihre alten Beine in Mestre, kein Geschrei, kein Lachen, keine Tränen, keine schmutzigen kleinen Hände, die zu halten, keine kleinen Mäuler, die zu stopfen waren. Nördlich Mestre schwebten die Dolomiten wie Wolken im Äther, Fabio ging an der Brüstung der Plattform entlang bis dorthin, von wo aus er auf die Piazzetta hinabblicken konnte, es war gleich neun, und für neun Uhr war die Ankunft von Gronchis Barkasse vor dem Dogenpalast angekündigt worden, aber ehe er sich entschließen konnte, seiner Absicht zu folgen, fiel sein Blick auf die Frau, die, ihm abgewandt, in einer Nische neben den Glocken stand. Er war überrascht, er hatte angenommen, er sei ganz allein hier oben, und der Anblick eines anderen menschlichen Wesens erschreckte ihn fast, den Bruchteil einer Sekunde lang. Die Frau blickte nach Süden, über das Meer, oder vielmehr, sie blickte gar nicht, sie hatte die Augen geschlossen, wenigstens das eine Auge, das Fabio sehen konnte, war geschlossen – er betrachtete sie von links hinten, so daß er nur ihr Profil erkennen konnte –, sie hatte vor dem Oststurm in der Nische Schutz gesucht, in der es fast warm sein mußte, warm in der strahlenden Sonne, ihr Gesicht war blicklos der Sonne und dem Meer zugewandt, das geschlossene Lid gab ihr einen Ausdruck nicht von Schlaf, sondern von Erschöpfung, sie lehnte mit dem Rücken an der Wand der Nische, die Hände in die Taschen eines Kamelhaarmantels vergraben. Verirrten Windstößen gelang es von Zeit zu Zeit, einige Strähnen ihres Haares zu bewegen, sie besaß glatte Haare, die ungefähr bis zur Mitte ihres Halses reichten, und der Wind blies sie manchmal als dünnen, strähnig aufgelösten Vorhang über ihr Profil, wo sie, wenn sie in den Bereich des Sonnenlichts gerieten, aufleuchteten, durchstrahlte Fäden aus einem dunklen Rot, das Fabio nicht näher zu bestimmen vermochte. Sie leuchteten und bewegten sich vor einer Haut, die nicht blaß war, sondern nur matt, gleichmäßig matt sogar unter dem direkten Licht der Himmelsbläue, matt in einer Färbung von sehr hellem Sand oder Taubengefieder, eine Oberfläche aus stumpfer Seide, nur da oder dort unterbrochen von den leichten Schatten unter ihren Augen etwa, einem Aschenstrich aus Müdigkeit, von einer dünnen Faltenrille, die vom Winkel ihres Mundes zum Nasenflügel führte, schließlich von ihrem Mund selbst, der zart und klar abgesetzt und fest geschlossen unter einer Nase lag, die nicht weiter bedeutend war, einer kleinen geraden Nase mit einer graziösen Einbuchtung über dem Flügel und einem kurzen, festen Rücken. Die Frau war nicht groß, aber auch nicht klein, sie war eine Frau von dreißig Jahren, wie Fabio schätzte, sie war eine Ausländerin; keine Italienerin würde ohne Hut und ohne Handtasche morgens um neun Uhr, die Hände in den Manteltaschen vergraben, mit geschlossenen Augen auf dem Campanile stehen, sich in der Sonne wärmen, das Gesicht blicklos aufs Meer gerichtet. Sie mußte seinen Blick gespürt haben, denn sie schlug die Augen auf, aber Fabio merkte es rechtzeitig, es gelang ihm nicht mehr, die Farbe ihrer Augen festzustellen; er hatte bereits seine Haltung geändert, er blickte nach unten, auf die Vorgänge der Piazzetta, konnte nur ahnen, daß sie ihren Kopf für Augenblicke nach ihm umgewandt hatte, auch sie wahrscheinlich überrascht, nicht mehr allein zu sein auf dem Turm; die Barkasse näherte sich dem Molo vor der Säule mit dem Markuslöwen, in einer eleganten Kurve drehte sie vor der Silhouette von San Giorgio auf die Piazzetta ein, in ihrem Bug stand ein Offizier in Paradeuniform, hoch aufgerichtet, die Beine gespreizt, ein pathetischer Affe, dachte Fabio, sie können die Mussolini-Gesten nicht lassen, der Faschismus war doch die große Zeit der Militärs, dann dachte er darüber nach, ob nicht vielleicht auch er ein Militär war, während er die Blicke der Frau auf seinem Gesicht spürte, zwar nur ein Offizier der Internationalen Brigaden, der von den Berufsmilitärs gesellschaftlich nicht anerkannt wurde – er hatte sie nur ein paarmal empfindlich geschlagen, so lange, bis ihre Übermacht erdrückend wurde –, aber doch ein Mann mit einer gewissen Neigung zum Soldatischen, er trug gerne die Canadienne, die Uniform der Arbeiter von Billancourt bis Turin, die Uniform der lateinischen Arbeiter, aber die Frau, die ihn beobachtete, die Frau von dreißig Jahren, trug den Kamelhaarmantel, den Mantel der Damen, überlegte er; er überlegte, ob der Mantel aus weichem teurem Tuch zu ihr paßte, er paßte zu ihrer Haut, er nahm das Motiv ihrer Haut auf, kontrapunktisch das Motiv aus hellem Sand oder Taubengefieder der Haut aus stumpfer Seide, aber sie ist keine Mondäne, dachte Fabio, in ihrem Gesicht ist ein Zug von Anstrengung, von Energie, von Sachlichkeit, wie ihn nur Frauen haben, die arbeiten, Frauen, die sich in der Arbeit, die sie verkaufen, anspannen. Fabio konnte Gesichter, die arbeiteten, von Gesichtern, die nicht arbeiteten, unterscheiden. Um sich zu vergewissern, sah er auf; sie schien irritiert von seinem Blick, trat aus der Nische heraus, wandte sich zum Gehen; sie kam an ihm vorbei, immer noch die Hände in ihren Manteltaschen; ihr Körper, von dem hellen weichen Mantel lose überdeckt, besaß die Figur der Frau, die man bemerkt; sie hatte hohe schlanke Beine mit flachen Schuhen an den Füßen; sie versuchte, an Fabio vorbeizugehen, der Wind strömte im gleichen Augenblick, in dem sie aus der Nische herausgetreten war, in ihre Haare und fegte sie mit einer einzigen Bewegung glatt nach hinten, so daß sie eine flache Welle aus dunklem Rot bildeten, und es war die Form dieser Welle, die sich vom Scheitel ihres Kopfes herab ein wenig senkte, um dann wieder nach oben zu streben und in einem Gespinst aus durchstrahltem Rot zu enden wie Schaum, wie der Schaum der Woge eines Meeres aus dunklem Rot, es war die unbezwinglich leise, lakonische und zuletzt fächerartig aufgelöste Bewegung dieser Welle aus dunklem, aber nicht schwarzdunklem, sondern nur mit Schwarz, mit Kohle versetztem pompejanischem Rot, das ein wenig eingesunken war, nur im transparenten Gespinst der Ränder aufleuchtete, diese zu einem Zeichen, zu einem Signal gebannte Bewegung eines Flutpartikels aus einem pompejanischen Meer vor einem Hintergrund aus dem reinsten Azur, das der Himmel über Venedig anzubieten vermochte – sie war es, die in Fabios Augennerven eindrang wie eine Strophe.

Die Frau wäre an ihm vorbeigekommen, sie hätte sich dem Eingang der Treppenspirale zugewandt, wenn nicht in diesem Augenblick die Glocken begonnen hätten, zu schlagen, der metallische Überfall der Klänge geschah so schnell, in einem so rasenden Ausbruch eines Schreis aus Erz, daß sie entsetzt zurückwich, sie stand plötzlich neben Fabio, der sich, wie sie selbst, die Ohren zuhielt, erschrocken starrten sie zusammen auf die Glocken, die sich unerbittlich in ihren Lagern bewegten, die Glocken des Campanile von San Marco in ihrem Neun-Uhr-Geläut; schließlich wandten Fabio und die Frau sich ihre Gesichter zu, sie lachten, gequält, im Entsetzen für die Kürze von ein paar Glockenschlägen miteinander verbunden, Fabio konnte nun auch ihre Augen sehen, sie starrten ihn weit aufgerissen an, die Iris war braun, von einem sprühenden, lebendigen Braun, in das einige Splitter von Grün eingelassen waren wie Einschlüsse in Bernstein, es waren die Augen einer intelligenten und sinnlichen Frau, und ihre Pupillen verengten sich lächelnd unter seinem Blick; sie nahm die Hände von den Ohren, gewöhnte sich an das Toben der Glocken, sie wandte sich ab und blickte nach unten, so daß ihre Haare nun nach der Seite ihres Gesichts geweht wurden, die Fabio nicht sehen konnte; an ihrem Profil vorbei sah er unten auf der Piazza den Präsidenten der Republik an der Spitze der Regierungsabordnung gehen; sehr klein bewegte sich der Trupp in der Gasse zwischen den Mauern aus Menschen auf die Porta della Carta zu, er sah die Carabinieri-Kapelle neben der Porta, aber er vernahm keinen Ton ihrer Instrumente, die Glocken waren stärker, doch er hörte, wie die Frau ihm zurief: »Was ist denn heute los in Venedig?«

Sie hatte ihre Frage auf italienisch gerufen, aber sie war eine

Ausländerin, ihr Italienisch war fehlerfrei, es hatte sogar den echten Tonfall, aber es war etwas sehr Freies, etwas Rauhes und Großzügiges in der Form ihres Tons. Während er ihr zuschrie, daß dies Gronchi sei, daß der Präsident der Republik heute Venedig einen Staatsbesuch abstatte, war es ihm, als ob er den Ton ihrer Stimme schon einmal gehört habe, er erinnerte ihn an die Stimmen von Amerikanerinnen, Schwedinnen, Deutschen, die er in Spanien kennengelernt hatte, kühle Stimmen, bewußte Stimmen, Stimmen nicht aus Farben, sondern aus Konturen, harte Stimmen im schlechten, klare und zarte Stimmen im schönen Falle. Diese Frau da besaß eine klare und ein wenig rauhe Stimme, wie er feststellte, als er noch ein paar Worte mit ihr wechselte, nachdem die Glocken schwiegen; sie schwiegen so plötzlich, wie sie angefangen hatten zu dröhnen, und in der Stille auf dem Turm wurde die klare, ein wenig rauhe Stimme der Frau, der Fremden, von ein paar verwehten Klängen der Carabinieri-Kapelle und vom Brausen des Oststurms begleitet, in dem wieder ihr Haar wehte, dunkelrot und zeichenhaft, ehe sie ihm kühl zuwinkte und an ihm vorbeiging, ehe sie in der Öffnung, die zur Turmtreppe führte, verschwand.

Franziska, später Abend

Venedig aus der Wasserperspektive, eine angenehme Variation, man sollte auf einem Boot leben, wenn man Venedig besucht, hübsch, daß mir einer die Wasserperspektive bietet, Franziska sah zu, wie das weiße kalte Licht der Piazzetta, wie der goldene Palast hinter der Salute-Spitze verschwand, auf der breiten Wasserfläche des Kanals zwischen den Zattere und der Giudecca-Insel war es dunkel, eine zwischen blakenden Laternengirlanden ausgespannte Lagunennacht, aber da drosselte Patrick schon den Motor und schob das Boot seidenweich mit der Breitseite an die Treppe unter der Redentore-Kirche heran, machte es an einem der alten schweren Ringe fest, die in der Mauer staken. Er schloß die Kabinentüre ab, ehe sie das Boot verließen, die Treppenstufen betraten, oben angekommen, einen Augenblick lang auf die im Licht der Scheinwerfer fast schneeweiße Palladio-Fassade starrten. »Verdammte Illumination!« sagte Patrick. Wie auf Verabredung tauchten sie schnell im Dunkel des Kais unter.

Patrick bog nach ein paar Schritten in eine Straße ein, die ins Innere der Insel führte, unter den Lampenkreisen vor den Haustüren spielten Kinder, Katzen strichen an Papierfetzen und Abfall vorbei, in dem vielleicht ein Geruch von Fleisch hing, Gespräche von Frauen lösten sich vom abblätternden Neapelgelb oder vom venezianischen Rot des Häuserbewurfs, von den in der Nacht nur zu ahnenden Farben, und starben in geöffneten Fenstern dahin. Er hatte wenig mit ihr gesprochen, seitdem sie sich getroffen hatten, um sieben Uhr, wie verabredet, unter der Säule mit dem Markuslöwen, er war fast auffällig schweigsam gewesen, so daß sie sich fragte, ob er es schon bedauere, sich mit ihr eingelassen zu haben, aber er hatte dann etwas Unerwartetes gemacht, er hatte Kurs auf die Ostspitze des Lido genommen und die Enge zwischen dem Lido und der anderen Nehrung, deren Namen sie nicht wußte, durchfahren, und plötzlich war nur Nacht vor ihnen gewesen, vollständige, von keinem Licht mehr durchglitzerte Nacht, das Boot hatte etwa eine Viertelstunde lang in großer Geschwindigkeit die Nacht durchpflügt, bis Patrick es plötzlich anhielt und den Motor abstellte, Stille, die Adria, und Franziska hatte, während sie die kurzen, harten Wellen an die Bordwand schlagen hörte, begriffen, daß ihr Begleiter auf diese Weise seine Einladung erneuerte. Das also bot er ihr an: eine Meerfahrt. Es würde herrlich sinnlose, ziellos verspielte Monate geben, eine sorgenlose und manchmal hochpoetische Zeit. »Sehr schön«, hatte sie gesagt. »Ihr reichen Leute könnt einem doch allerhand bieten.«

Auf der Rückfahrt hatte sie gefroren, sie hatte sich in die Kajüte gesetzt und ein Glas Whisky getrunken und zwei von Patricks englischen Zigaretten geraucht. Etwas später hatte sich, sehr leise, einer ihrer Migräneanfälle angemeldet, so daß sie rasch zwei Tabletten schluckte, ehe sie bei der Redentore-Kirche anlegten, aber während sie neben dem schmalen, schwarzen, elegant angezogenen Engländer herging, fühlte sie sich frei und wohl, *vielleicht war ich nur ein bißchen seekrank, ob er mir böse ist, weil ich nicht überwältigt war, überwältigt von der Nacht und dem Meer?, aber ich war sehr beeindruckt, ich habe es nur nicht zeigen wollen, sondern ihm statt dessen eine kalte Dusche gegeben, er ist doch keiner, mit dem man Naturgefühle teilen kann, Landschaftsempfindungen,* zu ihrer Überraschung schob er plötzlich seinen Arm unter den ihren, *er ist mir also nicht böse, er hat verstanden,* aber sie bot ihm keine Hilfe, sie ließ ihren Arm hängen, sie mochte es nicht, wenn ein Mann sich bei ihr einhängte, und nur sehr selten hängte sie sich bei einem Mann ein, er begriff, seine Hand glitt nach unten, ergriff die ihre, *er hat eine trockene, kalte, angenehme Hand,* er legte ihren Unterarm in den seinen wie in eine Spirale und zwang sie mit einer drehenden Bewegung stehenzubleiben, ehe er sich zu ihr neigte und sie auf die linke Wange küßte, ein wenig unterhalb ihres Augenwinkels.

»Ich war noch nie auf der Giudecca«, sagte sie. »Es ist hübsch hier.«

»Ja, nicht wahr«, sagte er, schon wieder Meilen von ihr entfernt, »proletarisch schön.«

Diese Homosexuellen mit ihren Antennen, sie wissen viel mehr als die Normalen, der da weiß genau, daß er irgendeine Form der physischen Beziehung mit mir herstellen muß, wenn er erreichen will, daß ich seine Einladung annehme, seine für mich sehr vorteilhafte Einladung, er weiß, daß es keine Bindung zwischen einem Mann und einer Frau gibt, keine noch so spirituelle und körperlose Bindung, wenn der Mann nicht dem Körper der Frau auf irgendeine Weise huldigt, das ist es, was viele Normale nicht wissen, oft ihr ganzes Leben lang nicht erfahren, aber der da, Patrick, weiß es natürlich, er weiß, daß er mich berühren muß, er küßt mich, wenn auch eher mit dem Kuß eines Bruders als dem eines Mannes. Übrigens wäre es gut, einen Bruder zu haben, einen älteren Bruder, in meiner Lage. Soll ich Patrick als Bruder annehmen? Als Wahlverwandten? Vielleicht brächte er es sogar fertig, mit mir zu schlafen, vielleicht wäre es ihm nicht einmal unangenehm, er wäre imstande, wie ein Bruder mit seiner Schwester zu schlafen, es ist nur ein kleiner Schritt von einem Kuß zu einer tieferen Berührung, ich habe nie einen Bruder gehabt, darum erregt mich jetzt die Vorstellung des Inzestes, darum und weil ich ›aufgezogen‹ werde, wie Patrick es ausdrückt, der Automatismus arbeitet wieder, kaum daß ich wieder ein wenig Geld und ein Angebot habe, eine kleine Aussicht, aber besser wäre es für ihn schon, wenn ich ein Mann wäre, ein junger Mann, weil sie eine Frau war, erregte auch die Vorstellung des Aktes zwischen Männern sie als etwas unvorstellbar Fremdes, doch dann nahm sie sich zusammen und, kalt werdend, erkannte sie, daß ihre Erregungen kalt waren, kalte Fluoreszenzen zwischen ihrem Geschlecht und ihrem Gehirn, *die künstlichen Paradiese sind nur in der Vorstellung schön, sie sind verdammte Illuminationen für Unbefriedigte, sie sind nicht die Sache selbst, sondern überhaupt nur die Illumination der Sache, nicht die Front einer Kirche von Palladio oder irgendwem, sondern nur ihre Beleuchtung, die sie überirdisch schön macht, weiß und strahlend, während die Kirche in Wirklichkeit schmutzigweiß ist, alt, die Farbe blättert von ihr ab, ein paar Architrave haben gelitten, aber nur so, wie sie ist, ist sie wirklich schön, eine Sache, die nicht illuminiert, sondern geliebt wird. Ob mich einmal jemand lieben wird, wirklich lieben, und das heißt: erkennen, wie ich wirklich bin? Sie haben immer nur ihre Beleuchtung auf mich projiziert, keiner hat mich erkannt. Ich habe immer den alten deutschen Ausdruck gern gehabt, mit dem bezeichnet wird, daß ein Mann in einer Frau ein Kind gezeugt hat, dieses: er hat sie erkannt.* Sie mußte lachen.

»Warum lachen Sie?« hörte sie ihren Begleiter fragen.

»Oh, nichts«, antwortete sie, »über nichts Besonderes.«

Ich habe gelacht, weil ich, wenn ich ein Kind bekomme, von einem erkannt worden bin, der mich die ganze Zeit, während ich mit ihm lebte, nur immer illuminiert hat, angestrahlt mit dem kalten Licht seines Neides, seiner Perversion, seines Hasses. Der arme Herbert, er war ihr schon fast entschwunden, schon fast gleichgültig, sie konnte unwillkürlich lachen, wenn er ihr einfiel. *Aber was tue ich jetzt? Ich gehe wieder neben einem Beleuchter her, freilich einem, dessen Licht aus ganz anderen Farben gemischt ist, aus Zuneigung, aus Wahlverwandtschaft, aus Angst, aus Launen, aus irgendeinem Instinkt, von dem er nichts weiß, dessen Natur ich nicht errate. Auch ist Patrick viel klüger als Herbert und Joachim, ein diskreter Illuminationskünstler, ein überraschender Dekorateur. Wenn ich nur wüßte, was er wirklich von mir will! Was ist es, das ihn zu mir treibt? Wahrscheinlich nicht mehr, als daß ich eine Situation in der Geschichte seiner unabwägbaren Gefühle bin, ein Datum in der Historie seiner Zufälle.*

»Sie werden das Lokal nicht mögen, in das ich Sie führe«, sagte er, »es ist eigentlich nur eine Kneipe, aber eine richtige Giudecca-Kneipe. Ich esse jeden Abend dort. Die Restaurants um San Marco sind mir zu langweilig.«

Alle Reichen essen gerne in Kneipen. Sie gerieten in immer schlechter beleuchtete Gassen, überquerten auf einer Höckerbrücke die tintige Schwärze eines Kanals. *Unerkannt in Kneipen sitzen, Harun-al-Raschid-Gefühle, das haben sie gern.* Aber es war dann gänzlich anders, als sie es sich vorgestellt hatte, anders und schlimmer, ein Lokal in einer ziemlich breiten Calle, mit blauem Neonlicht über dem Eingang, unter dem Jugendliche lümmelten, und von Unerkanntheit keine Rede, sie kannten Patrick gut und begrüßten ihn, freilich nur mit einem Heben der Schultern, einem Blick, wie er zum Stil einer ›gang‹ gehörte, zum Kodex der ›fans‹, die in der kleinen Bar standen oder auf Hockern vor der Theke saßen und der Musik zuhörten, dem Rock and Roll, der von einem Plattenspieler auf einen Lautsprecher übertragen wurde, *ich bin die einzige Frau hier*, sie bemerkte das Aufsehen, das sie erregte, das diskrete Aufsehen, das dem Schulterheben, den geübten Begrüßungsblicken der gut angezogenen, gut aussehenden jungen Männer folgte, ehe sie sich wieder dem Rock and Roll zuwandten, traumverloren der Stimme Presleys lauschten, *schauderhaft, die Droge des Jahrzehnts, übrigens ist das kein Schwulenlokal, sondern nur ein Jagdgrund für Patrick, hier holt er sich manchmal einen dieser Jungens heraus, es ist ein Lokal für die süchtigen jungen Männer des Jahrzehnts, das Aufsehen gilt weniger mir als Patrick, weil er noch nie mit einer Frau hier erschienen ist*, als Patrick sie fragte, ob sie vor dem Essen einen Aperitif trinken wolle, beschloß sie, das Lokal zu provozieren, sie zog ihren Mantel aus, so daß ihr türkisgrünes Twinset unter ihren roten Haaren im kalten Licht der Bar zu leuchten begann, setzte sich mit einer sicheren Bewegung auf einen der Barhocker und holte die Schachtel mit den englischen Zigaretten, die sie sich von Patrick hatte schenken lassen, heraus, sandte einen Blick in die Runde der jungen, gut aussehenden Gesichter, faßte eine der zwei Hände, die sich ausstreckten, um ihr Feuer zu geben, beim Gelenk, brachte das Feuerzeug vor die Spitze der Zigarette und nickte den sich wieder zurückziehenden schmutzigen Fingernägeln zu, während sie den Rauch ausstieß. »Einen Punt e Mes«, sagte sie zu dem Wirt hinter der Theke, »secco«. *Eine Ausländerin, eine ausländische Hure*. Sie las in den Gesichtern, in den Gehirnen ringsum. »Können Sie nicht diese abscheuliche Musik abstellen?« fragte sie, als Presley mit seinem Refrain zu Ende war. Es war das Sakrileg, sie vernahm das stumme Murren.

Neben Patrick, der hinter ihr stehengeblieben war, mußte plötzlich ein Junge getreten sein. »Bring sie doch woanders hin, wenn sie Jazz nicht mag!« hörte sie eine junge Stimme zu Patrick sagen, sie vernahm den venezianischen Dialekt, das vertrauliche Du. Sie drehte sich um, er trug den Windsor-Knoten, einen knappen eleganten ärmlichen Anzug, neunzehn, höchstens neunzehn, sie blickte in sein armes, hochmütiges, verwirrtes Gesicht. »Jazz!« sagte sie leise, »das ist doch nicht Ihr Ernst. Haben sie jemals Jazz gehört?« Er sah sie an, dann schlug er den Blick nieder, *er hat noch niemals mit einer Frau gesprochen, mit einer erwachsenen Frau, vielleicht hat er noch niemals ein Mädchen gehabt, er ist ein Opfer, ein Opfer für Presley, ein Opfer für Patrick*, sie gewahrte, wie er sich faßte, frech wurde. »Das ist eine Feine«, sagte er zu Patrick, Franziska bewunderte seinen Sprachsinn, er hatte sie ›una squisita‹ genannt, »sie will Jimmy Giuffre hören oder John Lewis. Bring sie irgendwohin, wo sie den Jazz für die feinen Leute hören kann.« *Er sucht Streit, es ist sinnlos, mit ihm zu sprechen.* Patrick sagte: »Sie ist fein, aber nun laß uns in Ruhe, Luigi!«, alle in der Bar hörten ihnen zu, *vielleicht hat Luigi sogar recht, wenn man den ganzen Jazz durchprobiert hatte, endete man vielleicht beim Rock and Roll, der Jazz war die Musik für Leute, die Musik nicht mochten, die mit Musik nichts anfangen konnten, und darum war der gröbste Jazz vielleicht der beste, John Lewis war ›squisito‹, aber warum dann nicht gleich bei Mozart bleiben, bei Telemann, bei Vivaldi, dieser Luigi war konsequent, aber es ging ihm in dieser Minute nicht um Musik, sondern um Patrick, er war Patricks ›boy‹, Patrick hatte einen Fehler begangen, als er sie hierher gebracht hatte, in die venezianische Rock-and-Roll-Gang, unter die italienischen ›fans‹, in deren Lokalen es nicht, wie in den französischen, den deutschen, den englischen Kellern, Mädchen gab, freie, kühne, ein wenig schmutzige Mädchen, die Gefährtinnen der Bop- und Blues-Melancholien, die italienischen ›fans‹ wollten keine Gefährtinnen, sondern in ihrer Männerwelt allein bleiben, eine Variation des strikt geschlossenen, ewigen italienischen Männerkorsos, der signorilen Welt aus ärmlichen eleganten Anzügen, aus endlosen kalten Männer-Unterhaltungen, es ging nicht um Musik zwischen Patrick und Luigi, sondern darum, ob ein Tabu verletzt werden durfte, verletzt von einem Stück türkisgrünen Stoffes, einer Zigarette, von roten Frauenhaaren*, Franziska spürte, daß alle in der Bar darauf warteten, wie die Sache zwischen der ›squisita‹ und Patricks ›boy‹ ausging. Sie war nicht bereit, Patrick zu helfen, zu sagen: »Kommen Sie, lassen Sie uns gehen!«, sie beobachtete, wie er dastand und es mit seinem bösen spöttischen Blick probierte, aber nicht wie im Pavone gelang es ihm, die Bar im Brennpunkt seiner

Pupillen zu verzehren. Sie wußte, daß er wütend auf sie war; er hatte von ihr erwartet, daß sie sich unauffällig in die Welt, in der er verkehrte, einfühlen würde; *es ist seine Welt, und er hat sie mir zeigen wollen, damit ich auf alles gefaßt bin; er hat sie mir gezeigt wie vorhin das nächtliche Meer, aber ich habe die Romantik mit einer kalten Dusche beantwortet und die männlichen Jagdgründe mit einer Provokation, und nun ist er wütend. Wütend und hilflos.* Die Situation wurde durch Kramer gerettet, der in diesem Augenblick die Bar betrat, Franziska erkannte ihn sofort, ein großer vollblütiger Mann mit weißen Haaren, von jenem glatten Weiß, wie es nur Haare annehmen, die einmal blond gewesen sind, auch seine Augenbrauen waren weiß, vor allem war aber sein Gesicht verblichen weiß, sehr breit und wie aus Pappe geschnitten hing es über einem unförmigen Wintermantel von undefinierbarer Farbe, die Augen waren rötlich und die Lippen sehr voll und rot, die Augen und der Mund waren wie Löcher in die Pappmaske von Kramers Gesicht eingelassen. Kramers Auftritt geschah einigermaßen dröhnend, weil im selben Augenblick, als er in der Türe stand, die Platte zu Ende war; man hörte, wie die Türe zuschlug, und dann die Stimme, wie sie dem Wirt ein »Ciao, Bartolomeo!« zuwarf, um sich sogleich zu senken, als Kramer Patrick erkannte, auf ihn zutrat und fragte: »Hallo, O'Malley, wo waren Sie denn gestern, ich habe Sie vermißt, Luigi hat Sie sicherlich auch vermißt.« Er sprach deutsch, er schloß, indem er deutsch sprach, die Bar aus seiner Beziehung zu Patrick aus, Luigi hing an seinen Lippen, um zu erraten, in welcher Beziehung Kramer von ihm gesprochen hatte, indes Patrick sich nicht zu ihm umgewandt hatte, er sah Franziska an, als er sagte: »Franziska, das ist ein Landsmann von Ihnen. Er heißt ...« Kramers Gesicht erstarrte, aber Patrick hielt schon inne, wie unter einem Befehl, »... ich weiß gar nicht genau, wie er heißt«, vollendete er. *Deswegen also, deswegen hat er mich hierhergebracht.* Kramer stieß einen Pfiff aus. »Oh, die Dame gehört zu Ihnen«, sagte er, »ich muß schon sagen, Sie haben originelle Einfälle.« Er übersah plötzlich die Lage, er warf einen Blick auf Luigi, dann auf Franziska, sammelte die Blicke der Männerrunde ein, schüttelte den Kopf und sagte: »Na, dann wollen wir mal essen gehen. Ich nehme an, Sie haben noch nicht gegessen, O'Malley. Wahrscheinlich wollten Sie die Dame zum Essen führen, nicht wahr?« Er wandte sich an Franziska. »Das ist gar keine so schlechte Idee von ihm, wie Sie vielleicht glauben, Bartolomeos Frau kocht wunderbar, Sie werden nirgends in Venedig besser essen als hier.« Er ordnete an und sie gehorchten ihm, auch Luigi, als Kramer sich auf italienisch an ihn wandte: »Luigi, du ißt mit uns, Sie haben doch sicher nichts dagegen, daß wir alle zusammen essen, Signora?« Er bewegte die Pappmaske, die rötlichen Augen, auf überredende Weise, so, als wolle er sagen ›Sehen Sie, das ist doch die einzige Möglichkeit, die Lage zu retten, und ich rette sie für Sie‹, Franziska gab ihm keine Antwort, sie stand einfach auf, es war Patricks Sache, zu widersprechen, aber Patrick widersprach nicht, *merkwürdig, auf einmal ist er nicht mehr der kleine schwarze Teufel,* zu dritt folgten sie Kramer, der schon vorausgegangen war, durch eine Glastüre, durch einen Korridor, in einen kleinen Eßraum, in dem sie den wieder einsetzenden Rock and Roll nur noch als fernes rhythmisches Stampfen hörten. Dafür tobte hier ein Fernsehgerät die Reklame-Sendung vor dem Mailänder Abendprogramm herunter, in einen Raum, der leer war, von einem bärtigen jungen Mann abgesehen, der in einem Buch las und den der Lärm nicht zu stören schien. Kramer ging auf den Apparat zu und stellte ihn ab. Der Bärtige blickte auf, sagte aber nichts, er nickte Patrick zu, *Patrick kennt hier jeden,* und wie von der Stille gerufen, trat die Wirtin aus der Küche neben dem Speisezimmer.

»Wir wollen essen, Giovanna«, sagte Kramer, »was gibt es heute?«

»Manzo bollito«, sagte die Frau, »Salat, den roten, und weiße Bohnen.«

»Hast du Muscheln, vorher?« fragte er.

Sie nickte.

»Parle-t-il français?« fragte Franziska, zu Patrick gewendet, während Kramer weiter mit der Wirtin über das Menü verhandelte.

»Je ne crois pas«, erwiderte Patrick.

Sie fuhr fort, französisch zu sprechen. »Warum haben Sie mir nicht mehr gesagt, als daß er in Venedig ist? Als daß Sie ihn ›gesehen‹ haben? Warum haben Sie mir nicht gesagt, daß Sie mit ihm umgehen? Daß Sie ihn täglich treffen?«

»Weil Sie sonst nicht mit mir gekommen wären«, sagte Patrick. Er sagte es ohne jede Betonung, es war eine einfache Feststellung, weiter nichts.

Sie schwieg und starrte ihn sprachlos an.

»Sprechen Sie ruhig weiter französisch«, sagte Kramer auf deutsch, »ich verstehe kein Wort davon.« Er machte eine Pause, dann fuhr er fort: »Aber wenn Sie der Dame zu viel über mich mitgeteilt haben, O'Malley, so kann das sehr unangenehme Folgen für Sie haben.«

»Haben Sie es gehört?« fragte Franziska. Ohne einen Augenblick zu zögern, wandte sie sich an Kramer. »Ich weiß fast alles über Sie, Kramer«, sagte sie.

Patrick berührte in einer Bewegung des Entsetzens ihren Arm, während Kramer sie nur anblickte. Nach ein paar Sekunden sagte er: »Schade. Sie waren mir sympathisch.«

»Irgend etwas muß mit mir nicht in Ordnung sein«, sagte Franziska, »wenn ein Mensch wie Sie mich sympathisch finden kann.«

Die Wirtin kam mit einer Schüssel voll Muscheln herein, sie setzten sich um einen der Tische, Franziska saß Luigi gegenüber, der noch immer wütend war, und Kramer nahm gegenüber Patrick Platz, sie behielten alle ihre Mäntel an, mit Ausnahme von Luigi, der keinen trug, es war nicht sehr warm in dem Speiseraum, der nur von Gelegenheitsgästen benützt wurde, der Raum war eher feucht-kalt, er war schmutzig, sie warteten, bis Giovanna die Teller und die schmalen Muschelgabeln brachte, *ich bin in eine Falle gegangen, gut, daß wir die Mäntel anbehalten, das macht die Mahlzeit zu einem Provisorium, vielleicht ist es eine provisorische Falle, vielleicht komme ich wieder heraus?*

»Sie müssen sie mit den Händen aufbrechen«, sagte Kramer. »Sehen Sie, so!« Er nahm eine der schwarzen kleinen Muscheln aus der Schüssel und zeigte ihr, wie man sie öffnete, damit man das Fleisch mit der Gabel herausnehmen konnte. Auch seine Hände waren weiß, von weißlichen Härchen bedeckt. Sie nahm eine Muschel, *ich werde unfähig sein, auch nur einen Bissen zu essen.*

Kramer hielt plötzlich inne, als besinne er sich auf etwas; er faßte mit seinem Arm über den Tisch und schob Patricks Mantel auseinander, Patrick zuckte überrascht zurück, Franziska sah, daß er unter dem Mantel heute eine blaue College-Jacke trug, einen Blazer, aber Kramer war sehr schnell, er faßte einen der golden schimmernden Knöpfe und hielt ihn fest in der Hand.

»Was wollen Sie?« stieß Patrick hervor. »Lassen Sie sofort los!«

Luigi wollte ihm helfen, er griff nach Kramers Arm, aber Kramer schüttelte ihn mit einer einzigen, fast unmerklichen Bewegung seiner Muskeln ab, *er muß unerhört stark sein.* Kramer sagte: »Bleib aus dem Spiel, Kleiner!« und dann drehte er mit einer schnellen, sanften, fast zärtlichen Bewegung den Knopf ab und legte ihn neben Franziskas Teller. »Pures Gold«, sagte er zu ihr, »sehen Sie ihn sich nur an, er ist aus echtem Gold, O'Malley hat es mir selbst vor ein paar Tagen erzählt. Messingknöpfe werden so schnell unansehnlich, hat er mir erklärt.« Er begann wieder, Muscheln aufzubrechen. »So einer ist das«, sagte er, »Blazerknöpfe aus massivem Gold.« Seine Laune überschlug sich. »Ich schenke Ihnen den Knopf. Ein Souvenir an unser heutiges Abendessen. Sie sind doch sicher einverstanden, O'Malley, oder?«

Franziska sah zu dem bärtigen jungen Mann hinüber, aber der hatte nichts bemerkt, sie schob den Knopf Patrick zu, der stumm vor seinem Teller saß, sein Mantel war noch immer geöffnet, und Franziska sah auf die zerrissenen Fäden an seiner College-Jacke, dort, wo der Knopf gesessen hatte, *ich möchte wissen, ob er auch noch das Wappen auf der linken Seite trägt, das Wappen von Eton oder Balliol oder All Souls, sogar geküßt hat er mich, brüderlich und zart, neben meinen linken Augenwinkel geküßt, um mich in die Falle zu locken,* sie erinnerte sich daran, wie er ihr gewinkt hatte, von der Riva zu ihrem Fenster hinauf, *es ist beinahe das Winken eines Engels gewesen, aber nun ist er nichts mehr, kein Engel mehr, kein Teufel mehr, nur ein erniedrigter Reicher,* sie nahm den goldenen Knopf und warf ihn in die Schüssel, zu den Muscheln.

»Die Signora ist sehr großzügig, Giovanna«, sagte Kramer zu der Wirtin, die mit den Speisen hereinkam, mit einem Tablett voller Schüsseln und Teller. »Sie schenkt dir reines Gold.«

Giovanna hatte ein ruhiges, großzügiges Gesicht; ein paar stille Falten liefen von ihren Augen zu den Mundwinkeln. »Gold«, sagte sie freundlich und ungläubig.

»Du wirst schon sehen«, sagte Kramer, »laß den Knopf von Bartolomeo schätzen!«

Sie lächelte kaum, während sie das Muschelgedeck abräumte, die neuen Schüsseln hinstellte, hinausging. Luigi blickte von Patrick zu Kramer, gierig und bedauernd sah er Giovanna nach, Giovanna, der nun der goldene Knopf gehörte, aber das Zeichen Patricks unterblieb, der Befehl seines Herrn, den Knopf zurückzuholen, und so beschied er sich mit einem Blick, der im Weg von Patrick zu Kramer von Vorwurf in Haß umschlug.

»Jetzt steht Ihnen ein köstliches Schauspiel bevor, Franziska!« hörte sie Patrick sagen. Seine Stimme war voller Hohn. *Offenbar hat er sich wieder erholt.* Sie sah ihn fragend an. »Sie werden Kramer essen sehen«, sagte Patrick. »Dafür sollten Sie eigentlich Eintrittsgeld bezahlen müssen.«

Es war klar, daß er zum Gegenschlag ausholte, aber Kramer schien unberührt. Gleichmütig hob er die Deckel von den Schüsseln ab.

»Los, bedienen Sie sich ruhig als erster«, sagte Patrick, »Sie können es doch kaum noch erwarten.«

Franziska sah die beinahe leidende Gier in Kramers rötlichen Augen, als er, in der abwesenden Konzentration eines Süchtigen, auf die Speisen blickte, aber er überwand sich und reichte zuerst Franziska den kupfernen Topf mit dem Fleisch.

»Himmel«, sagte Patrick, »Sie müssen aber Eindruck auf ihn gemacht haben.«

Sie nahm sich ein kleines Stück, das schmalste und magerste, das sie finden konnte, von dem gekochten Rindfleisch. *Ich hatte doch Hunger,* erinnerte sie sich, *ich habe fast den ganzen Sonntag verschlafen, als ich den Campanile verließ, bin ich ins Hotel gegangen und habe geschlafen, bis in den späten Nachmittag hinein,* sie rechnete nach, *das ist doch eigentlich mein erstes richtiges Essen seit Freitag mittag in Mailand, ich sollte Appetit haben, aber statt dessen muß ich mich zwingen, ein Stück von dem Fleisch abzuschneiden, von den weißen Bohnen zu kosten, die übrigens wunderbar zubereitet sind, mir ist wieder ein bißchen übel, wie vorhin auf dem Boot, es war also nicht die Seekrankheit, es war die Migräne, es ist die Übelkeit, die immer einem Migräneanfall vorausgeht, aber vielleicht kann ich nur deshalb nicht essen, weil ich mit diesen Männern zusammensitze, mit denen ich nichts zu tun haben will, weil ich zwischen einem gewerbsmäßigen Mörder und seinem Opfer sitze und gegenüber einem kleinen Gangster, einem Jungen, der zu früh gelernt hat, daß man nicht arbeiten braucht, um leben zu können, und weil ich weiß, daß ich in einer Falle sitze, weil das Opfer mich in die Falle des Mörders gejagt hat, denn man sitzt in einer Falle, wenn ein Mörder weiß, daß man seinen Beruf kennt, in was für eine Sache bin ich da hineingeraten, mit meiner stolzen Flucht, zuerst eine Serie von kleinen Erniedrigungen und dann dies, ich kann mir die Gesichter Herberts und Joachims vorstellen, wenn sie mich jetzt sehen könnten, zuerst die kaum sichtbaren Blamagen, das leichte Zittern des Bodens unter meinen Füßen, aber jetzt der Fall in die Gefahr, es ist kaum glaublich, aber ich muß es mir ganz hart sagen, ich bin in Gefahr, in Gefahr, in Gefahr,* das Wort blinkte wie ein Signal in Abständen in ihrem Gehirn auf, aber dann erlosch es, weil sie Kramer essen sah.

Kramer fraß. Es hatte ganz unauffällig begonnen, mit einem Stochern, einem Probieren, dem Arrangement des rötlichen Wintersalats, der weißen fagiuoli, der Scheiben Fleisches auf dem Teller, doch immerhin zu einem kompakten Berg, zu einer Masse von Nahrung, aber nach ein paar Minuten, kennerischen Minuten des Kostens, hatte kein fröhliches Schwelgen begonnen, sondern etwas anderes, eine Art Mechanismus der Gefräßigkeit, der sich eingeschaltet hatte wie ein Motor, der auf Touren kommt. Dabei aß Kramer nicht einmal schnell und gierig, er aß eher langsam und sorgfältig, kaute gründlich; doch was sein Essen zum Schlingen werden ließ, zum Stopfen, das war der uhrenhafte Rhythmus, in dem er die Speisen in den Mund schob, der abwesende Blick des Süchtigen, die Lautlosigkeit des weißen Gesichts, in dem das Loch aus Fresserlippen sich öffnete und schloß, öffnete und schloß. Und dann begann ihm der Schweiß über die Stirne zu strömen, er lief in Bächen von der Stirne über die Backen, die weiße Maske begann auf einmal zu glitzern, in den Augenbrauen hingen Tropfen, die Augen füllten sich mit Wasser, Kramer holte sein Taschentuch aus seinem Mantel und schneuzte sich.

»Nun«, rief Patrick, »was habe ich Ihnen gesagt?«

Merkwürdig, daß es nicht eigentlich widerlich ist. Es ist nicht so, daß ich wegschauen muß, im Gegenteil, es fasziniert mich, ich kann gar nicht wegschauen, es ist beinahe großartig, das großartige Schauspiel eines fressenden Mannes. Die Darstellung der Schwäche eines Mörders. Es ist ein Leiden; wenn man ihn davon heilen könnte, würde man vielleicht seine Mordsucht heilen.

»Kennen Sie Boswells ›Leben Johnsons‹?« fragte Patrick. »So muß Samuel Johnson gefressen haben.«

Man konnte Kramer also ohne jedes Risiko beschimpfen, wenn er aß. Eine billige Rache für den abgedrehten Blazerknopf aus purem Gold. Kramer war abwesend; abwesend füllte er sich mit Speisen an; er blickte Patrick an, aber er sah ihn nicht, und der Schweiß rann ihm über das Gesicht. *In sein vom Fressen verschwitztes Gesicht kann man alles sagen, wie einem Morphinisten, einem Opiumraucher*. Sie probierte es aus. »Sie sind ein Mörder, Kramer«, sagte sie, »und Sie wissen, daß Sie ein Mörder sind.«

Er hörte nicht zu. Patrick sah Franziska an, als wäre sie eine Erscheinung, Luigi hatte natürlich nichts verstanden, während Kramer, indem er weiterfraß, in den Raum blickte, den schmutzigen Speiseraum von Bartolomeos Bar, in dem außer ihm niemand saß als der junge bärtige Mann, der in einem Buch las.

Kramer hörte ganz plötzlich auf zu essen. Er legte Gabel und Messer auf den Teller und blieb eine Weile bewegungslos, völlig in sich gekehrt. Dann stand er auf und begann hin und her zu gehen, schwerfällig in seinem unförmigen Wintermantel von undefinierbarer Farbe.

»Passen Sie auf«, sagte Patrick spöttisch, »jetzt kommt das Schönste. Jetzt fängt er an zu niesen.«

Kramer hatte schon das Taschentuch in der Hand, als das Niesen aus ihm herausbrach, er ging umher und nieste und führte das Taschentuch an die Nase und trocknete sein Gesicht ab, das noch immer weiß war und trotz des Niesens unbewegt wie eine Pappmaske.

»Ein sogenanntes gastrisches Niesen«, erklärte Patrick, die Stimme voll kalter, triumphierender Fröhlichkeit, »ich habe es mir von einem Arzt erklären lassen. Es gibt Fresser, die nach jedem Essen, das ihnen geschmeckt hat, fünfzehn- bis zwanzigmal niesen müssen.« Er brach in Gelächter aus, während Kramer, noch immer niesend, noch immer sich mit dem Taschentuch abtrocknend, hinausging.

»Jetzt muß er an die frische Luft«, sagte er, doch dann wurde er sich bewußt, daß Kramer nicht mehr da war, daß sie allein waren. Er schwieg.

Luigi war aufgestanden und drehte an den Knöpfen des Fernsehgeräts. Der lesende junge Mann hatte aufgehört zu lesen und blickte auf Patrick.

»Los«, sagte Franziska, »legen Sie Kramer um!«

Patrick erwiderte nichts. Er wendete ihr sein Gesicht zu.

»Sehen Sie mich doch nicht so fassungslos an«, sagte Franziska. »Sie haben doch sicher einen Revolver in der Tasche. Worauf warten Sie denn?«

Der junge Mann, der gelesen hatte, war aufgestanden. Er kam mit dem Buch in der Hand zu ihrem Tisch herüber und sagte zu Patrick: »Ich habe etwas Wunderbares herausgefunden. Schauen

Sie sich einmal eine dieser Tintoretto-Reproduktionen an, Signor O'Malley, hier zum Beispiel, die Verkündigung ...« Er klappte das Buch auf und legte es, eine der Bilderseiten aufgeschlagen, vor Patrick auf den Tisch.

»Wenn er wieder hereinkommt, legen Sie ihn um!« sagte Franziska.

»Nein, Sie sollen sich nicht einfach das ganze Bild ansehen, sondern ein Detail, irgendeinen Ausschnitt, die Wiedergaben sind sehr gut. Sie können Tintorettos Stich ganz gut erkennen.« Der Bart des Lesers zitterte, der junge Mann war groß und hager, und sein Bart war ein wildes Gestrüpp.

»Er ist Maler«, sagte Patrick. »Ein ganz guter junger Maler.«

»Sie können doch sicher schießen«, sagte Franziska, »es ist doch ganz einfach, wenn er wieder hereinkommt ...«

»Nehmen Sie irgendein Detail von Tintoretto«, sagte der Maler, »und Sie haben ein Bild von Jackson Pollock. Es ist einfach toll.«

»Sie irren sich«, sagte Patrick, »ich habe keinen Revolver bei mir.«

»Ach so«, sie äffte seinen Tonfall nach, »Sie haben keinen Revolver bei sich.«

»Und ich habe herausgefunden, daß das kein Zufall ist«, sagte der Maler triumphierend. »Ich habe mich mit Thomas Hart Benton beschäftigt, dem Lehrer Pollocks: er war sehr stark von Tintoretto beeinflußt. Es gibt also eine direkte Beziehung zwischen Tintoretto und Pollock.«

»Können Sie ihm nicht sagen, daß er verschwinden soll?« fragte Franziska.

»Ich komme in den nächsten Tagen einmal zu Ihnen ins Atelier, Bruno«, sagte Patrick zu dem Maler, »ich habe gerade etwas Wichtiges mit der Dame zu besprechen.«

»Sie wollen Kramer töten«, sagte Franziska, »aber Sie gehen täglich mit ihm um. Sie wollen ihn töten, aber Sie studieren die Natur seines Niesens. Sie wollen ihn töten, aber Sie essen mit ihm. Sie wollen ihn töten, aber Sie lassen sich von ihm Knöpfe abdrehen. Vermutlich wollen Sie an ihm einen perfekten Mord begehen. Irgend etwas Derartiges schwebt Ihnen vor. Aber Sie wissen schon, daß Sie nichts dergleichen tun werden. Sie wollen töten, aber Sie haben den Einsatz verpaßt. Sie sind ein Versager, ganz einfach ein Versager. Wenn ein Mann töten will, muß er es schnell, er muß es auf der Stelle und besinnungslos tun. Alles andere ist Mord – und Sie sind kein Mörder. Aber leider sind Sie auch kein Töter. Und jetzt haben Sie nicht einmal einen Revolver bei sich. Mein Gott, Patrick, was sind Sie bloß für ein Versager!«

Der Fernsehapparat schrie wieder in den Raum, Schatten agierten ein Theaterstück in Kostümen des 18. Jahrhunderts. Der Maler klappte seufzend sein Buch zu und ging zu seinem Tisch zurück. Luigi drehte an den Knöpfen.

Der satanische Engel, der Mann mit dem bösen Blick aus dem Pavone war ein Reinfall. Schade. Und doch ist er ein Engel, ein Teufel, war sein Blick gefährlich, sein Pavone- und Zinnien-Blick. Aber er reicht nur aus, die Masken zu durchschauen, nicht, sie herunterzureißen. Er blickt durch sie hindurch, aber dann lähmt ihn irgend etwas; er bleibt im Schauen erstarrt, als ob er zu viel sähe, mehr, als ein Blick ertragen könnte.

Dumm nur, daß solche Versager wie Patrick alle Tragödien in Farcen verwandeln. Kein Ahab mehr und kein weißer Wal, nur ein alternder Gangster und sein kluger, reflektierender Kommentator, ein Verbrecher und ein Ästhet, aneinandergebunden, sich eine Parodie auf Untat und Rache, auf Schuld und Sühne vorspielend, doch die Szene verwandelt sich wieder einmal, die Farce wendet sich ins Böse; weil ich auf die Bühne gekommen bin, droht das Spiel ernst zu werden, mit mir ist die Drohung aufgetreten, die Furcht davor, daß ich die Masken herunterreißen werde; und deshalb bin ich bedroht.

»Warum haben Sie mich in diese Sache hineingezogen?« fragte sie. »Erklären Sie es mir bitte, Patrick, erklären Sie es mir.«

Aber sie erhielt keine Antwort, denn Kramer kam wieder herein; er ging zum Fernsehapparat und schaltete das von Luigi veranstaltete Gebrüll der agierenden Schatten ab, ohne sich um Luigis empörten Blick zu kümmern; dann ließ er sich auf seinen Stuhl fallen.

»Ah«, sagte er, »das war gut. Das Niesen und die frische Luft haben mir gutgetan.«

Er war wieder auf der Höhe der Situation, nichts Süchtiges war mehr an ihm; er hob sein weißes Gesicht in das Lampenlicht, so daß Franziska seine rötlichen Augen unter den farblosen Lidern genau sehen konnte, *er ist ein Albino,* plötzlich erfaßte sie, daß sie es war, die von den kleinen rötlichen Augen angesehen wurde.

»Übrigens«, hörte sie Kramer sagen, »das war etwas sehr Komisches, was Sie vorhin beim Essen zu mir sagten.« Sie gab keinen Laut von sich, sie blickte nur in die Augen, die ihr Gesicht umspannten wie der Griff einer Hand, der sich immer enger schließt, bis sie auf einmal spürte, daß der Griff nachließ, die Aufmerksamkeit der Augen erlahmte, abirrte, bis sie bemerkte, daß Kramer abgelenkt wurde, abgelenkt und unruhig, daß er in sich zusammensank, sie hob unwillkürlich die Hand an ihren Hals, in einem Gefühl der Erleichterung und zugleich der Vorahnung einer aufsteigenden Übelkeit, aber dennoch war sie erleichtert, weil sie feststellte, daß Kramer von ihr abließ, und zwar nur deshalb abließ, weil ihn wieder die Gier angeflogen hatte, irgendeine Gier, wieder begann sich Schweiß auf seiner Stirne zu bilden, und dann hörte sie, wie er nach Bier verlangte, er rief nach Bier, und Giovanna schien schon Bescheid zu wissen, sie kam sogleich mit einer Flasche Bier und einem Glas herein und goß das Bier ein. Es stand vor Kramer auf dem Tisch, Giovanna ging hinaus, Kramer betrachtete das Bier einen Augenblick lang wie ein Verdurstender, während Franziska, in Übelkeit erschauernd, die Struktur aus Kälte wahrnahm, die das Glas beschlug; dann nahm er es auf und trank. Sie hörte noch Patrick, wie er sagte: »Sie sollten einmal das Bier meines alten Herrn versuchen, Kramer!« aber sie wartete Kramers Antwort nicht ab, sie mußte aufstehen, denn die Übelkeit überwältigte sie, sie sah nur noch, daß Patrick erschrocken zu ihr aufblickte, *sicher bin ich weiß wie ein Tuch im Gesicht*, mit zwei Schritten hatte sie die Tür zur Küche erreicht, sie geöffnet und hinter sich geschlossen, sie stand einen Augenblick vor Giovanna, erfaßte dann, wo sich der Spülstein befand, erreichte ihn und erbrach sich sofort, während sie sich mit den Händen krampfhaft an dem schmutzigen Becken festhielt. Fast im gleichen Augenblick fühlte sie Erleichterung, sie konstatierte ganz sachlich, daß das wenige, das sie gegessen hatte, sogleich wieder von ihr erbrochen worden war, sie drehte den Wasserhahn auf, spülte ihr Gesicht ab, trank ein wenig von dem Wasser.

»Entschuldigen Sie«, sagte sie lächelnd, als sie sich aufrichtete, zu Giovanna.

Die Wirtin sah sie an, ruhig, erfahren, ohne Vorwurf.

»Povera signora«, sagte sie, »dabei war mein Essen so gut.«

»Es war wunderbar«, sagte Franziska, »im Essen war bestimmt nichts Schlechtes. Aber ich habe ein paar Tage lang nur sehr wenig gegessen, und vielleicht habe ich das erste richtige Essen nicht vertragen.«

»Vielleicht«, sagte Giovanna. »Oder vielleicht bekommen Sie ein Kind. Sind Sie schwanger, Signora?«

Franziska lächelte noch immer, aber dann fühlte sie, wie das Lächeln aus ihren Augen verschwand, wie ihr Mund sich spannte, während sie auf die ruhigen Falten in Giovannas ernstem Gesicht blickte.

»Nein, ich bin nicht schwanger«, sagte sie mühsam.

»Ich hätte darauf geschworen, daß Sie es sind«, antwortete Giovanna. Sie sagte es mit Gleichmut, nicht ungläubig, eher ein wenig enttäuscht.

Aus dem Speiseraum hörte Franziska Kramers Stimme und die O'Malleys.

»Ich möchte ein paar Minuten ins Freie. Kann ich von hier aus auf die Straße kommen?« fragte sie Giovanna. Die Wirtin öffnete ihr bereitwillig eine Türe. Franziska mußte sich zuerst an das Dunkel der Gasse gewöhnen, ehe sie in ihr entlangging, bis sie in die Calle kam, in der Bartolomeos Bar lag, sie sah das blaue Neonschild, dann ging sie schneller, entfernte sich von ihm, fand sich rasch auf der Giudecca zurecht. Sie setzte von S. Eufemia zu den Zattere hinüber, schlug sich aber von dort aus zu Fuß durch das Gewirr der Inseln bis zu ihrem Hotel durch, denn sie hatte Angst, Patrick würde sie am Landesteg erwarten, wenn sie mit dem Diretto-Boot an der Riva degli Schiavoni ankäme. Sie erreichte das Hotel, als der Sonntag schon vorüber war. Der Nachtportier öffnete ihr die Türe, und sie glitt in das Halbdunkel des Vestibüls wie ein Schatten, den die Nacht in die Dämmerung spie.

Der alte Piero, Ende der Nacht

die sonne gestern, der oststurm, die blendung, ich treibe, die hände sind mir gestorben, die stange so still, ich treibe, unter mir huschen die aale, das gebirge mit schnee, zuerst fror ich, fror ich und hustete, dunkelblau das gebirge, bis ich kalt wurde, dunkelblau im abend, nicht mehr hustete, treibend im dunklen, das gewühl der aale unter dem treibenden Boot, ich eis, die lichter, mit gefrorenem husten, von torcello, mit gestorbenen händen, als es nacht war, ich eis, als der nebel kam, ich gefroren im boot, in der nacht, im nebel, die stange stoß ich schon lang nicht mehr, ich hocke gefroren, ins gewühl der aale, es treibt ins schilf, ich eis im licht, im weißen nebel des morgens, im schilf von torcello, gefroren, hockend, sonnenlos, stummes wasser, die lichter werden gelöscht, torcello ist tot, es schlafen die aale.

Montag

Geschäfte mit Shylock – Autobiographie eines Antisemiten – Das Meer – Jemand möchte auf Reisen gehen – Von Mythen und Strophen – Der goldene Knopf – Ein Testament

Franziska, Vormittag

Wieder stand sie in der Bar unter der Torre dell'Orologio, wieder hatte sie bei der Kassiererin die Bons für einen Cappuccino und zwei Hörnchen gelöst, hatte zuerst die noch warmen Hörnchen gegessen, *ich bin gespannt, ob mir danach übel wird,* dann trank sie den heißen schaumigen Milchkaffee, wobei sie sich unterbrach, um wieder mit dem Handschuh eine klare Fläche in den silbrigen Beschlag einer der großen Fensterscheiben zu wischen, damit sie die beiden kleinen Löwen sehen konnte, *die tolpatschigen kleinen Dinger, die blutigen Dämonen-Embryos, wenn mir nach dem Frühstück wieder übel wird, gehe ich sofort den Ring verkaufen, denn dann muß ich Geld haben, eine kleine Geldreserve, für eine Abtreibung vielleicht, auf jeden Fall für eine ärztliche Untersuchung, auf jeden Fall, um nicht unter Zeitdruck zu kommen, in Deutschland, in Italien, an dem Ort, an dem ich mich vor Kramer verstecken muß,* sie blickte hinaus, der Vormittag stand wieder weiß aus feinem Nebel gemacht zwischen San Marco und den Prokurazien, nach dem strahlenden Sonntag, *dem entsetzlichen Sonntag,* herrschte wieder feuchte Watte- und Januarluft, Franziska überlegte, auf welchem Weg sie Venedig unbemerkt verlassen könne, sie dachte an den Dampfer nach Chioggia oder an ein Schiff nach Triest, *auf keinen Fall darf ich vom Bahnhof abfahren, Kramer wird den Bahnhof überwachen lassen, er wird irgendeinen Jungen, jemand wie Luigi, einen von den ›fans‹, die gelernt haben, wie man Geld verdienen kann, ohne arbeiten zu brauchen, an den Bahnhof stellen, um zu erfahren, mit welchem Zug ich abreise, denn er wird ja nicht gleich zuschlagen, sie haben sicherlich eine Organisation, er kann mich überall erledigen lassen, das beste wäre, auf Umwegen zum Piazzale Roma zu gehen und von dort aus ein Taxi nach Mestre zu nehmen, oder gleich nach Padua, ich brauche Geld, auf ein Taxi werden sie vielleicht nicht gefaßt sein, einem Auto werden sie nicht ohne weiteres folgen können, sie werden natürlich die Nummer feststellen und den Chauffeur fragen, wohin er mich gebracht hat, aber ich werde einen Vorsprung haben,* sie stellte das Cappuccino-Glas zurück, *ich bin in einen Kriminalroman geraten, das gibt es doch gar nicht, Kolportage gibt es doch gar nicht, es gibt keine ›gangs‹, keinen Untergrund, keine Verfolgungen, das sind doch Erfindungen von Chandler, von Spillane,* sie steckte die

Handschuhe in ihre Manteltasche, dabei hörte sie den Zettel knistern, den Zettel von Patrick, den man ihr heute früh im Hotel gegeben hatte, als sie wegging, der Zettel hatte in einem Briefumschlag gesteckt, sie hatte ihn gelesen, den Umschlag weggeworfen, den Zettel in die Manteltasche geschoben, dort knisterte er jetzt, sie zog ihn ärgerlich heraus, sie wußte, was darauf stand, sie brauchte ihn nicht noch einmal zu lesen, ›Heute abend sieben Uhr Abfahrt nach Sizilien‹, hatte Patrick geschrieben, ›nach Sizilien oder wohin Sie wollen. Ich werde mit dem Boot links von der Accademia Brücke warten, an der Treppe zwischen der Brücke und dem Gritti-Hotel‹, sie knüllte den Zettel zusammen und warf ihn in den Abfallkorb, ehe sie ihre Handtasche unter den Arm klemmte und die Bar verließ.

Es wurde ihr nicht übel, während sie die Mercerie entlang ging, *im Gegenteil, der Kaffee hat mir gutgetan,* sie fühlte sich belebt und erwärmt, *Giovanna hat sich doch geirrt, auch Giovanna kann sich irren, ich bin nicht schwanger, wahrscheinlich bin ich gar nicht schwanger, heute oder morgen oder übermorgen bekomme ich die Periode.* Sie sah sich um, vielleicht werde ich verfolgt, aber durch die Mercerie strömten die Menschen, sie konnte nicht erkennen, ob ihr jemand folgte, einmal blieb sie stehen, um festzustellen, ob irgendeiner stehenblieb, wenn sie innehielt, aber sie sah mindestens zehn Leute vor Schaufenstern stehen, *lächerlich, wie ich mir eine Verfolgung vorstelle, das Ganze ist überhaupt unwirklich, ich habe vierundzwanzig Stunden lang mit zwei unmöglichen Leuten zu tun gehabt, aber das war ein Zufall, der Zufall ist vorbei, es ist Montag morgen,* doch sie bog von der Mercerie ab, in immer stillere Gassen, die es ihr erlauben würden, einen Menschen zu bemerken, *der mich beschattet, der Kolportagebegriff, das Kriminalromanwort, niemand ist jemals beschattet worden,* auch warf in der venezianischen Nebelluft kein Gegenstand Schatten, kalt und schattenlos erhoben sich die farbigen Mauern, zwischen denen sie sich bewegte, niemand folgte ihr, durch leere Callette, unter die Höhlungen der Sottoportici, sie wußte nicht mehr recht, wo sie sich befand, bis sie, im Ausschnitt zwischen zwei Häusern, den Canal Grande erblickte, sie wandte sich nach rechts, erhaschte nach kurzer Zeit einen Blick auf den Rialto, geriet wieder unter Menschen, ließ sich auf den Campo San Bartolomeo treiben, sah das goldene Wappenschild mit der edlen Antiquaschrift darauf über einem Laden: Gioielliere.

Sie trat ein, *ich will es einmal probieren,* der Laden besaß eine Klingel, die schrillte, solange die Tür geöffnet stand, Franziska schloß sie schnell, erleichtert stellte sie fest, daß der Laden leer war, *natürlich, wer geht schon am Montag morgen zum Juwelier, noch dazu zu einem so vornehmen,* das polierte Holz der Vitrinen glänzte dunkel, über dem Ladentisch hingen drei Leuchten aus vergoldetem Metall, ihr Licht warf Lichtkreise auf Glas, auf grünen Samt, ließ den übrigen Raum braun dämmern, machte ihn zu einer warmen Höhlung, hinter einer Portiere kam ein kleiner, gutgekleideter Mann hervor, dunkler Anzug mit Nadelstichmuster, das Stück weißer Seide in der Brusttasche locker gebauscht, sein niemals jung gewesenes, sein niemals reif gewordenes, sein in irgendeinem undefinierbar mittleren Alter mager erstarrtes Gesicht sah sie beflissen an.

»Womit kann ich Ihnen dienen, Signora?«

»Ich möchte einen Ring verkaufen«, sagte Franziska.

»Eine schlechte Zeit dafür«, sagte er sogleich, ohne den jähen Wechsel von Beflissenheit zur Abwehr zu verbergen. »Im Winter haben wir hier kaum Kundschaft.«

Eine Ausländerin, die Schmuck verkaufen will, im Winter, in Venedig. Eine Rote, sie sieht gut aus. Wenn eine Frau, die so gut aussieht, Schmuck verkaufen will, so muß sie ihn verkaufen.

Ich habe es nicht unbedingt nötig, den Ring zu verkaufen. Ich habe dreißigtausend. Seit gestern habe ich wieder dreißigtausend. Aber der Ring müßte eigentlich siebenhundert Mark bringen, achtzigtausend Lire, ein sehr breiter Goldreif, neunhundert fein, mit drei kleinen Diamanten, Herbert hat sechzehnhundert Mark dafür bezahlt, bei Carstens in Düsseldorf, dann hätte ich hundertzehntausend, eine tadellose kleine Operation, in München oder Frankfurt, und danach Zeit, mir eine Stellung zu suchen, oder gleich nach London oder Stockholm zu reisen, sie kannte die Stellen in London, in Stockholm, die sie sofort vermitteln würden, *wenn ich mich entschließe, das Kind zu bekommen, oder wenn ich gar keines bekomme, in England oder Schweden kann ich bleiben, auch mit einem Baby, England oder Schweden sind babyfreundliche Länder, Länder, in denen es noch Nachbarn gibt,* sie öffnete ihre Handtasche, nahm den Ring heraus und zeigte ihn dem Juwelier.

Er nahm ihn gelangweilt entgegen, hielt ihn zwischen Daumen und Zeigefinger, betrachtete ihn gelangweilt, zog dann eine

Schublade auf, entnahm ihr eine Lupe, steckte sie sich ins rechte Auge, zeigte das Ergebnis durch ein Kopfschütteln an.

Sie erinnerte sich der Empfehlungen von Carstens in Düsseldorf, der kennerisch hochgezogenen Augenbrauen, des diskret ausgedrückten Lobs von Herberts Geschmack und Sinn für Qualität, für echte Werte, *was für ein Unterschied, ob man ein Ding kauft oder verkauft, der absurde Szenenwechsel zwischen Ansehen und Verachtung, je nachdem, ob man ein Ding kaufen oder es verkaufen will, die feinen Abstufungen des Erniedrigens, je nachdem, ob man einen Laden hat, in dem man verkauft, oder ob man ein Vertreter ist, ein Vertreter, der noch den Vordereingang benützen darf oder den man nur über die Lieferantentreppe hereinläßt, und schließlich, am Ende der Stufen der, der aus Not verkauft, jemand, der schon gar nicht mehr dazu gehört, jemand wie ich.*

»Kein besonders guter Ring«, sagte der Juwelier. »Ein bißchen Gold und ein paar Diamantsplitter.«

Ich muß bald wieder arbeiten. Man muß arbeiten, wenn man dieser Welt nicht ausgeliefert sein will. Der Welt des Handels, der tausendjährigen Händlerniedertracht. Wenn man arbeitet, verkauft man nichts außer sich selbst. In der übrigen Zeit ist man Käufer. Käufer und frei.

»Aber hören Sie«, sagte sie, »das sind doch keine Diamantsplitter. Es sind sehr hübsch geschliffene kleine Brillanten.«

»Wenn Sie meinen«, erwiderte er kalt. Er zuckte die Achseln, für ihn war das Gespräch bereits abgeschlossen, er reichte ihr den Ring zurück, legte die Lupe wieder in die Schublade, schloß sie mit einer Handbewegung, die Endgültiges ausdrückte.

Sie sah die tausendjährige Händlerniedertracht, *er läßt mich bis ans Ende gehen, bis ans Ende der Erniedrigung.*

»Was würden Sie mir denn für den Ring geben?« fragte sie.

Er nahm ihn noch einmal zur Hand, betrachtete ihn abschätzig, vollzog plötzlich einen Gnadenakt.

»Fünfzehntausend«, sagte er, »fünfzehntausend äußersten Falles.«

Sie fühlte die Versuchung, ihn zu beleidigen, ihn in sein niemals jung gewesenes, niemals reif gewordenes Gesicht hinein zu beleidigen, aber statt dessen sagte sie nur: »Der Ring hat sechzehnhundert Mark gekostet. Hundertfünfzigtausend Lire. Bei Carstens in Düsseldorf. Das ist für uns in Deutschland ein Name wie für Sie Faraone in Mailand.«

Das ist eine, die sich auskennt. Eine Erfahrene, man sieht es ihr an. Aber nicht so erfahren, um sich wirklich wehren zu können, auch das sieht man ihr an. Eine Rote, wenn ihr Haar nicht gefärbt ist, eine sehr schöne Rote aus Deutschland, die Roten sollen gut sein im Bett, sie ist eine Feine, eine squisita, und sie kann sich nicht wehren. Ihr Haar ist nicht gefärbt, und ihre Brillanten waren lupenrein.

»Sie sind in Schwierigkeiten, Signora«, sagte er freundlich, »ich will Ihnen entgegenkommen. Achtzehntausend, weil ich Ihnen glaube, daß der Ring von Carstens ist.« Er fing plötzlich zu lamentieren an. »Es ist eine Dummheit von mir, den Ring überhaupt hereinzunehmen. Im Winter! Im Winter ist in Venedig gar nichts los, ich habe keine Kundschaft um diese Jahreszeit.«

Achtzehntausend. Es ist Wahnsinn, aber achtzehntausend sind ein wenig mehr als das Billett nach München oder Frankfurt oder Zürich oder irgendwohin, das Billett und dann behalte ich noch zweihundert Mark in der Tasche, es reicht nicht mehr für die tadellose kleine Operation, aber es reicht zum Herauskommen, zur Flucht aus Venedig, zur Flucht vor Kramer. Und ich kann nicht mehr zurück, ich habe mich schon zu tief in den Handel eingelassen, ich habe mich schon erniedrigt, und wenn man sich erniedrigt hat, gibt es kein Zurück mehr.

Sie sagte nichts, sie nickte nur, fast unmerklich, und er verstand sofort, *ich habe das Geschäft gemacht, die Woche fängt gut an, eine wunderbare Okkasion*, er schloß sein Lamento abrupt, wurde auf der Stelle wieder zum würdigen kleinen Juwelier, *einer der besten Juweliere Venedigs*, zog wieder eine Schublade, öffnete eine Geldkassette, reichte ihr den Betrag in großen Noten, einem Zehntausender, einem Fünftausender, drei Eintausendern, legte den Ring in eine kleine Schatulle, sah ihr nach, als sie sich umwandte und hinausging, *eine Rote, sie hat mir Glück gebracht*, das Schrillen der Türklingel, *warum schließt sie die Türe nicht schneller, ah, endlich*, die Stille im Laden, die kleine befriedigte Stille nach einem Geschäft.

Sie blieb einen Augenblick an der Türe stehen, ließ die Klingel schrillen, weil der Anblick Kramers sogar den Schock der Türklingel aus ihrem Bewußtsein wischte, erst dann schloß sie hastig die Türe hinter sich. Er stand an der Ecke, die das Haus bildete, in dem sich das Geschäft befand, er lehnte mit seinem unförmigen Wintermantel von undefinierbarer Farbe an der Hauswand, seine

Gestalt wurde manchmal von den Figuren der Passanten, die an ihm vorübergingen, ausgestrichen, aber Franziska sah das beinahe gutmütige Grinsen in der weißen Maske seines Gesichts, das allwissende Lächeln, mit dem er sie betrachtete, unbeweglich an die Hauswand gelehnt, eine Sekunde, zwei Sekunden, in denen sie, erstarrt, stehengeblieben war, bis er in Bewegung geriet und mit ein paar tappenden Schritten näher kam.

»Sie haben Schmuck verkauft«, sagte er. »Wieviel haben Sie bekommen?«

»Achtzehntausend«, sagte Franziska.

»Was war es?«

»Ein Ring.«

Wieviel hat er gekostet?«

»Sechzehnhundert Mark, in Düsseldorf.«

Es war ein ganz schnelles Verhör, *es gibt keine Möglichkeit, die Aussage zu verweigern, die weiße Maske, das beinahe gutmütige Grinsen, Kramer oder die Verhörmaschine,* es war auch unmöglich, sich gegen den Griff zu wehren, mit dem er sie bei der Hand nahm, sie umdrehte, das Schrillen der Türklingel, diesmal nur ganz kurz, dann stand sie wieder im Laden, wieder kam der kleine, gutgekleidete Mann, *dunkler Anzug mit Nadelstichmuster, das Stück weißer Seide in der Brusttasche locker gebauscht,* hinter der Portiere hervor, es war wie im Traum.

Er war hochverwundert, er zog die Augenbrauen empor, blickte auf Franziska, die an der Türe stehengeblieben war, aber Kramer ließ ihm keine Zeit, er stand schon am Ladentisch.

»Sie haben der Dame eben einen Ring abgekauft?« fragte er. Der Juwelier nickte, noch immer hocherstaunt, schon ein wenig unsicher, schon eine Spur von Angst in den hochmütig erstaunten Augen.

»Der Ring hat hundertfünfzigtausend Lire gekostet«, sagte Kramer in seinem harten, einwandfreien Italienisch. »Sie haben achtzehntausend Lire dafür bezahlt.« Die Verhörmaschine traf ihre Feststellungen.

»Die Dame kann den Ring zurückhaben, wenn sie es wünscht«, sagte der Juwelier. Er zog die Schublade auf, in der sich die Schatulle mit dem Ring befand.

»Die Dame wünscht nicht den Ring zurück, sondern sie wünscht ihn anständig bezahlt zu bekommen«, sagte Kramer, schnell und endgültig.

Gangster. Also doch. Der Mann ist ein richtiger Gangster. In der Frau habe ich mich getäuscht. Ein gut eingespieltes Gangster-Team. Er schob den Fuß neben den Alarmknopf.

»Wenn Sie die Alarmklingel drücken, so hat das nur für Sie unangenehme Folgen«, sagte Kramer. »Ich werde der Polizei gerne erklären, warum ich hier bin.«

Das polierte Holz der Vitrinen, wie dunkel es glänzt, es ist wie im Traum. Woher weiß er, daß ich Geld brauche? Von Patrick natürlich, er hat Patrick verhört, gestern abend noch, er hat ihn vollständig ausgenommen über mich, gestern nacht, als ich weg war.

»Ich lasse Ihnen eine Minute Zeit, um der Dame noch fünfunddreißigtausend Lire auszuzahlen«, hörte sie Kramer sagen. »Wenn Sie sich weigern, komme ich in einer halben Stunde mit Maresciallo Tacchi zurück. Sie kennen doch Tacchi, vom Betrugsdezernat. Er interessiert sich speziell für Betrügereien an Ausländern.«

Wieder das Spiel mit den Schubladen, diesmal die Lade mit der Geldkassette, sie vernahm das Rascheln der Geldscheine, aber sie trat nicht näher, Kramer nahm das Geld für sie entgegen.

»Sie haben noch immer ein ganz gutes Geschäft gemacht«, sagte er zu dem Juwelier, der ihn haßerfüllt und bewegungslos anstarrte, *das Nadelstichmuster, das niemals jung gewesene, niemals reif gewordene, das betrogene Händlergesicht,* »bedenken Sie, was Sie Tacchi hätten bezahlen müssen, damit er die Sache der Presse verschweigt. Und außerdem mir, denn ich habe auch ganz gute Beziehungen zu den Zeitungen.«

Er wandte sich langsam um, ging betont langsam zur Türe, öffnete sie, die Klingel schrillte, er ließ sie lange schrillen, bis Franziska an ihm vorbei hinausgegangen war, er schloß die Türe sorgfältig, die Klingel verstummte.

Er stopfte ihr das Geld in die Manteltasche, während er neben ihr herging. *Geld von einem Mörder. Die tadellose Abtreibung, finanziert von einem Mörder.*

»Danke«, sagte Franziska. »Ich danke Ihnen.«

»Nichts zu danken«, antwortete Kramer. »Es war mir ein Vergnügen, diesem widerlichen Juden etwas von seinem Geld abzunehmen.« Franziska blieb stehen. »Ist er Jude?« fragte sie.

»Natürlich«, sagte Kramer,» haben Sie nicht den Namen an der Türe gelesen? ›Aldo Lopez.‹ Lopez ist ein typischer venezianischer Judenname. Ein Maranen-Name.«

Sie ging wieder weiter, von Kramer begleitet. *So, ein Jude.*

Shylock in Venedig. Ob er eine Tochter hat? Gewiß hat er keine Tochter, sonst hätte er mir nicht achtzehntausend geboten. Aber vielleicht hat er doch eine. Shylock hat ja alles, was er tut, um seiner Tochter willen getan. Nun, es ist gleichgültig. Es war also eine von Kramers Judenverfolgungen. Und ich habe mich daran beteiligt.

Da sie nicht wußte, wohin sie gehen sollte, hatte sie sich vom Strom der Passanten treiben lassen, *unter Menschen bin ich sicher vor Kramer,* sie gingen die Mercerie entlang, wurden geschoben, zurück, in Richtung San Marco. »Sie haben mich sehr fein herausgepickt«, sagte sie, als sie auf den Platz traten. »Eine einzelne Ameise aus dem Ameisenhaufen. Ich gratuliere Ihnen.«

Er schüttelte den Kopf. »Venedig ist kein Ameisenhaufen«, sagte er. »Ich habe einfach auf die Mercerie gesetzt. Man geht immer durch die Mercerie.« Er verkündete es wie ein Gesetz. Dann sagte er: »Gehen wir ins Quadri. Ich muß mit Ihnen reden.« *Es hat keinen Zweck, sich zu weigern,* sie folgte ihm, sie gingen unter den Arkaden entlang, im Quadri war es fast leer, sie setzten sich an einen Tisch am Fenster, Franziska sah hinaus in die weiße Luft, in der die Passanten gleich Schatten hin und her gingen, Masken, wie die venezianischen Maskenspieler auf den grauen Rokokodekorationen des Antico Caffè Quadri, unter denen sie saß, um Kramer zuzuhören. Sie bestellte Tee, um sich zu wärmen, während Kramer sich eine Flasche Bier kommen ließ, übrigens diesmal ohne Gier; schaudernd betrachtete Franziska die Struktur aus Kälte, die das Bierglas beschlug, den eisigen Schaum, den Kramer rasch wegtrank.

»Es hätte nur zwei Möglichkeiten für Sie gegeben, aus Venedig herauszukommen«, erläuterte er sachlich, während er das Bierglas hinsetzte, »den Bahnhof oder den Taxistand am Piazzale Roma.« Er machte eine Pause. »Ich habe gehört, die Jungens wollen Sie dort erwarten«, fuhr er fort, »Luigi und ein paar andere von gestern abend, sie wollen irgendeinen kleinen Zwischenfall provozieren, Ihnen die Handtasche wegreißen oder etwas dieser Art, um Sie zu hindern, abzureisen. Es hätte polizeiliche Erhebungen gegeben, Sie wären erst einmal festgehalten worden. Diese Jungens tun für Geld beinahe alles.« Nachdenklich sagte er: »Sie wollen nicht arbeiten.« Wieder trank er einen Schluck Bier. »Aber ich persönlich habe auf die Mercerie gesetzt. Ich wollte Ihnen eigentlich eine so unangenehme Geschichte ersparen.«

»Vielen Dank«, sagte Franziska. »Sie sind reizend zu mir. Wollen Sie nicht die armen Jungen anrufen und ihnen sagen, daß sie nicht länger zu warten brauchen?«

»Ich habe mit ihnen nichts zu tun«, sagte Kramer, »und außerdem könnte es ja sein, daß ich Sie von der Idee, abzureisen, nicht abbringen kann.«

»Versuchen Sie es ruhig«, erwiderte sie. »Sie scheinen ja großen Wert auf mich zu legen. Und offenbar wissen Sie auch einiges über mich, Sie wußten, daß ich Schmuck verkaufen wollte. Sie sind gar nicht auf die Idee gekommen, ich hätte vielleicht Schmuck gekauft.«

»Sie haben sich einen sehr schlechten Beschützer ausgesucht«, sagte Kramer.

»Er ist nicht mein Beschützer. Er ist ein Mann, der mir ein Angebot gemacht hat, um mir behilflich zu sein.«

»Und der Sie statt dessen in meine Gesellschaft gebracht hat, nicht wahr?« Kramer wartete keine Antwort ab. »Er hat mir gestern abend noch Ihre Geschichte erzählt. Wenn er mir nicht Ihre Geschichte erzählt hätte, hätte ich Sie vielleicht laufenlassen. Ein Wort wie ›Mörder‹ stört mich weniger, als Sie denken, ich bin schon daran gewöhnt. Es kommt dabei nur darauf an, zu wissen, wer es ausspricht. Seitdem ich Ihre Geschichte kenne, weiß ich, daß Sie mir gefährlich werden können. Es gibt nur eine einzige Sorte Menschen, die mir gefährlich werden kann – Leute wie Sie.«

Einer, für den die Menschen in Sorten eingeteilt sind. Juden zum Beispiel. Oder Jungens, die für Geld beinahe alles tun. Oder Gefährliche und Ungefährliche.

»Vor O'Malley scheinen Sie gar keine Angst zu haben«, fragte sie.

»Vor dem? Nein. Er will mich umlegen, ich weiß.« Er lachte. »Er wird es nie tun.«

»Vielleicht irren Sie sich«, sagte Franziska, von einem plötzlichen Impuls bewegt und doch ohne Überzeugung. »Er will es vielleicht auf eine sehr leise Art besorgen.«

»Seitdem ich ihn in der Zange hatte, damals im Kriege, kenne ich ihn genau. Er hat zu viele verschiedene Gefühle, um zum Handeln zu kommen.« Er lächelte schlau. »Und zu einem leisen Mord gebe ich ihm keine Gelegenheit.«

Sie redete nur mit ihm, um Zeit zu gewinnen. *Bahnhof und Piazzale Roma abgeschnitten, welche Wege gab es noch, aus Vene-*

dig heraus, Schiffe?, einfach ein Boot über die Lagune mieten, sich irgendwo am Festland absetzen lassen?, aber er würde sie gar nicht mehr aus den Klauen lassen.

»Wie werden Sie mich denn erledigen lassen?« fragte sie. »Leise oder laut?«

Wieder lächelte er, weiße Maske unter den grauen Rokokomasken des Quadri, wieder trank er Bier.

»Was Sie für romantische Vorstellungen haben«, meinte er. »Wir werden uns arrangieren.«

Geschickt, er weiß, daß er nur eine einzige Drohung auszusprechen braucht, damit ich aufstehe und zur nächsten Polizeistation gehe. Aber er macht keinen Fehler. Er verschafft mir keinen Grund, ihn bei der Quästur anzuzeigen, mich unter den Schutz der italienischen Polizei stellen zu können. Im Gegenteil, er hat mich sogar vor einem Anschlag gewarnt. Er hat mir Geld verschafft. Und außerdem hat er Beziehungen zur Quästur.

»Sie haben mich einen Mörder genannt.« Er begann zu memorieren, *die Mächtigen und ihre Monologe, typisches Selbstgespräch eines vitalen Kolosses, das kommt ihm wie sein gastrisches Niesen, ausreden lassen, Zeit gewinnen.* »Ich bin 33 von der Kriminalpolizei in die Gestapo übernommen worden. Ich bin Beamter. Beamter und Frontsoldat. War immer deutschnational, nie schwarzrot-golden. Habe immer die Juden gehaßt. Es war eine Erlösung für mich, als wir sie endlich verhaften durften, die Juden und die Kommunisten und die Demokraten. Als es endlich sauber wurde in Deutschland. Ich bin für Sauberkeit, für Klarheit, ich bin Beamter, ich habe zuletzt in einer italienischen Außenstelle der Gestapo gearbeitet, nachdem ich mich vom Dienst in Auschwitz ablösen ließ, und ich blieb hier, zuerst in Genua, später in Venedig. Zuerst Schwarzhandel und ein paar Erpressungen, wissen Sie, es gibt Italiener, die gut mit uns zusammengearbeitet haben und denen ich es beibrachte, mir zu helfen, weil sie sonst mit mir hochgegangen wären, später stand dann wieder unsere Organisation, ein verschworener Haufen, kann ich Ihnen sagen, wir beschränken uns bewußt darauf, den Opfern der jüdischen Rache beizustehen, ich bin der beste Fachmann unserer Organisation für Passagen in die arabischen Länder, Geld ist genug vorhanden, wir leben noch immer und noch immer leben die, die mit uns zusammengearbeitet haben und die uns deshalb Geld geben müssen, nicht nur in Italien«, *die Mäzene, es gibt also nicht nur Mäzen wie der im Pavone, die Gedichte finanzieren, sondern auch Mäzene für Morde, wie, wenn es Männer gäbe, die Gedichte und Morde zu gleicher Zeit finanzierten, die sich mit Gedichten von Morden freikaufen und sich mit Morden an Gedichten rächen würden, bezahlt der Freund des Dichters vielleicht auch den Feind der Juden?, aber nein, das ist eine abstruse Idee.*

»In Italien hab ich mich ganz gut eingerichtet, seit zwei Jahren bin ich hier in Venedig, ich fand zwei Zimmer auf der Giudecca, dort, wo die Giudecca am dreckigsten ist, die Teresa Falconi, diese alte Hure, bekam Stielaugen, als sie die Summe hörte, die ich ihr als Miete bot, und im Bett hab ich ihr dann das Schweigen beigebracht, es gibt ein unfehlbares Rezept, wenn man untertauchen will: man muß Geld haben und man muß der Frau, mit der man schläft, das Schweigen beibringen«, *er hat vollständig recht, er verrät mir das Rezept und er sagt mir, warum ich es nicht fertigbringe, unterzutauchen: ich habe kein Geld und ich bin eine Frau, der noch kein Mann das Schweigen beigebracht hat. Ich kann es nicht lassen, Ästheten und Mörder bei ihren Namen zu nennen.*

»Seitdem die Kommunisten und die Demokraten und die Juden gesiegt haben, bin ich nicht mehr in Deutschland gewesen. Anfang 44 habe ich mich in Auschwitz ablösen lassen. Ich wurde zuerst zu ein paar Gestapostellen im Reich versetzt, aber da fand ich die Arbeit langweilig, und ich ließ mich ins Ausland schicken. So bin ich in Italien hängengeblieben, in zwei dreckigen Zimmern auf der Giudecca, und eigentlich habe ich keine Sehnsucht nach Deutschland. Wenn ich schon untertauchen muß, dann ist mir der Dreck lieber, in Deutschland kann ich mir nur eine saubere Existenz vorstellen, mein Lieblingswunsch ist eine saubere Amtsstube in Deutschland, in der ich selber dafür sorgen kann, daß die Putzfrauen sie blank scheuern, ein richtiges Büro mit einem richtigen Schreibtisch, hinter dem ich sitze und darauf warte, daß mir einer unserer Männer einen Schädling vorführt. Diese Minuten des Wartens auf ein Verhör hatte ich immer besonders gern, wissen Sie, wenn ich die Akte studiert und mich auf den Fall konzentriert hatte und einfach nur noch warten brauchte. Übrigens habe ich beim Verhör niemals geschlagen, sondern ich habe ruhig und leise mit den Leuten gesprochen. O'Malley kann es Ihnen bestätigen. Oder hat er etwa behauptet, ich hätte ihn geschlagen?«

»Nein«, sagte Franziska, »das haben Sie vorher durch ›Ihre

Männer‹ besorgen lassen, nicht wahr? Sie sind ja Beamter – Beamte schlagen nicht, Beamte lassen schlagen.«

Zum erstenmal an diesem Vormittag sah er sie böse an; seine Augen, die Löcher in der weißen Maske, zogen sich zusammen. Dann faßte er sich wieder und sagte trocken: »Ich habe mich stets an meine Verwaltungsanordnungen gehalten. Na, das ist nun längst vorbei. Ich denke nicht im Ernst daran, daß ich in meinem Leben noch einmal in einer deutschen Amtsstube sitzen werde. Und deshalb ist mir die dreckige Existenz, die ich in Italien führe, ganz recht. Denn in Deutschland kann ich nur sauber und als Sieger leben.«

Franziska blickte auf den Teesatz am Grunde ihres Glases, den bräunlichen Absud, der ihr stets widerwärtig war. »Warum rechtfertigen Sie sich eigentlich, Kramer?« fragte sie.

Er blickte verstört auf. »Unterlassen Sie es, mich mit meinem Namen anzureden«, fuhr er sie an. »Ich heiße schon seit langem nicht mehr so.«

»In den deutschen Fahndungslisten stehen Sie unter diesem Namen«, sagte Franziska, »oder irre ich mich?«

Sie blickten sich an. *›Ein großer vollblütiger Mann‹, hat Patrick gesagt, ›intelligent, zynisch und vollblütig, er war das Leben selbst, und das Leben ist, wie Sie ja wissen, Franziska, intelligent, zynisch und bluterfüllt‹, ach was, er ist nur noch eine Pappmaske mit rötlichen Augen und einem fetten Mund, wahrscheinlich ist er einfach alt geworden, ein alter Albino in einem alten grauen bösen Rokoko-Café, der mir Angst machen will, Angst im Antico Caffè Quadri.*

Sie wird mich anzeigen, sie wird es wagen, wenn niemand es wagt, sie riskiert es, das erste, was sie tun wird, wenn sie nach Deutschland kommt, ist, mich anzeigen, und dann sind die Italiener aus dem Spiel, die Italiener, die mich kennen und mich in Ruhe lassen, weil sie von Perroni und den zwei, drei anderen Herren aus der Wirtschaft geschmiert worden sind, kleine Verwaltungsanordnung der Quästur, mich unbehelligt zu lassen, weil es einen zu großen Skandal gäbe, wenn ich auspacken würde, aber wenn mich jemand in Deutschland anzeigt, kommt das Auslieferungsbegehren durch Interpol, und dann sind die Italiener den Schwarzen Peter los, bei einem Prozeß in Deutschland kann ich noch soviel von Perroni und den anderen Italienern erzählen, dafür interessiert sich der Staatsanwalt nicht, ich kann zwar drohen, ein paar große deutsche Namen zu belasten, ein paar Herren aus Wirtschaft und Politik, aber das wird ihnen gleichgültig sein, in Deutschland versteht man sich darauf, Verfahren abzutrennen, Belastungen zu verdecken, in Deutschland unterscheidet man scharf zwischen den Belasteten und den Tätern, zwischen Verantwortlichen und Verbrechern, und nur die Verbrecher werden bestraft.

»Ich rechtfertige mich gar nicht«, sagte Kramer, »ich erzähle Ihnen nur ein bißchen was aus meinem Leben, damit Sie wissen, wen Sie anzeigen, wenn Sie nach Deutschland kommen. Denn Sie werden mich doch anzeigen, oder? Ich kenne mich aus mit Menschen wie Ihnen. Sie sind doch genauso auf Sauberkeit aus wie ich, man sieht es Ihnen an, und außerdem hat O'Malley es mir erzählt. Wenn Leute sich so verhalten wie Sie, dann deshalb, weil sie ihr Leben ändern wollen, weil sie den Schmutz nicht mehr ertragen. Menschen wie Sie sind intolerant. Ich bin auch intolerant, und deshalb weiß ich, daß ich mich vor Ihnen in acht nehmen muß. Vor Ihnen, nicht vor O'Malley.«

Auschwitz und meine Flucht vor Herbert auf eine Gleichung gebracht, auf die Formel von der Intoleranz, Franziska richtete sich auf, sie geriet in Empörung, in Aufregung, *und doch ist etwas Wahres daran, wir haben einen Traum gemeinsam, den deutschen Traum um der Sauberkeit willen, von der abstrakten Sauberkeit, von der Welt, aus der aller Schmutz hinausgefegt worden ist, der böse Schmutz und der gute Schmutz, denn es gibt guten, wertvollen Schmutz, Schmutz, aus dem Leben steigt, aber wir träumen vom großen deutschen Putztag jenseits von Gut und Böse, wir trachten nach der Reinlichkeit, statt nach der Reinheit.*

»Ich weiß nicht, was O'Malley Ihnen über mich erzählt hat«, sagte sie, »aber der Unterschied zwischen Ihrem Wunsch nach Sauberkeit und dem meinen ist, daß ich deswegen niemand zu töten brauche. Ich verlange Sauberkeit, aber ich verlange sie nur von mir selbst.«

»Sie sind sehr schlau«, sagte Kramer. »Sie wollen mir wohl andeuten, daß sie darauf verzichten, mich anzuzeigen. Ich soll Sie also laufenlassen.«

Er ist ein Ungeheuer. Sie spürte, wie der Mut sie verließ. *Er kennt sich in den Seelen der von ihm Verhörten aus. Indem er vorgibt, mir nicht zu glauben, weiß er doch, daß ich die Wahrheit gesprochen habe. Er weiß, daß ich ihn nicht anzeigen werde, darum wagt er zum erstenmal in diesem Gespräch die offene Drohung.*

»Sie sind ein Ungeheuer«, sagte sie.

»Nein«, erwiderte er, »ich bin nur Beamter. Entschuldigen Sie den Ausdruck ›laufenlassen‹, ich habe das nicht so gemeint.«

Er tarnt sich wieder, er stülpt wieder die Maske über. »Sie haben romantische Ideen«, sagte er, »vielleicht haben Sie zu viele Kriminalromane gelesen oder zuviel demokratisches Geschwätz über uns gehört.«

»Sicherlich«, sagte sie kalt. »Ich denke nur daran, daß die Organisation wieder steht, der verschworene Haufen, wie Sie sich ausdrücken.«

Mißmut ging über sein Gesicht. »Die Organisation ...« Er sagte es zweifelnd, fast verächtlich. »Ja, natürlich, sie funktioniert. Wir haben unser Handwerk gelernt, wir sind ja schließlich alles alte Polizeifüchse, erfahrene Kriminalbeamte. Aber wir sind kein Femehaufen. Fememorde, das hat es nach dem Ersten Weltkrieg gegeben. Wir sind ganz anders, als Sie sich uns vorstellen. Wir sind eine kleine Hilfsorganisation. Und im übrigen sind wir ein Club von Gleichgültigen.«

Der Club der gleichgültigen Mörder. Wenn ich nur wüßte, ob er blufft oder ob er mich wirklich überwachen lassen kann, nachher, heute nachmittag, morgen. Ob ich wirklich in der Falle sitze. Bahnhof und Piazzale Roma sind auf jeden Fall gesperrt. Venedig ist eine Falle. Heute vor dem Dunkelwerden muß ich aus Venedig heraus sein. Nach Einbruch der Dunkelheit wird es gefährlich werden für mich. Aber dann zwang er sie wieder, ihm zuhören zu müssen.

»Es ist schon lange her, daß wir gleichgültig geworden sind. Ich bin es schon in Auschwitz geworden, und merkwürdigerweise ganz plötzlich. Es ist schwer zu erklären. Stellen Sie sich vor, daß einige Jahre hindurch Ströme von Juden an mir vorbeizogen, um getötet zu werden. Eines Tages stand ich wieder am Eingang des Lagers, um einen Transport von Ostjuden in Empfang zu nehmen, sie sickerten langsam an uns vorbei, wir sahen schon gar nicht mehr hin, aber auf einmal ertappte ich mich dabei, wie ich eine alte kleine Bauersfrau betrachtete, eine Großmutter vielleicht, im schwarzen Kopftuch, an deren weiten Röcken drei Kinder hingen. Die alte Frau und die Kinder gingen ergeben dahin, sie hatten sicherlich keine Ahnung, was mit ihnen geschehen würde, für sie war das einfach ein neues Lager. Aber mit mir geschah in diesem Augenblick etwas. Ich entdeckte plötzlich, daß ich, während ich diese Leute betrachtete, nicht mehr das geringste empfand. Sie meinen vielleicht, ich spräche von Mitgefühl, aber da irren Sie sich. Was mich wie ein Schlag berührte, war vielmehr, daß ich keine Spur von Haß oder auch nur von Abneigung in mir spürte, sondern nur grenzenlose Gleichgültigkeit. Ich kam mir vor wie ein Gott, der aus unermeßlicher Höhe auf das Gewimmel der Menschen blickt.«

Draußen, in der weißen Watteluft, gingen die grauen Masken über den Markusplatz, *vielleicht gehen sie alle in die Gaskammern, unwissend, unter dem Blick des Mörder-Gottes, vielleicht ist auch Gott nur ein Mörder, was ist das für eine Schöpfung, die uns alle zum Tode bestimmt hat, durch die Bögen der Prokurazien gehen sie alle in hundert Todeskammern,* sie blickte durch die Scheiben des Caffè Quadri auf den Platz hinaus, um nicht mehr das Gesicht Kramers vor sich zu sehen, *o Gott, das ist die Sekunde des äußersten, des letzten Zweifels an Dir, warum hast Du Kramer geschaffen, warum die Gaskammern, die Todeszellen von Auschwitz und Venedig, die weiße Watteluft, die Gleichgültigkeit an den Toren der Todeslager, unter den dunklen Bögen der Prokurazien?*

»Als mich diese Erkenntnis meiner Gleichgültigkeit befiel«, hörte sie Kramer sagen, »war ich mir sofort darüber im klaren, daß ich nicht mehr die richtige Einstellung zu meiner Aufgabe hatte. Ich hatte den Glauben verloren. Ich zog die Konsequenz und bat um meine Versetzung in den Außendienst. Ich verrate Ihnen mein größtes Geheimnis, wenn ich Ihnen gestehe, daß ich meinen Glauben nicht wiedergefunden habe.« Er schwieg. *Hoffentlich schweigt er jetzt.*

»Aber gerade deshalb hasse ich die Juden jetzt doppelt ...«, sagte er, aber Franziska unterbrach ihn endlich. »Schweigen Sie«, fuhr sie ihn an, »hören Sie auf, ich kann nicht mehr zuhören.«

Sie saß ein paar Sekunden ganz still, sie hatte die Hände geballt, in den Taschen ihres Mantels vergraben, *man muß ihn totschlagen wie eine Ratte, ich werde ihn anzeigen,* noch immer blickte sie, wie blind, auf die Piazza hinaus, auf die großen Steinplatten, die schattenhaften Figuren der Menschen, dann kam ihr eine der Figuren bekannt vor, in dem Umriß eines Mannes war etwas, was sie aus dem Bann des Bösen erlöste, etwas Angenehmes, eine leise Kraft, die sie zwang, den Mann in ihren Augen einzufassen, sie sah sein mageres, weder braunes noch bleiches, sein unauffälliges, gutgeschnittenes Gesicht unter dunklen kurzen Haaren, *das ist der Mann von gestern vormittag, vom Campanile, der Mann unterm Glockengedröhn, er hatte wieder seine Canadienne an, seine braune gefütterte Jacke,* aber diesmal trug er einen schwarzen Geigenkasten in der rechten Hand, mit seinem Geigenkasten ging er an der Fensterscheibe des Antico Caffè Quadri entlang wie eine Hoffnung und dann war er vorbei, verschwunden, der Mann vom Campanile, und sie war wieder allein, allein mit Kramer.

Kramer hatte wieder irgend etwas gesagt, aber sie mußte es sich wiederholen lassen, sie hatte nicht zugehört.

»Ich wollte Ihnen nur erklären, warum Sie eine romantische Vorstellung von mir haben«, sagte er. »Niemand will Sie – wie sagten Sie? – erledigen. Ich will Ihnen helfen. Sie suchen eine Stellung? Ich kann sie Ihnen sofort verschaffen. Ich habe Freunde, große Geschäftsleute, die jemand wie Sie dringend brauchen können.«

Es war ihm gelungen, sie zu überraschen. Aber zunächst rechnete sie. *Dreißig hatte ich, dann kamen achtzehn dazu, danach hat er mir noch fünfunddreißig verschafft, das macht dreiundachtzigtausend Lire, er hat mir schon die tadellose kleine Operation finanziert, und jetzt kommt auch noch die Stellung, eine richtige Stellung in meinem richtigen Beruf, sicherlich gar nicht schlecht bezahlt, eine Stellung bei den Mäzenen des Clubs der gleichgültigen Mörder, ich muß ihm allerhand wert sein.*

»Sie lassen sich mein Schweigen ja einiges kosten«, sagte sie. »Eine Stellung für mein Schweigen, nicht wahr?« Sie wartete keine Antwort ab. »Und dann die langsame Erledigung. Zuerst die Stellung in Venedig, in Padua, oder Bologna, und dann findet sich schon eine Gelegenheit, mich unauffällig verschwinden zu lassen. Denn sicher sind Sie meiner doch niemals, und Sie wissen es.«

Er schüttelte den Kopf, beinahe gelangweilt. »Sie unterschätzen meine Partner. Sie unterschätzen auch sich selber.« Plötzlich betrachtete er sie mit einem Blick, der sie erröten ließ. »Sie sind sehr hübsch«, sagte er, »Sie mit Ihren roten Haaren. Ich bin alt und ich bin zu gleichgültig, sonst wüßte ich, was ich tun würde, um mich mit Ihnen zu einigen. Aber ich lebe mit der Teresa Falconi zusammen. Man wird kalt, wenn man mit einer alten Hure zusammenlebt. Ich schicke Sie lieber zu den Geschäftsleuten. Sie werden sich mit ihnen arrangieren.«

Er kennt meine Geschichte. Einen Augenblick bewunderte sie die Schärfe der Konsequenzen, die er aus der Kenntnis ihrer Geschichte zog. *Er weiß, daß ich erledigt bin, wenn ich meinen Ausbruch rückgängig mache, wenn ich zurückkehre, zu irgendeinem italienischen Herbert, einem italienischen Joachim, in die Welt des Kaufens und Verkaufens, wenn ich mich arrangiere, wenn ich es lerne, zu schweigen, schweigend die Worte von Mäzenen übersetze, wenn ich schweigend die Unkosten buche, die Unkosten für Gedichte und Morde, die Spesen von Ästheten und Mördern.*

Sie stand auf. »Das ist also Ihre Bedingung?« fragte sie.

Er blieb sitzen, zuckte mit den Achseln, fragte: »Wann geben Sie mir Bescheid?«

»Heute abend«, schlug sie vor, in einem Anfall von Klugheit.

»Wo?«

»Wo Sie wollen.«

»Um sieben Uhr wieder hier, im Caffè Quadri, wenn es Ihnen recht ist.« Es klang wie ein Vorschlag, gleichgültig, endgültig. »Machen Sie keinen Versuch, Venedig zu verlassen . . .« Er unterbrach sich, überlegte, dann lächelte er hinter der weißen Maske. »Oder doch. Reisen Sie ruhig, wenn Sie wollen. Wenn Sie eine Dummheit machen wollen. Ich arbeite lieber mit dem langen Arm, statt auf kurze Distanz.«

Das war natürlich ein Bluff, er hat geblufft zuletzt. Sie stand draußen, vor dem Quadri, überlegte, wohin sie gehen sollte, wußte, daß er nicht geblufft hatte, sie erinnerte sich daran, wie er vor dem Laden des Juweliers auf sie gewartet hatte, *die Organisation steht wieder, ein verschworener Haufen, der lange Arm,* und plötzlich, während die Glocken vom Campanile halb zwölf schlugen, fiel ihr ein, daß es für sie nur eine einzige Möglichkeit gab, aus Venedig herauszukommen, mehr noch, spurlos zu verschwinden, *Patricks Boot, Patrick, der erniedrigte Engel, der entzauberte Satan, ein Strohhalm, gewiß, aber immerhin der einzige Strohhalm, an den ich mich klammern kann, Patrick, den Kramer so verachtet, daß er ihn nicht in seine Rechnung einbezieht, um sieben Uhr das Boot links von der Accademia-Brücke, an der Treppe zwischen der Brücke und dem Gritti-Hotel, warum ist er nicht eher dort, warum holt er mich nicht früher ab, warum so spät, erst wenn es dunkel ist, wenn ich nur wüßte, wo er sich jetzt aufhält, aber es hat keinen Zweck, ihn zu suchen.*

Sie ging entschlossen fort, am Quadri vorbei, sah Kramer noch immer am Tisch sitzen, wandte sich wieder in die Mercerie, ging den engen menschendurchschwärmten Schacht entlang, gelangte auf den Campo San Bartolomeo, öffnete die Türe, die Klingel schrillte, kurz diesmal, denn sie schloß die Türe schnell.

Er stand hinter dem Ladentisch, klein hinter den Lichtkreisen der Leuchten aus vergoldetem Metall, Nadelstichmuster vor dunkel poliertem Holz, er trat einen Schritt zurück, als er sie erkannte.

»Hier«, sagte Franziska, »ich bringe Ihnen Ihr Geld zurück.«

Sie zog die Scheine heraus, die Kramer ihr vorhin in die Manteltasche gestopft hatte, sie legte sie vor ihn hin, in einen der Lichtkreise.

»Ich hatte mit dem Mann vorhin nichts zu tun«, sagte sie.

Sie sah seine hocherstaunten Augenbrauen, den Schrecken der Verwunderung, des niemals Erlebten, wie er sein mager erstarrtes Gesicht durchbrach, sie wandte sich ab, aber er war mit einer einzigen Bewegung vor ihr an der Türe.

»Aber warum . . .?« fragte er fassungslos.

Sie sah ihn ruhig an. »Kennen Sie Shakespeares ›Kaufmann von Venedig‹?« fragte sie.

Ich habe mich nicht geirrt, sie ist doch eine, die sich nicht wehren kann. Eine Erfahrene, die sich nicht wehren kann. Er nickte, verwundert.

»Ich hasse Shakespeare«, erklärte sie ihm, »wenn ich an Shylock denke.«

»Bitte, nehmen Sie das Geld«, sagte er. Er hielt sie fest. *Sie ist meine Tochter.*

Franziska schüttelte den Kopf. Sie hatte schon die Klinke in der Hand, den Griff der Türe, die gleich klingeln würde.

»Kann ich irgend etwas für Sie tun?« fragte er, beinahe verzweifelt.

Sie nahm die Hand von der Klinke, weil ihr plötzlich etwas einfiel.

»Kennen Sie einen guten Arzt, hier in Venedig?« fragte sie.

Er begriff sofort. Sie fühlte seinen Blick über ihren Leib gleiten, scheu, flirrend, wie das Blitzen eines seiner Schmuckstücke.

»Dr. Alessandri, Campo Manin«, sagte er eifrig. »Ein ausgezeichneter Arzt. Ein Freund von mir. Soll ich Sie bei ihm anmelden?«

Sie schüttelte den Kopf, und dann trat sie durch das Klingeln der Türe hindurch auf den Platz hinaus, auf dem diesmal keiner auf sie wartete.

Fabio Crepaz, Nachmittag

Fabio hatte die Violine in der Orchestergarderobe deponiert und war mit ein paar Kollegen zum Mittagessen gegangen; vor großen Proben, die den ganzen Nachmittag dauerten, aßen die Musiker meistens zusammen in einem Lokal in der Nähe des Theaters; sie stimmten sich in lauten Tischgesprächen aufeinander ein, kritisierten den Maestro, die Operndirektion, die Sänger, oder sie politisierten. Der alte Simoni, der im ›Orfeo‹ eine der drei Baßgamben zu spielen hatte, verwickelte Fabio in ein Gespräch über die Frage seiner Pensionsberechtigung und die Höhe der Pension, die er zu erwarten hatte. Gemeinsam erwogen sie das Verhältnis der monatlichen Geldsumme zu Simonis familiären Verpflichtungen – natürlich reichte sie nicht, und Simoni würde Privatstunden zu geben haben, um zurechtzukommen – und Fabio dachte darüber nach, daß auch er eines Tages pensionsberechtigt sein würde. Der Gedanke, daß er sein Leben als Pensionär beschließen würde, als Pensionär des Teatro Fenice, als Pensionär der Musik, amüsierte ihn. Es war kurios, sein Leben als Revolutionär zu beginnen und als pensionierter Musiker zu beenden. Immerhin war es besser, dachte er, ein pensionierter Musiker statt pensionierter Revolutionär zu sein. Die Welt war voller Revolutionäre, die sich hatten pensionieren lassen, und ihre Ruhegehälter waren meistens höher als das Almosen, das man dem alten Simoni zahlte. Es war eine Ungerechtigkeit. Der alte Musikant hatte sein Leben damit zugebracht, in den Seelen seiner Zuhörer, stumpfer, in ihrem Alltagsleben gefangener Leute, Leidenschaften, tiefe Empfindungen, den Sinn für Schönheit und wahre Gedanken zu wecken, während die Pensionisten der Revolution nichts vollbracht hatten, als Hoffnungen zu erregen, die sich nicht erfüllten.

Nach dem Essen ging Fabio noch einen Sprung in Ugos Bar,

um beim Espresso ein paar Minuten allein zu sein. Ugo machte für ihn immer einen vorzüglichen Espresso, und wenn Fabio nicht wollte, daß Ugo ihn anredete, dann redete er ihn nicht an. Fabio rauchte eine Zigarette und dachte über den Mann nach, den er gestern nachmittag in dem Kino in der Calle Larga gesehen hatte, er hatte den Sonntag nachmittag benutzt, um sich Antonionis neuen Film anzusehen, Fabio liebte gute Filme leidenschaftlich, das Schauspiel faszinierte ihn stets von neuem, aber gestern hatte er mehr gesehen als einen Film, er hatte einen Mann beobachtet, den er nicht aus seinen Gedanken brachte, weil er ihn an etwas erinnert hatte, was ihm, Fabio, fehlte. Dieser Mann hatte sich vor seinen Augen in einem Gelände bewegt, das in Fabios Leben eine weiße Fläche geblieben war. Antonioni hatte ihn gezeigt wie ein Gelehrter, der ein seltsames Insekt vorführt; er wies ihn auf einer Fläche aus weißer Leinwand vor, weiter nichts; er überließ es Fabio, seine Schlüsse selbst zu ziehen.

Das Meer

Sie nahmen Rücksicht, sie sahen darüber hinweg, daß er sich nicht an ihren Gesprächen beteiligte, sie machten keine Bemerkungen. Sie wußten alle, daß Irma ihn verlassen hatte, sie hatte einige Jahre mit ihm zusammengelebt; vor ein paar Tagen war sie fortgegangen, zu einem anderen, sie lebte nun in dessen Haus. Aldo schlug mit dem stumpfen Hammer den Verputz herunter, er fiel in großen grauen Brocken neben seine Füße, sie renovierten ein Haus am Rande von Francolino. In der Mittagspause hörte er sie miteinander reden. Carlo sagte, er wolle nach Deutschland gehen, er habe das elende Leben hier satt. Filippo sagte: »Wir sind zu viele, hier.« Weil Winter war, saßen sie in der Baracke. Nach der Pause zog Aldo seinen Mantel an und ging fort. Er hörte, daß Carlo hinter ihm herrief, aber er drehte sich nicht um, sondern ging auf der Landstraße nach Francolino hinein und bis ans andere Ende, bis zu seinem Haus, das auf der Deichkrone stand. Während er ein paar Sachen in seinen alten kleinen Koffer tat, floß der Po an seinen Augen vorbei, wenn er durch das Fenster sah, grau unter Winternebeln.

Antonioni hatte Irmas Weggehen vage motiviert. Irma und Aldo hatten sich nicht heiraten können, weil Irma mit einem

Mann verheiratet war, der nach Australien ausgewandert und dort verschollen war. Vor ein paar Tagen hatte sie Nachricht erhalten, daß dieser Mann gestorben war. Sie war frei. Es stellte sich heraus, daß sie Aldo nicht mehr liebte, daß sie schon lange ein Verhältnis mit einem anderen hatte. Irma ging also fort, weil sie Aldo nicht mehr liebte: das war ein Motiv. Aldo hingegen hatte nicht aufgehört, Irma zu lieben, und für diese Tatsache gab Antonioni keine Gründe an, es war sozusagen die Voraussetzung seines Films, die von ihm nicht weiter analysiert wurde. Wenn man wollte, konnte man die Gründe für Aldos über viele Jahre anhaltendes Gefühl aus dem Wesen und der Erscheinung Irmas erklären: sie war eine stolze, eine unabhängige, eine freie Frau, die nicht in der Lüge leben wollte. Sie war Aldo als Persönlichkeit überlegen. ›Band Liebe zwei Wesen‹, dachte Fabio, sich eines Gedichtes von Shelley erinnernd, ›wird das festere zuerst ihrer bar, das schwächere ist erlesen, zu erdulden, was sein einst war.‹

Aldo ging auf dem Damm entlang den Po abwärts, weil er auf diese Weise Francolino, den Ort, in dem er erniedrigt worden war, am schnellsten verlassen konnte. Er verließ den Damm und bekam auf der Landstraße ein Auto, das ihn nach Osten mitnahm. Er erreichte Occhiobello, das schon im Ferraresischen liegt, und fand dort Arbeit in seinem Beruf als Maurer. In Occhiobello lernte er eine Näherin kennen, eine ordentliche, gut aussehende, humorvolle Person, die ihn an sich zog, übrigens ohne ihn eigentlich angeln zu wollen; sie hatte eher ein wenig Angst vor der Ehe. Sie wohnte bei ihren Leuten in einem Haus, das, wie das seine, am Po stand, nicht gerade auf der Deichkrone, aber gleich hinter dem Damm. Der Strom war hier noch mächtiger als bei Francolino. Eines Abends traf Aldo in einer Wirtschaft einen Mann aus Francolino, einen Camionfahrer, der ihm erzählte, daß Irma geheiratet hatte. Er sagte, es sei eine große Hochzeit gewesen. Antonioni hatte alles mögliche getan, um zu zeigen, warum die Sache zwischen Aldo und der Näherin Elvia schiefging. Elvia hatte eine junge Schwester, einen Backfisch, die sich aus Neugier in Aldo verliebte. Antonioni zeigte Aldo, wie er, ruhelos und unbefriedigt, sich kleinen ›actes gratuits‹ ergab, sinnlosen Berührungen, wie Fabio sie sehr wohl kannte. Es gab keine Szenen; Elvia war schließlich ganz froh, Aldo wieder loszuwerden. In der Figur Elvias, der sympathischsten, klarsten, heitersten Figur seines Films, führte Antonioni einen Menschen vor, der das Drama, in dem Aldo lebte, die dramatische Voraussetzung von Aldos Geschichte, niemals erleben würde. Elvia würde eine sympathische heitere alte Jungfer werden. Ich werde eines Tages ein alter Junggeselle sein, dachte Fabio, und vielleicht nicht so heiter wie Elvia.

In der großen ferraresischen Ebene, unter dem wässerigen Winterhimmel, blieb Aldo bei einem Mädchen, dem eine Tankstelle gehörte. Der Vater des Mädchens war ein alter, etwas verrückter Mann, und Aldo half dem Mädchen. Sie war eine Hübsche, sie war hübscher als Irma, sie war sinnlich und sie war wunderbar im Bett. Aldo hatte Glück. Nur der Vater störte sie. Er hatte eine Mitgliedskarte der ›Federazione Anarchica‹ in der Tasche, er war vollkommen einsam, es gab am Unterlauf des Po keine Anarchisten mehr wie in der Toscana. Er beging verrückte Dinge, eines Tages griff er einen Nachbarn an, der sich gerade daran gemacht hatte, ein paar Bäume zu fällen. Virginia sagte zu Aldo: »Es ist besser, wir bringen ihn ins Ricovero.« Sie stand vor der Kommode, während sie es sagte, sie sagte es wie beiläufig, aber Aldo warf ihr einen schnellen Blick zu, er wußte, wie es gemeint war. Wieder eine, dachte er haßerfüllt, die einen Mann wegschickt, weil er ihr lästig geworden ist. Die Tankstelle befand sich in der Nähe von Porto Tolle, an der neuen Straße von Ravenna nach Venedig, und sie brachten den Alten in das Altersheim von Ravenna. Virginia wollte es so. Aldo betrachtete die alten Männer, die in den kalten Korridoren des Ricovero saßen und warteten. Der alte Anarchist war gerne auf der Ebene um Porto Tolle umhergestreift.

Antonioni war es darauf angekommen, zu zeigen, daß die Beziehung Aldos zu Virginia der Liebe so ähnlich war wie nur möglich. Hätte Aldo Irma vergessen können, so wäre er einer vollkommenen Täuschung erlegen, ja vielleicht wäre es ihm möglich gewesen, Virginia trotz ihres kleinen Charakters zu lieben. Den letzteren Schluß verneinte Fabio nach einigem Nachdenken, nicht so sehr wegen Virginias Charakter – die Möglichkeit der Liebe hing nicht von den Fehlern oder Vorzügen der Liebenden ab –, sondern weil er wußte, daß ein Ersatz nicht langsam in etwas Echtes umgebildet werden kann. Man konnte eine Täuschung erkennen und versuchen, das Beste aus ihr zu machen – das Geheimnis der meisten guten Ehen! –, aber es war auf die Dauer ausgeschlossen, sich darüber zu täuschen, daß man nicht der großen Liebe begegnet war. Ich zum Beispiel, dachte Fabio, bin ihr nicht begegnet, aber ich habe mich auch nicht entschließen können, irgendeine meiner Täuschungen zu fixieren. Er hatte, so überlegte er, mit Aldo das eine gemeinsam, daß er unfähig war, mit einer Illusion einen Kompromiß zu schließen; aber sie verhielten sich so aus genau entgegengesetzten Gründen: Aldo, weil er die große Liebe kannte, Fabio, weil er sie nicht kannte.

Aldo kam herunter. Er geriet unter die Tagelöhner-Banden, die im Mündungsgebiet des Po hausen, ein merkwürdiges Volk von Saisonarbeitern, mit leeren Mägen auf den Beginn der Meliorationsarbeiten im Frühjahr wartend, in Clubs lebend, die ›Grüne Katze‹ oder ›Laterna magica‹ hießen, östlich von Comacchio, östlich von Pomposa, in Bunkern, in Hütten. Aldo fing ein Verhältnis mit einer Hure, mit einer ›prostituta di campagna‹ an, die eine Hütte in den ›Foci‹ hatte, auf einer Sandbank neben einem der trägen Deltaarme des Po, er tat nichts mehr, er spielte Karten, er ging fischen. An den Hungerabenden erzählte ein Mann namens Gualtiero Geschichten aus Venezuela: die alten Geschichten von der Flucht ins Paradies. Wenn der Hunger unerträglich wurde, stand Andreina auf und ging fort; meistens gelang es ihr, etwas Geld zu verdienen.

Am Ende der Stationen seines Dramas führte Antonioni Aldo in ein schwarzes Paradies ohne Scham, als wolle er ihm beweisen, daß sein Drama auch dort noch nicht endete, wo es mit allen Konventionen der Liebe vorbei war. Schließlich hätte Aldo sich sagen können, daß seine ganze Affäre nicht so wichtig sei, wenn es möglich war, die Beziehungen zwischen den Menschen auf eine so einfache Weise zu regeln, wie die Tagelöhner der Emilia sie übten. Aber Antonioni ließ Aldo hartnäckig an der Idee seiner Liebe festhalten, was immer auch die Ethnologen der primitiven Stämme, der Gesellschaften im Urzustand, dazu sagen mochten. Fabio bewunderte Antonionis Eigensinn. Eines Tages kam Aldo darauf, daß Andreina ihm treu war. Das hatte damit, daß sie noch immer mit jedem schlief, der ihr Geld gab, oder auch mit jedem armen Teufel, der es brauchte, nichts zu tun. Er entdeckte ganz einfach, daß sie ihn gern hatte, daß es ihr unangenehm war, daran zu denken, er könne einmal fortgehen, daß sie bereit war, jedes Leben mit ihm zu führen, wenn es nur ein Leben mit ihm war. Als Aldo erkannte, was mit Andreina los war, trat er aus der Hütte und ging lange in den ›Foci‹ umher, auf Steppen und Sandbänken, von denen aus er das Meer erblickte. Dann fuhr er nach Francolino zurück und tötete sich vor Irmas Augen, indem er sich von einem Turm stürzte. Sein Fall endete in dem Schrei der Frau, die er geliebt hatte.

Dieser Aldo war für Fabio der fremdeste aller Menschen. Fabio sah ihm zu, als beobachte er einen Polarforscher, der sich über Grönlands Inlandeis bewegte. In einem Gebiet, das für Fabio terra incognita war, ging Aldo so sicher umher, als wandle er im Traum. Es gelang Fabio nicht, seine Besessenheit zu verachten. Aldo kannte etwas, was Fabio nicht kannte.

Aber wenn ich kennengelernt hätte, was Aldo kannte, überlegte Fabio, woran hätte ich es erkannt? Woran erkennt man die Liebe? Er suchte nach dem richtigen Wort, es konnte nur ein einziges Wort für das Wesen der Liebe geben, und er fand das Wort: es hieß Abhängigkeit. Dieser Mann, Aldo, war in die Abhängigkeit geraten als in sein Schicksal, die Liebe hatte ihn dorthin getrieben, wo die Freiheit endete, ein für allemal. Es hätte natürlich noch die Möglichkeit für ihn gegeben, einfach aufzuhören zu lieben. Aber er hatte nicht einmal daran gedacht, und wenn er daran gedacht hatte, dann wie an eine große entsetzliche Öde. Weil seine Abhängigkeit für ihn das einzig Lebendige auf der Welt war, nahm er das Bild der großen grauen Flut zuletzt in seine Augen, nicht als ein Zeichen der Freiheit, sondern der Vergeblichkeit.

Es muß entsetzlich sein, dachte Fabio, die Abhängigkeit in der Liebe zu erfahren. Er dachte daran, daß er fast fünfzig Jahre alt war. Das also ist mir erspart geblieben. Er fand den Satz nicht heiter, er fand ihn nur auf eine triviale Weise lustig. Er versuchte, einen besseren Satz dafür zu finden, aber er fand nur den einen: das fehlt mir.

Mißgestimmt warf er eine Münze für den Espresso auf die Theke, winkte Ugo zu und ging hinaus. Er mußte sich beeilen; die letzte ›Orfeo‹-Probe vor der Generalprobe begann um halb drei.

Franziska, Spätnachmittag

Franziska sah zu, wie die Assistentin das mit Urin gefüllte Reagenzglas zustöpselte und etikettierte, nachdem sie noch einmal nach Franziskas Namen gefragt hatte; sie hörte, wie Doktor Alessandri sagte: »Bringen Sie die Probe außer der Reihe ins Labor!«, ehe die Assistentin hinausging. Hinter dem Rücken des Arztes, durch das Fenster, vor dem er saß, sah Franziska die Häuser auf der anderen Seite des Campo Manin, grau in der Dämmerung, *er ist fertig mit mir, ich kann gehen,* sie stand auf, auch der Arzt erhob sich, er sagte: »Morgen nachmittag haben wir das Resultat, Sie können anrufen, wenn Sie wollen.«

Er hatte sie nicht untersucht, er war vollkommen sachlich, er hatte nicht unter dem Vorwand, sie untersuchen zu müssen, ein flüchtiges erotisches Interesse befriedigt, ein Voyeur-Interesse, wie viele Ärzte. »In diesem Frühstadium hat es keinen Zweck, daß ich Sie untersuche«, hatte er gesagt, »da können wir nur den Mäusetest machen«, und er hatte ihr noch ein Mittel gegen die Übelkeit aufgeschrieben, obwohl es ihr auch nach dem Mittagessen – in irgendeiner Trattoria an der Strada Nuova – nicht übel geworden war.

Morgen nachmittag bin ich schon weit, wenn alles klappt, wenn die Flucht mit Patrick klappt, aber ich kann Patrick veranlassen, irgendwo anzulegen, in Ancona oder Triest oder irgendwo, und von dort aus anrufen, erfahren, ob der Mäusetest positiv oder negativ ausgegangen ist. Sie blickte auf das Rezept und stellte fest, daß die Telefonnummer des Arztes darauf angegeben war.

»Sie können aber auch herkommen«, sagte Doktor Alessandri, »morgen um die gleiche Zeit. Falls es etwas zu besprechen gibt«, fügte er hinzu.

Falls das Ergebnis positiv ist. Falls das Ergebnis positiv ist, gibt es etwas zu besprechen. Die tadellose kleine Operation. Der kurze, ziemlich schmerzhafte Eingriff, in diesem Frühstadium ganz ungefährlich, wenn klinisch einwandfrei desinfiziert wurde, Franziska begriff, daß Alessandri ihr einen Vorschlag machte, die Andeutung eines Vorschlags gab, sicherlich hatte der Juwelier ihn angerufen, sie war um drei Uhr in der Sprechstunde erschienen, und die Assistentin hatte sie angesehen, als ob sie Franziska erkenne, und hatte sie für fünf Uhr bestellt, um fünf Uhr war sie sofort empfangen worden. *Doktor Alessandri, groß, brillant, vierzig Jahre alt, aber nicht nur brillant, sondern auch kühl, souverän, sachlich, Vertrauen erweckend, die Praxis strahlend von klinischer Brillanz, keine Sorgen wegen vielleicht mangelhafter Desinfektion, Juden verstehen es, gute Ärzte zu finden, Juden haben einen sechsten Sinn für ausgezeichnete Ärzte.*

»Was haben Sie nur mit meinem Freund Lopez angestellt?« fragte der Arzt lächelnd, zum erstenmal privat. »Er hat sich beinahe umgebracht am Telefon, um mir zu sagen, daß ich Ihnen helfen müsse. Er ist doch sonst ein kalter Fisch.«

Was für einen Kreis von Bekannten ich schon in Venedig habe! Mit Patrick hat es begonnen, dann kamen Kramer und Luigi, der Juwelier Lopez und der Arzt Alessandri, zwei Hotelportiers nicht gerechnet, alles Leute, in deren Schicksale ich verwickelt bin oder die an mein Schicksal streifen. Man kann nicht untertauchen. Man kann fortgehen, aber nur, um zu entdecken, daß man wieder irgendwo angekommen ist. Man verläßt Menschen, um unter Menschen aufzutauchen.

»Es wird nichts zu besprechen geben«, sagte sie, »auch wenn das Ergebnis positiv ist.«

Sie wußte nicht, ob sie es gesagt hatte, um ein Ergebnis festzustellen, die Schlußformel einer Gedankenkette, oder nur, um auf den Busch zu klopfen; jedenfalls reagierte der Arzt mit brutaler Offenheit, mit der Offenheit eines Chirurgen.

»Gehen wir nicht um den heißen Brei herum«, sagte er. »In diesem Stadium brauche ich bloß eine kleine Untersuchung zu machen, Signora, einen ganz kurzen Eingriff im Verlauf der Untersuchung, eine gründliche Spülung nachher – aus! Ich riskiere nicht das mindeste dabei. Ich habe nur eine kleine Unterleibsuntersuchung gemacht, weil Sie über Beschwerden geklagt haben. Es ist einfach und gefahrlos.« Er sah sie an. »Natürlich sage ich Ihnen das nur, weil Sie keine Zeugen haben, und weil Lopez Sie zu mir geschickt hat.«

»Ich verstehe«, sagte Franziska. »Danke!«

Er wandte sich ab, ging ans Fenster, trommelte mit den Fingern gegen die Scheiben.

»Ich bin nicht verheiratet«, sagte er, »weil ich keine Kinder haben möchte.« Die Häuserfronten verschwammen schon in der sich immer grauer verschattenden Nebelluft. »Sehen Sie sich diese alte brüchige Stadt an, das ist keine Stadt für Kinder. Es ist keine Stadt, in der man jung ist.« Er fing sich sogleich wieder, *nach einem sekundenschnellen Anfall von Haß gegen meine mögliche Schwangerschaft, gegen jegliche Schwangerschaft, er muß ganz andere Gründe dafür haben als das Alter Venedigs,* geleitete er sie elegant, fast brüsk zur Türe, *die blitzende Praxis, die Zelle aus klinischer Brillanz, aufgerichtet gegen die alte brüchige Stadt, die Stadt, in der man nicht jung sein kann,* sie zog im Wartezimmer, in dem niemand mehr saß, in dem auch die Assistentin nicht mehr auftauchte, ihren Mantel an, sie hörte kein Geräusch mehr aus dem Sprechzimmer des Mannes, des Venezianers, kalt und vertrauenerweckend, *der mir helfen wird, der mir helfen würde,* sie ging das vollkommen stumme, sehr vornehme Treppenhaus hinab, die schwere Haustüre schloß sich lautlos und automatisch hinter ihr, der frühe Campo-Manin-Abend legte sich um sie wie ein dunkles, gestricktes Tuch.

Franziska hatte am Morgen das Hotel verlassen mit der Absicht, nicht mehr dorthin zurückzukehren. Sie hatte ihre Handtasche mitgenommen, und sie war an dem Portier vorbeigegangen, ohne ein Wort zu sagen, *ich habe ja bezahlt, und sie werden schon merken, daß ich nicht mehr zurückkomme, dann das Frühstück, der Juwelier, Kramer, noch einmal der Juwelier,* der nun nicht mehr einfach ein Juwelier war, sondern Lopez hieß, ein Marane war, Abkömmling einer alten, aus Spanien nach Venedig eingewanderten Judenfamilie, *dann das Mittagessen,* sie hatte sich gezwungen, etwas ganz Unmögliches zu essen, Risotto con le seppie, Reis, der schwarz war vom Fleisch der Tintenfische, das gallig in ihn hineingemischt war, um auszuprobieren, ob es ihr schlecht wurde danach, aber es war ihr nicht schlecht geworden, *um drei Uhr zum erstenmal in der Praxis von Doktor Alessandri, zwischen drei und fünf umhergegangen,* schließlich war sie eine Stunde ins Ca Pesaro hineingeraten, zwischen unbedeutenden modernen Bildern müde dahingeschlendert, aber die Säle waren ein wenig geheizt, sie hatte sich auf eine mit rotem Samt bespannte Bank gesetzt, lange auf ein Bild gestarrt, das ›Paese urbano‹ hieß, von einem Maler stammte, dessen Namen sie noch nie gehört hatte, er hieß Mario Sironi, *es war ein wunderbares Bild, ein brauner Vorstadtkarren vor einem jener Häuser* – doch sie war es müde geworden, sich das Bild eines jener Häuser ins Gedächtnis zu rufen, übrigens war es nicht nötig gewesen. *Sironi hatte es ja gemalt, in Braun und Blau, pastos und intensiv, mit einer Fabrik dahinter,* sie hatte sich in das Bild hineingerettet; *wenn die Welt so wäre wie dieses Bild, gäbe es keine Kramers in ihr. Schließlich der Arzt.* Die ganze Zeit über hatte sie nicht darauf geachtet, ob sie verfolgt wurde, sie hatte sich diesen Gedanken bewußt verboten, *ob Kramer mich beobachten läßt oder nicht, ich kann nichts dagegen tun, er ist mir überlegen auf diesem Gebiet, also kümmere ich mich gar nicht darum,* aber natürlich hatte sie sich doch darum gekümmert, sie hatte nichts feststellen können, niemand war ihr gefolgt ins Ca Pesaro und vom Ca Pesaro aus, niemand folgte ihr, als sie über den leeren Campo Manin ging. *Wohin jetzt?* Sie schlug unwillkürlich die Richtung der Calli ein, die parallel zum Canal Grande verliefen, weil sie wußte, daß sie auf diese Weise zur Accademia-Brücke gelangen würde, zu Patricks Boot, aber es war erst fünf vorbei, *und Patrick erwartet mich um sieben Uhr,* sie trat in eine Bar ein, bestellte einen Espresso, *auf dem Boot werde ich mich sofort schlafen legen,* und dann wurde sie sich der Selbstverständlichkeit bewußt, mit der sie die Lösung, die Patrick ihr angeboten hatte, in ihrem Inneren annahm, nachdenklich rührte sie mit dem Löffel in der winzigen Tasse, sie hatte ihre Handtasche neben die Tasse gestellt, den braunen Beutel aus kostbarem abgewetztem Leder, er erinnerte sie daran, wie sie am Samstag morgen Inventur gemacht hatte, *Inventur, als ich in Venedig ankam, jetzt, da ich Venedig verlasse, ist es vielleicht noch einmal nötig, Inventur zu machen, wie benehme ich mich eigentlich, wie irgendein kleines Mädchen, wie ein Kind, das dahinstolpert, ohne sich Rechenschaft abzulegen, ich muß rechnen, kalt meine Möglichkeiten ausrechnen, ich habe mehrere Möglichkeiten, und ich kann zwischen ihnen wählen, wer sagt denn, daß man keine Freiheit zum Wählen hat?*

Sie wollte damit beginnen, als sie bemerkte, daß ihr eine Hand, eine sehr scheue Hand, die Zuckerdose ins Gesichtsfeld schob, sie begriff, daß ihr jemand zusah, wie sie mit dem Löffel in der Tasse rührte, ohne Zucker hineingetan zu haben, sie wandte ihren Kopf nach rechts, in die Richtung, aus der die Zuckerdose gekommen war, und erblickte den einzigen Gast, der außer ihr vor der Theke stand – der Barkeeper war in einem Nebenraum verschwunden, dessen Türe offenstand –, der einzige Gast außer ihr war ein junger Mensch in einem dunklen abgetragenen Mantel, dessen Kragen hochgeschlagen war, auch er hatte eine Espresso-Tasse vor sich stehen, Franziska bediente sich aus der Zuckerdose, sie sagte: »Danke!«

Der junge Mensch nickte verlegen, dann nahm er sich zusammen. »Kalt heute abend, nicht wahr?« sagte er.

Er trug eine Brille, eine Brille mit einer schwarzen Horneinfassung, er sah ärmlich aus, mit seinem abgetragenen Mantel, dem blassen mageren Gesicht unter schwarzen Haaren, er hatte etwas Versponnenes, er schwieg, als Franziska das übliche ›Si, brutto tempo‹ erwiderte, sie schwiegen beide und sahen auf ihre Espresso-Tassen, Franziska war abgelenkt, aber gerade deshalb bemühte sie sich, ihre Möglichkeiten zu rekapitulieren, *Patrick ist nur eine meiner Möglichkeiten, es gibt eine ganze Reihe anderer Auswege, jetzt, da ich sogar die Möglichkeit der Abtreibung habe, ich hatte ja ein unverschämtes Glück, wie müßte ich in Deutschland wegen einer Abtreibung antichambrieren, es gibt drei Ausgänge aus der Sackgasse, in die ich durch meine Flucht geraten bin, aus der venezianischen Sackgasse meiner Flucht vor Herbert und Joachim, merkwürdig, ich weiß schon gar nicht mehr, warum ich so unüberlegt davongelaufen bin, wenn man mit Leuten wie Kramer und Patrick zu tun bekommt, dann begreift man gar nicht mehr, warum man Leuten wie Herbert und Joachim so viel Bedeutung beigemessen hat; es gibt also drei Ausgänge: erstens die Abtreibung und die Stellung von Kramer annehmen, es ist die schlimmste meiner Möglichkeiten, ich würde in eine Lage geraten, aus der ich noch einmal fliehen müßte, fliehen vor einem neuen, einem italienischen Herbert oder Joachim, und fliehen, sorgfältig fliehen vor Kramer,* immer wieder geriet Franziska an den Punkt, an dem sie erkannte, daß sie mit Kramer unheilvoll und unheilbar verbunden war, weil sie sein Geheimnis kannte, *deshalb gibt es zweitens den Entschluß, nach Deutschland zu fahren, die Abtreibung und dann die Reise nach Deutschland, die offene Flucht vor Kramer, und ihn dann in Deutschland anzeigen, oder auch keine Abtreibung, sofort fahren, den Kampf mit der langen Hand, mit dem verschworenen Haufen sofort aufnehmen, auf mein eigenes Risiko, aber die Rückkehr nach Deutschland ist die Zurücknahme meiner Flucht, auch wenn ich nicht zu Herbert oder Joachim zurückgehe, außerdem ist es mir gleichgültig, ob die Interpol Kramer fängt und irgendein deutsches Gericht ihm den Prozeß macht, merkwürdig, daß es mir gleichgültig ist, er ist der Todfeind, aber ich muß auf andere Weise mit ihm fertig werden als durch das Warten im Korridor einer Polizeidirektion, durch ein Gespräch mit einem Beamten, der hinter einem Schreibtisch sitzt und sich Notizen macht, durch eine Denunziation, eine schwangere Frau oder eine Frau, die ein Kind abgetrieben hat, kann niemanden denunzieren, nicht einmal einen Mörder, alles ist mir gleichgültig. Gleich und gültig.*

»Sie sind Ausländerin?« hörte sie den jungen Mann fragen.

Ein Annäherungsversuch, unbeholfen, aber sympathisch, weil der junge Mensch, der für mich viel zu junge Mann, sympathisch ist. Er muß ein Pechvogel sein. Wenn er wüßte, wie falsch der Moment ist, den er sich ausgedacht hat. Der dritte Weg ist Patrick, Patrick und sein Boot, der Gott aus der Maschine, eine Traumchance, zu schön, um wahr zu sein, das gibt es ja gar nicht, daß man in dieser Traumweise aus einer Lage wie der meinen befreit wird. Sie sah auf die Uhr, die über den Regalen, auf denen Flaschen standen, hing. *Halb sechs. Aber vielleicht liegt sein Boot schon längst an der Brücke? Warum ist mir dieser Gedanke noch nicht gekommen?* Sie hatte es plötzlich eilig, trank rasch den Espresso, dann entsann sie sich der Frage, die an sie gestellt worden war. Sie nickte.

»Dann reisen Sie sicher viel?« fragte er. »Ich meine, wenn Sie sogar um diese Jahreszeit reisen, im Winter nach Venedig kommen.«

Sie war überrascht. »Ja«, sagte sie, »ich reise viel.« *Zu viel, ich wollte, ich könnte Schluß machen mit der ganzen Reiserei. Anfangen, irgendwo zu Hause zu sein. Aber ich bin vielleicht schon zu alt dazu. Ich bin zu alt und Dolmetscherin. Fremde Sprachen zu sprechen, das kann mehr sein als nur ein Beruf.*

»Ich reise nie«, sagte er, »ich habe kein Geld dazu. Stellen Sie sich vor, daß ich nie gereist bin! Ein paar Ausflüge natürlich. Einmal war ich eine Woche in den Dolomiten. Ich bin Büroangestellter, Schreiber. Zweiundzwanzigtausend Lire im Monat.«

Sie zwang sich zu warten, obwohl sie schon die Münzen für den Espresso neben die Tasse gelegt hatte. Seine Worte kamen so scheu auf sie zu, wie vorhin die Zuckerdose, die er ihr hingeschoben hatte. Und doch besaß seine Scheu die Grazie, die sie kannte, die Grazie der offen hingestreckten kleinen Kinderhände in Neapel oder selbst vor den Warenhäusern zu Mailand. *Italien, das wunderbare Land, das Land, in dem man noch bettelt.*

»Können Sie mich nicht mitnehmen?« fragte er. Er sah sie nicht an, er blickte durch seine Brillengläser mit gesenktem Kopf auf die Tasse vor sich, er konzentrierte seine Hoffnung auf ein Wunder, *ein Büroangestellter, Schreiber, hundertundsechzig Mark im Monat, niemals gereist,* »ich möchte heraus, verstehen Sie, heraus, immer nur dieses Büro, dieses Büro, und Sie sind doch so reich«, sagte er, »Sie sind so reich, daß Sie sogar im Winter nach Venedig kommen können. Können Sie niemand brauchen? Sie oder Ihr Mann – einen Reisebegleiter, einen, der Ihnen die Koffer trägt und die Billetts besorgt?«

Die offen hingehaltene Hand, und dann dies: »Und Sie sind sehr schön, Signora. Ich möchte so gerne mit Ihnen reisen.«

Er war sichtlich verwirrt von seiner eigenen Kühnheit. *Nur ein Italiener, sogar ein unbeholfener Italiener, kann einem dergleichen ins Gesicht sagen. Ein verwirrter junger Mensch, aber nicht so verwirrt, so jung, um Angst vor Worten wie ›bellezza‹ zu haben.* Und er ging seinen Weg zu Ende.

»Glauben Sie nicht, ich hätte schon jemals eine Fremde um so etwas gebeten! Ich weiß gar nicht, was mit mir geschehen ist. Ich sah sofort, daß Sie eine Ausländerin sind. Aber das allein ist es nicht gewesen. Auch nicht, weil Sie schön sind.« Er unterbrach sich, starrte sie jetzt an, hilfesuchend, aber selbstverständlich, ein graziöser, schüchterner Bettler: »Sie sehen aus wie jemand, dem man die Wahrheit sagen kann.«

»Und Sie«, fragte Franziska rasch, »kann man auch Ihnen die Wahrheit sagen?«

Er schlug seinen Blick nieder, hob zweifelnd und verzweifelt die Schultern.

»Ich weiß nicht«, sagte er.

»Ich höre gerade auf zu reisen«, sagte Franziska, »ich bekomme nämlich ein Kind.«

Sie sah die Enttäuschung auf seinem Gesicht, den Reflex der Brillengläser, der über seine mageren Wangen wie eine Verurteilung fiel, der Schlag war aus einer Richtung gekommen, in die er nicht geblickt hatte, die er einfach nicht hatte voraussehen können, sie legte ihre rechte Hand auf seine Schulter, *mein Gott, so werde ich vielleicht einmal die Hand auf die Schulter eines Sohnes legen, wenn alles gut ausgeht, wenn ich nicht zu Doktor Alessandri zurückkehre, morgen nachmittag,* sie sagte: »Sie brauchen nicht mich, um reisen zu können. Gehen Sie doch einfach fort. Fort aus Ihrem Büro!«

Er sah sie bestürzt und ungläubig an.

»Aber ich habe doch kein Geld«, sagte er.

Sie strahlte ihn förmlich an. »Es ist noch keiner verhungert, der ohne Geld auf Reisen gegangen ist«, sagte sie, freundlich und strahlend. Sie wollte noch sagen, es hätte zwar mancher beim Reisen das Gruseln gelernt, aber das Gruseln auf Reisen sei besser als die Misere im Büro, doch sie schwieg, er hätte es vielleicht nicht verstanden, und sie wollte die Wahrheit so einfach lassen wie nur möglich, sie wollte sie nicht durch Zusätze komplizieren, *er ist noch so jung, wenn ich einen Sohn habe, werde ich ihn einfache Wahrheiten lehren und ihn seine Erfahrungen selber machen lassen,* dann nahm sie die Hand von seiner Schulter, sagte »Ciao«, sah sein fragend zu ihr erhobenes Gesicht, die Augen hinter den Brillengläsern, in denen auf einmal erkennende Schärfe war, Staunen, ein ferner Glanz von Hoffnung, der vielleicht wieder verging, der vielleicht schon vergangen war, während sie die Gasse, in der sich die einsame Bar befand, weiterging.

Sie spürte, wie die Übelkeit in ihr aufstieg, *es muß der Espresso sein, ich habe den Espresso nicht vertragen, aber wieso vertrage ich einen einfachen Espresso nicht, wenn mir auf den Risotto con le seppie heute mittag nicht schlecht geworden ist?,* sie kam auf den Platz bei San Samuele, sah die Lichter des Anlagestegs der Vaporetti, sie drückte sich in eine Mauernische am Rande des menschenleeren Platzes und erbrach in den Canal Grande, *das kann ja heiter werden, wenn ich erbrechen muß, solange ich schwanger bin, es gibt Frauen, die müssen neun Monate lang erbrechen, aber bei den meisten ist es mit der Inkubationszeit zu Ende,* sie blickte keuchend und ausgeleert auf das Wasser, ihr Magen krampfte sich zusammen, aber sie fühlte sich besser, *vielleicht ist das alles nur eine Einbildung, Folge eines psychischen Schocks, vielleicht sagt morgen nachmittag Doktor Alessandri am Telefon das Wort ›negativ‹.* Sie fand einen kleinen Brunnen auf dem Platz, holte ihr Taschentuch aus der Handtasche und wusch ihr Gesicht. *Es wird sechs vorbei sein, um sieben Uhr erwartet mich Patrick, um sieben Uhr beginnt Kramer auf mich zu warten, vor halb acht Uhr wird er nicht beginnen, nach mir zu suchen, wenn er nicht schon ganz genau weiß, wo ich mich befinde, der allwissende Kramer, die Verhörmaschine, aber wenn er es nicht weiß, so wird er erst von halb acht Uhr ab nach mir fahnden, ich habe eine kleine Frist, falls Patrick da ist, eine größere kleine*

Frist, falls er eher gekommen ist, sie tastete sich durch kleine Calli vorwärts, machte Umwege, weil sie sich nicht verlaufen wollte, weil sie nahe am Canal Grande bleiben mußte, um nicht von der Richtung abzukommen, geriet deshalb ein- oder zweimal in nächtliche Sackgassen, die an einem Rione endeten, mußte zurückgehen, kam endlich auf den Campo Morosini, erkannte ihn wieder, sah die Menschen, die über den Campo Morosini gingen, die große Arterie zwischen der Salute-Insel und dem Zentrum, kannte sich aus, bog rechts um die Ecke, ging zwischen der hohen Mauer des Parks, der zum Hotel Gritti gehörte, und Häuserfronten hindurch, sah die hölzerne Brücke mit den Stufen, die zu ihr hinaufführten, die Accademia-Brücke, links von der Brücke lagen Boote, vom Licht der Bogenlampen beschienen, entlang einer steinernen Treppe, die zum Canal Grande hinabführte, Franziska war nicht darin geübt, Boote zu rekognoszieren, aber schließlich erkannte sie Patricks Boot, sie erriet es mehr, als daß sie es tatsächlich erkannte. Einen Augenblick lang blieb sie noch stehen, ehe sie sich der Treppe zuwandte, *es ist zu schön, um wahr zu sein, es ist die Traumchance, ich werde mich sofort schlafen legen, der Gott aus der Maschine wird mich entführen, natürlich werde ich eines Tages wieder aus dem Traum ins Leben zurückkehren, eines Tages, wenn ich weit genug weg bin von Kramer, weit genug weg von Kramer und Herbert und Joachim, um endlich wieder untertauchen zu können. Doch vorher wird es das Wunder gegeben haben, Patrick O'Malley oder das Wunder.*

Er befand sich in der Kajüte, er öffnete ihr die Türe, weil er ihre Schritte auf dem Deck gehört hatte, sie kam die Stufen von der Türe in die Kajüte herunter, an ihm vorbei und setzte sich auf die Bank, an den Tisch, sie war zu müde, um ihren Mantel auszuziehen. Patrick trat in die Pantry, sie hörte ihn hantieren, roch den Geruch seines höllisch wunderbaren Kaffees, aber sie dachte an die Wirkung des Espresso und schüttelte wortlos den Kopf, als er mit der dampfenden Tasse in die Kajüte kam. Er stellte die Tasse auf den Tisch, holte eine Whiskyflasche aus dem Eisschrank in der Pantry, wies sie ihr vor, Franziska nickte, sie zeigte mit dem Daumen und Zeigefinger, wieviel sie haben wollte, er goß ihr den Whisky in ein Wasserglas, verschwand wieder nebenan, hatte einen Eiswürfel in das Glas getan, Franziska war ihm dankbar dafür, daß er nichts sagte, nichts redete, er inszenierte ein graziöses stummes Spiel der Abbitte für den gestrigen Abend, *er macht das sehr charmant, so etwas kann er, so etwas kann er viel besser als Kramer Widerstand leisten, warum hat er mich nur Kramer ausgeliefert?, sehr hübsch, wie er die Peinlichkeit, die Blamage von gestern abend wegspielt, das ist viel wirkungsvoller, als wenn er den Zerknirschten chargieren würde, er kann viele Register ziehen, nur die Register, die man für Kramer braucht, kennt er nicht, er trägt den Blazer nicht mehr, den Blazer der Schande, später werde ich es ihm nicht ersparen, ihn zu fragen, was aus dem Knopf geworden ist.*

»Ich habe mir den Knopf von Giovanna wiedergeben lassen«, sagte Patrick. »Sie können ihn mir gelegentlich annähen, wenn Sie wollen.«

Er schien sich wie durch Zauberschlag wieder in den kleinen Teufel, in den spöttischen, Gedanken lesenden Engel zurückverwandelt zu haben, den sie vorgestern nacht kennengelernt hatte. *Ich irre mich, er spielt gar keine Verlegenheit weg, er zieht keine charmante Camouflage über eine Zerknirschung, er ist überhaupt nicht verlegen, nicht schuldbewußt, seltsam, er spielt ein Spiel, das ich nicht kenne.*

Sie ließ ein paar Tropfen des eiskalten Whiskys auf ihrer Zunge zergehen; nach einer Weile fühlte sie, wie sie ihren Magen wärmten, den leichten Krampf, den sie noch immer spürte, lösten. »Fahren wir gleich?« fragte sie. »Bitte, lassen Sie uns gleich fahren!«

»Ich warte nur noch auf die Hafenpapiere«, sagte er, »ein Bote bringt sie mir, spätestens in einer Viertelstunde.« Er lächelte. »Es ist nicht so einfach, wie Sie sich das vorstellen, einen Hafen zu verlassen. Und ich hatte Sie erst um sieben Uhr erwartet.«

Er goß sich selber ein Wasserglas voll Whisky, setzte sich. »Übrigens meinte Giovanna, Sie bekämen ein Kind«, sagte er. »Sie tat so, als ob sie es ganz sicher wisse.«

Sie hatte keine Lust, dieses Thema mit ihm zu erörtern, *mit dem kleinen Schwulen, er hat mir einen Vorschlag gemacht, der einem Heiratsantrag so nahe wie möglich kommt, und er rettet mich vor Kramer, aber ich werde seinen Antrag nicht annehmen, und ob ich ein Kind bekomme, geht ihn gar nichts an; wenn ich ein Kind bekomme, werde ich allein sein mit meinem Kind.*

»Ich hatte heute ein langes Gespräch mit Kramer«, sagte sie. »Oder besser gesagt: er sprach lange, und ich habe zugehört.«

»Ich dachte es mir, daß er Sie verfolgen würde.«

»Von sieben Uhr ab erwartet er mich, im Caffè Quadri.«

»Ah«, sagte er, sichtlich interessiert, »in einer Viertelstunde.«

»Ja. Er will mir helfen. Er hat eine Stellung für mich. Alle Leute wollen mir helfen.«

»Seien Sie nicht böse, Franziska«, sagte er, »ich werde alles wiedergutmachen. Außerdem will ich Ihnen gar nicht helfen. Ich suche wirklich eine Reisebegleiterin.«

Er trug einen dunkelblauen Seemannspullover und Khakihosen, *das trägt man wohl an Bord, wenn man ausfährt, hoffentlich hat er auch für mich etwas zum Anziehen, Kleider für große Fahrt.*

»Es ist gut, daß Sie darauf verzichtet haben, sich an Kramer zu rächen«, sagte sie.

Er hatte gerade einen Schluck Whisky trinken wollen, aber er hielt inne und setzte das Glas wieder auf den Tisch. »Wer sagt, daß ich darauf verzichtet habe?« fragte er.

Franziska blickte zu ihm hinüber, auf die andere Seite des Kajütentisches, *er hat wieder den Pavone-Blick, den Zinnien-Blick, den bösen Blick, in dessen Brennpunkt alles verzehrt wird, aber er hat ihn ja nur, wenn Kramer nicht dabei ist, wenn Kramer ihm Knöpfe abdreht, blickt er zu Boden, er spielt ein bißchen Theater mit seinem Blick, vielleicht übt er ihn vor dem Spiegel ein,* sie unterdrückte den Wunsch, ihm wiederzugeben, was Kramer gesagt hatte, *›Er will mich umlegen‹, hat Kramer gesagt, ›aber er wird es nie tun‹,* statt dessen sagte sie: »Ich wollte Ihnen schon längst sagen, daß Sie kein Recht haben, sich an Kramer zu rächen. Sie sind es, der verraten hat. Kramer war nur das Medium Ihres Verrats.«

»Ah«, sagte er höhnisch, »Sie sind eine kluge Dame.«

Hinter ihm befand sich ein Bullauge, ein runder Ausschnitt Nacht, in dem eine Lampe glitzerte, irgendeine Lampe des Canal Grande. Franziska fühlte die leise Bewegung des Bootes.

»Glauben Sie, ich hätte darüber nicht nachgedacht?« fragte Patrick. Erbittert sagte er: »Natürlich, nie ist das Böse schuld, das uns gezwungen hat, so zu handeln, wie wir handelten. Wir, nur wir allein, tragen die Schuld. Unser Gewissen allein ist verantwortlich. Das Gewissen ist ein wunderbares Thema für alle klugen moralischen Damen auf der Welt. Solange man über das Gewissen plappern kann, braucht man dem Bösen nicht ins Auge schauen.«

»Ich wollte Ihnen gar keinen Vorwurf machen, Patrick«, sagte Franziska. »Sie haben recht, man weiß wenig von der Natur des Bösen. Aber eines weiß ich über den Teufel: daß er schuldlos ist.«

»Und ich weiß das andere«, sagte er, schnell und besinnungslos, »daß man ihn auslöschen muß.«

Sie spürte seine Besessenheit; er schloß seine Hand um das Glas, *aber warum fährt er ab, wenn er den Teufel auslöschen will, die Inkarnation des Teufels, die Kramer heißt*, doch sie sah, wie seine Hand sich wieder löste, *das kommt und geht wohl bei ihm wie spasmische Zuckungen, Kramer hat ihn getötet, ich verstehe ja alles, Kramer ist alles für ihn, sein Schicksal und seine ›idée fixe‹, ich habe Moral gepredigt, eine wahre dumme Moral, die Wahrheit kann dumm sein, aber es gibt auch bei ihm wohl Müdigkeiten, Resignation, plötzliche Einsichten in die Sinnlosigkeit der fixen Idee, einen alten zahnlosen Teufel töten zu wollen, einen alt gewordenen Henker und Albino, auch ihn überwältigt am Ende der Wunsch, abzureisen. Wie er mich überwältigt hat, am Freitag, in Mailand, im Biffi, als ich Herbert gegenübersaß, als ich plötzlich spürte, daß es sinnlos geworden war, mit Herbert zu kämpfen. Vielleicht fallen die äußersten Entscheidungen in dem Augenblick, in dem man resigniert.*

»Erinnern Sie sich daran, daß ich am Samstag nachmittag im Pavone mit einem Mann zusammen saß?« fragte Patrick.

Franziska nickte.

»Der Mann war ein Beamter des italienischen Büros der Interpol«, erzählte er. »Ich habe Kramer bei ihm angezeigt.«

Sie horchte gespannt auf. »Dann haben Sie sich also bereits entschlossen, auf Ihre persönliche Aktion gegen Kramer zu verzichten?« fragte sie.

»Ja«, sagte er. »Es klappte nur nicht.«

Auf ihren fragenden Blick erläuterte er: »Der Mann war recht offen.« Er unterbrach sich. »Das heißt, zuerst war er es nicht. Zuerst machte er Ausflüchte, sagte, die Identität Kramers müsse genau geprüft werden, das könne Wochen dauern. Schließlich setzte ich alles auf eine Karte und erzählte ihm, was mir mit Kramer zugestoßen war. Das entband ihn von seinen Rücksichten.« Wieder hielt Patrick inne.

»Verstehen Sie«, fuhr er nach einer Weile fort, »als er heraus hatte, daß ich ein Verräter war und der letzte unter allen Menschen, die gegen Kramer zeugen könnten, legte er alle Hemmungen ab und erzählte mir, daß sie über Kramer natürlich Bescheid wüßten. Genau das hatte ich beabsichtigt.«

Franziska beobachtete, wie das Licht im Bullauge hinter Patrick, die Laterne über dem Canal Grande, sich mit den Bewegungen des Bootes leise verschob, in einem schwankenden Oval zu ihrem Ausgangspunkt zurückkehrte, sich wieder zu verschieben begann.

»Kurz und gut – Kramers Hintermänner sind zu stark, sie sind so stark, daß die italienischen Stellen Anweisung haben, den deutschen Fahndungsbehörden nicht einmal die Andeutung einer Andeutung zu geben. Die Verhaftung Kramers wäre ein italienischer Skandal größten Stils.«

»Kramer macht kein Geheimnis daraus«, sagte Franziska.

»Auf ein sehr dringendes deutsches Auslieferungsbegehren hin würde man ihn natürlich nach Deutschland abschieben. Aber man hätte vorher abgeklärt, daß italienische Angelegenheiten in einem deutschen Prozeß nicht zur Sprache kämen. Und natürlich würden Verhandlungen so prekärer Art ihre Zeit erfordern. Beamte unter sich. Gespräche über einen tragisch verirrten, aber immerhin früheren Kollegen. Ich referiere, was mir der Herr von der Interpol mitteilte. Der Ton war unbezahlbar, kann ich Ihnen sagen, eisig-korrekt, wie man mit einem Verräter spricht. Die Phalanx der Beamten, kalt distanziert, einen kleinen Schuft und Denunzianten wie mich belehrend, und Kramer gehörte durchaus zu ihnen, war ein Opfer der Zeitverhältnisse, während ich ... na, lassen wir das. Er ließ sogar durchblicken, daß man natürlich nichts machen könne, wenn es Kramer gelänge, sich zu entziehen. Ich wußte, während ich mit ihm sprach, daß er sich schon überlegte, auf welche Weise Kramers Hintermännern ein geeigneter Hinweis gegeben werden könne.«

Patrick gab seinen Bericht in einem leise, ironisch gefärbten Tonfall. Er zündete sich eine Zigarette an, besann sich, bot auch Franziska an, aber sie schüttelte den Kopf. »Wissen Sie, wie das Ergebnis meiner kleinen Intervention aussehen wird? Ich werde vielleicht das Verdienst in Anspruch nehmen dürfen, Venedig von Kramer befreit zu haben. Man wird ihn ablösen, hier. Und Neapel wird ihn haben. Neapel, oder Buenos Aires, oder Alexandrien.«

»Geben Sie doch auf, Patrick«, sagte Franziska, »Sie sehen doch, daß das alles gar nichts mehr mit Ihrer Geschichte zu tun hat.«

Er hörte nicht zu, sie glaubte eine Spur Nervosität an ihm wahrzunehmen, aber der Eindruck verflog, als er fortfuhr: »Unsere Unterhaltung war schon zu Ende, als Sie hereinkamen ins Pavone, Sie sahen übrigens sehr gut aus, Franziska, Sie waren ein Ereignis, als Sie hereinkamen, vermutlich haben Sie es gar nicht bemerkt, aber es wurde bemerkt, vorgestern nachmittag, verlassen Sie sich darauf. Der einzige, der noch mehr bemerkte als das, war ich.«

»Was haben Sie denn bemerkt, Sie Hellseher?« fragte Franziska. Es gelang ihr nicht, den leichten Ton zu treffen, den sie beabsichtigt hatte. »Ich war eine Frau, die Sorgen hatte, Sorgen und Cafard.«

»Ich habe Ihnen zugesehen, wie Sie den Leuten zusahen«, erwiderte er. Er verbesserte sich: »Wie Sie die Leute durchschauten. Ich sah, daß Sie einen guten Blick für Menschen hatten.« Er wurde auf einmal eindringlich. »Ich habe Momente, von denen an es in mir zu arbeiten beginnt. Dann fange ich wirklich an, hellzusehen. Ich habe Sie beobachtet, vorgestern nachmittag, im Pavone, ich weiß nicht, ob ich erkannte, daß Sie Sorgen hatten, ich weiß auch nicht mehr, ob ich Sie damals schon in eine Verbindung zu meiner Affäre mit Kramer brachte, aber ich sah Ihnen zu, wie Sie beobachteten, und plötzlich wußte ich, wer Sie sind.«

Franziska beugte sich vor und sah ihn gespannt an, *gleich werde ich das Geheimnis erfahren, das Geheimnis seiner Jagd nach mir, seiner Besessenheit, mich in seine Geschichte hineinzuziehen*, sie verwandelte sich gänzlich in ein angespanntes Lauschen, in dem sie schließlich seine Stimme vernahm.

»Sie sind eine Zeugin«, sagte er.

Sie wollte aufstehen, weil sie fast augenblicklich begriff, und was sie zurückhielt, war nur der schnelle, fast körperliche Schmerz des Sprungs, zu dem ihre Intelligenz sie zwang, des Sprunges nach vorn, in dessen nicht mehr meßbarer Kürze ihr Gehirn das Signal auffaßte, das die Nerven erhalten hatten.

Im gleichen Augenblick hörte sie die Schritte auf dem Deck, sie sah, wie Patrick die Zigarette ausdrückte, vielleicht ist es der Bote, der Bote mit den Hafenpapieren, aber dann erkannte sie den Mantel, der die Stufen herunterkam, den unförmigen Wintermantel von undefinierbarer Farbe. Sie erkannte ihn sofort. Es war Kramers Mantel.

Fabio Crepaz, gegen Abend

Massari hatte nichts an Fabios Spiel auszusetzen gehabt, er hatte seinetwegen nicht ein einziges Mal abgeklopft, Fabio hatte sich allerdings auch Mühe gegeben, so ›concitato‹ wie möglich zu spielen, plötzlich hatte ihn der Verdacht überfallen, er spiele vielleicht sentimental, und so war sein Spiel heute eher hart ausgefallen, nüchtern, beinahe trocken. Er hatte so gespielt, wie er immer spielte, wenn er nicht in Stimmung war. Wenn er nicht in Stimmung war, spielte Fabio technisch hervorragend und ganz nach dem Wunsch des Maestro. Es entging ihm nicht, daß Massari jedesmal, wenn er so spielte, ein wenig enttäuscht war. Technische Brillanz wird eben nicht so geliebt wie eine gewisse Rauheit des Gefühls, dachte Fabio, aber ich kann nichts dafür, daß ich heute so nüchtern bin. Sogar Monteverdis Oper hatte ihn heute kalt gelassen, nicht die Musik, deren Wert stand außer Frage, aber er hatte sich eingestehen müssen, daß es möglich war, die Orpheus-Mythe als fragwürdig, als in gewisser Hinsicht albern zu empfinden. Er fragte sich, während er noch in dem schon verlassenen Orchesterraum verweilte, ob es möglich war, einen Mythos zu kritisieren. Waren Mythen nicht wie Bäume oder Berge oder Wolken einfach Naturerscheinungen? Unsinn, dachte Fabio, irgendwann einmal sind sie von Menschen erfunden worden. Eine Blume kann ich nicht kritisieren, überlegte er, aber die Bedingung, daß Orpheus sich nicht nach Eurydike umwenden dürfe, wenn er sie aus der Unterwelt zurückhaben wolle, kann kritisch geprüft werden. Bei Licht besehen war diese Bedingung eine alberne Zumutung, die sinnlose Zumutung eines Gottes, der es sich herausnahm, blindes Vertrauen zu fordern, wo höchste Wachsamkeit am Platze gewesen wäre. Überhaupt die Götter! Das, was diese Herrschaften als ihr Werk vorwiesen, war nicht dazu angetan, ihnen grenzenloses Vertrauen zu verschaffen. Stellenweise war es nicht einmal technisch gekonnt. Fabio mußte lachen, weil er sich in eine so rebellische Nüchternheit verrannt hatte. Die logischen Fehlschlüsse der Orpheus-Mythe waren ja Menschenwerk, die Menschen hatten sich Götter ausgedacht, die unbedingten Glauben forderten, anmaßende Götter, und zuletzt einen Gott, den sie erklären ließen, alles, was er gemacht habe, sei gut; doch war es denkbar, daß Gott vielleicht ganz anders darüber dachte, vielleicht war es den Göttern oder Gott gar nicht recht, daß man sich so kritiklos verhielt, sehr wahrscheinlich – Fabio steigerte sich immer mehr in Gedanken hinein, die ihn aus seiner Nüchternheit erlösten –, sehr wahrscheinlich las Gott viel lieber kritische Rezensionen über seine Werke, anstatt Lobeshymnen zu lauschen. Fabio fand es unmöglich, Gott zu leugnen, aber er konnte sich keinen Gott imaginieren, der nicht bereit war, sich der Kritik zu stellen.

Monteverdi hatte das in seiner Musik vollkommen ausgedrückt. Für ihn war Orpheus das tragische Opfer göttlicher Sinnlosigkeit. Deshalb, dachte Fabio, werde ich bei der Generalprobe, übermorgen vormittag, und bei der Premiere am Abend nicht mehr so hart, nicht mehr so nüchtern spielen wie heute. Monteverdi hat die Streichinstrumente dazu bestimmt, das Leiden der Menschen auszudrücken; für Hoffnungen, kurze Triumphe und Trost gibt es die zwei Cornetti, die vier Trompeten und vier Posaunen, oder auch die beiden kleinen Geigen ›alla francese‹. Die Resignation, die Klage, die Tragik den Streichern, und nur ein einziges Mal erlaubt er uns, zu triumphieren, und auch da nur leise, ganz leise, im Pianissimo der fünfzehn Doppeltakte jener Sinfonietta, deren Musik den Fährmann des Totenreichs, Charon, einschläfert, damit Orpheus und Eurydike über den Schattenfluß setzen können. Ein Pianissimo, um die Götter zu überlisten, dachte Fabio, das war es vielleicht, was jenem Aldo gefehlt hatte; die List einer Melodie, mit deren fünfzehn Doppeltakten es ihm gelungen wäre, den unsichtbaren Fergen einzuschläfern, der es ihm verwehrte, über die graue Schattenflut zu setzen, die er erblickte, als er dort umherstreifte, wo der große Strom ins Meer mündet.

Der eiserne Vorhang war heruntergelassen worden, und der Zuschauerraum des Fenice war dunkel, Fabio konnte nur die Umrisse der Logen erkennen, da und dort einen Schimmer auf den vergoldeten Schnitzereien der Brüstungen als Reflex der zwei oder drei Orchesterlämpchen, die noch über den Pulten brannten. Es roch nach Staub, nach Kulissen, nach dem Parfüm alter Leidenschaften, nach Grazie.

Fabio legte seine Geige in den Kasten und ließ ihn neben seinem Pult zurück, als er das Theater verließ. In zwei Stunden begann die Abendvorstellung. Das Leben auf dem Platz vor dem Theater traf ihn nach solchen Minuten immer wie etwas Ungewohntes.

Er aß irgend etwas im Stehen, in einem Automaten-Restaurant, schlenderte umher, sah sich Auslagen an, kramte eine Weile in Büchern, ohne sich eines zu kaufen, dann ging er zu Ugo, stellte sich an die Theke und trank ein Glas Rotwein. Er wollte sich umwenden, um wieder zu gehen, als er sich am Ärmel seiner Jacke berührt fühlte. Er blickte in das Gesicht einer Frau, die er schon einmal gesehen hatte, sehr verwundert betrachtete er es, im Neonlicht von Ugos Bar konnte er die Farbe der Augen in diesem Gesicht nicht erkennen, aber dafür erinnerte ihn die Farbe ihres Haares, das übrigens schlecht frisiert war, an die Form, in die es einmal gebannt gewesen war: die Form einer Strophe. Die Strophe hatte sich angehört, wie Strophen sich anhören müssen: kurz und zwingend. Sie war ein Sinnbild der Abhängigkeit, insofern als in ihr jedes Wort von jedem anderen Wort abhing. Und erst als Fabio den Sinn der Worte dieser Strophe begriffen hatte, begann die Frau, die ihn am Arm berührt hatte, zu sprechen.

Franziska, gegen Abend

Einer plötzlichen Eingebung gehorchend, beobachtete Franziska nicht Kramer, als er die Kajüte betrat, sondern Patrick, Patrick von dem Augenblick an, als er die Zigarette ausdrückte, mit einer entschlossenen und abschließenden Bewegung, und wie er dann aufblickte und Kramer entgegensah, gespannt, mit einer fast unmerklichen Spur von Nervosität in der Haltung seines Körpers, *wenn ich mich nicht irre, ist er nicht überrascht, ausgeschlossen, ich irre mich nicht, er hat Kramer erwartet.*

Kramer blieb am Ende der Treppe stehen, eine Statue in einem unförmigen Wintermantel aus undefinierbarer Farbe, eine Statue aus schmutzigem Beton mit einem großen weißen Gipsgesicht, *jetzt wird Patrick schießen, es ist die Gelegenheit für ihn, wenn Patrick jetzt schießt, wird nicht mehr geschehen, als daß die Gipsmaske in Stücke zerfällt,* sie blickte eine endlose Sekunde lang auf die Maske, wartete, daß sie zerfallen würde, aber sie zerfiel nicht, sie bewegte sich vielmehr vorwärts, bis sie in den Lichtkreis der Kajütenlampe geriet, Franziska wartete auf eine Bewegung Patricks, auf die entscheidende Bewegung Patricks, aber er rührte sich nicht, sie hörte nur seine Stimme, mit Ironie eine Spur von Nervosität überdeckend.

»Guten Abend, Kramer«, sagte Patrick. »Was für eine Überraschung!«

Kramer nahm keine Notiz von ihm. Er hob seinen Arm, streifte mit der rechten Hand den linken Ärmel seines Mantels zurück, aber er sah nicht auf die Uhr, er sah Franziska an, als er sagte: »Es ist sieben Uhr. Warum sind Sie nicht im Quadri?«

Der Terror war fast zu deutlich, *Kramer oder die Verhörmaschine*, Franziska war beinahe versucht, zu lachen, aber es war Patrick, der die Spannung wiederherstellte, Patricks Angst, die auf der braunen Teakholzplatte des Kajütentisches wie ein Rinnsal dahinkroch, eine Pfütze aus Worten. »Ich habe die Dame aufgehalten«, hörte sie ihn sagen, »sie wäre sicherlich gleich gekommen.«

Franziska saß noch immer auf der Bank, sie sah flüchtig zu Patrick hinüber, dessen Worte sie und Kramer umschwirrt hatten wie ein Mückenflug, eine Belästigung, *dieser Scheißkerl, dieser feige Hund, hier gibt es jetzt nur noch Kramer und mich,* sie fühlte, daß sie allein war, allein mit Kramer. *Oder habe ich etwas überhört, irgend etwas, was Patrick nicht gesagt hat? Es kann doch nicht möglich sein, daß er mich so offen ausliefert.*

Kramer wendete Patrick noch immer keine Aufmerksamkeit zu. »Heute früh habe ich auf die Mercerie gesetzt«, sagte er zu Franziska, »und Sie sind gekommen.« Er sagte es ohne Hohn, beinahe gleichgültig, er traf Feststellungen, schrieb an einem imaginären behördlichen Protokoll. »Von heute mittag an brauchte ich nicht mehr Sie überwachen zu lassen, sondern nur noch O'Malleys Boot.« Er machte eine Kopfbewegung zu Patrick hinüber. »Ihre Beziehung war ja noch nicht zu Ende, das war mir klar. Und unter den Umständen, die ich Ihnen ausgerechnet hatte, mußte das Boot Ihnen als die beste Chance erscheinen, wegzukommen.«

Er sah auf sie herab. »Eine geradezu unwahrscheinliche Chance, nicht wahr?« fragte er, »zu schön, um wahr zu sein.« Plötzlich war er von einer Art kopfschüttelnder Beamtengüte, der joviale Mörder, der ein Kind belehrt: »Merken Sie es sich für die Zukunft: Chancen wie diese gibt es überhaupt nicht.«

»Für welche Zukunft?« fragte Franziska. »Für die Zukunft, die Sie für mich ausrechnen?«

Sie spürte auf einmal, wie heiß es in der Kajüte war und daß sie noch immer ihren Mantel anhatte, *es hat jetzt keinen Zweck mehr, ihn auszuziehen, es gibt keine Abreise mehr, ich werde gleich aufstehen und mit Kramer fortgehen müssen,* sie blickte auf ihr Whiskyglas, aus dem sie nur ein wenig getrunken hatte, der Eiswürfel war zergangen, *vielleicht haben auch die paar Tropfen Whisky mir eingeheizt, ich werde ihn nicht mehr trinken.*

»Trinken Sie einen Schluck Whisky?« fragte Patrick, sich an Kramer wendend. »Lassen Sie uns doch in Ruhe miteinander reden!«

Wieder der Mückenflug, er will das Gesicht wahren, er spielt auf einmal den Vernünftigen, den klaren Kopf, der alles auf ein vernünftiges Maß reduziert, den gescheiten, humanen Commonsense-Engländer.

»Ich mag Ihr englisches Gesöff nicht«, sagte Kramer. »Und was Ihre ruhigen Unterhaltungen betrifft – Sie haben sich doch schon Quarini von der Interpol gegenüber ausgesprochen.«

»Es ist kein Gesöff«, sagte Patrick, »es ist des alten O'Malley Spezial-Whisky.« Sie sah ihn jetzt aufmerksam an, plötzlich hatte sie den Eindruck, daß er ins Spiel gekommen war, aber es war ihm nicht anzusehen, ob er von Kramers Informiertheit betroffen war. Er fing den Ball auf. »Eben«, sagte er, »ich habe mit Quarini gesprochen. Und deshalb habe ich aufgegeben. Wir reisen ab, Kramer, ich und diese Dame da.«

Kramer setzte sich plötzlich auf den Stuhl, der an der Schmalseite des Tisches stand, er saß nun zwischen Franziska und Patrick. »Verdammt heiß hier«, sagte er und wischte sich den Schweiß ab. »Jetzt können Sie mich endlich Ihr berühmtes Bier probieren lassen, O'Malley, von dem Sie immer solche Töne reden.«

Patrick nickte, er wollte sich schon zur Pantry wenden, aber Kramer hielt ihn mit einer Handbewegung zurück. »Es geht nicht«, sagte er nachdenklich, als erwäge er Patricks Vorschlag ernsthaft, *er ist müde, die Müdigkeit fließt aus seinem unförmigen Mantel, er ist ein müder Henker und Albino, er ist so müde wie ich.* »Sie können fahren«, hörte sie ihn sagen, »aber nicht mit ihr zusammen. Vor Ihnen habe ich keine Angst, O'Malley. Aber sie ist eine, die mich nicht laufenlassen wird. Ich kenne den Typ.«

Sie sah den Schweiß auf seiner Stirne, *er schwitzt also nicht nur beim Essen, es ist aber auch höllisch heiß hier, und wir haben beide unsere Mäntel an, Kramer und ich, weil wir beide zusammen fortgehen werden.*

»Sie wollen mich nur töten«, sagte Kramer zu Patrick, »aber

das haben schon viele gewollt, und es waren welche darunter, bei denen ich mir überlegt habe, ob sie es nicht wirklich tun würden.« Er hob seinen Finger und deutete auf Franziska, während er noch immer Patrick ansah. »Aber die da«, sagte er, »die will mich gar nicht töten. Die will mich erledigen.« Auf seinem Gesicht erschien die Andeutung eines Grinsens. »Sie will mich wie irgendeinen kleinen Mörder vor Gericht bringen, sie will den öffentlichen Nachweis führen, daß ich nichts weiter bin als ein kleiner Mörder, als irgendein Krimineller, weil ich nur dann aus dem Gedächtnis der Leute gelöscht werden kann, wenn man nachweist, daß ich ein Krimineller bin, ganz einfach ein Krimineller, ein Kranker, den man verurteilen oder heilen kann. Das ist es, was sie will. Ich täusche mich nicht in ihr.«

»Vielleicht haben Sie recht«, sagte Patrick, »aber auch sie hat aufgegeben. Ich verbürge mich dafür.«

Er ging hinaus und Franziska hörte, wie er in der Pantry die Türe des Eisschranks öffnete, wie er mit Glas klirrte. Sie hob ihren Blick und sah Kramer an, auch er sah sie an, ihre Augen trafen sich, ihre Blicke blieben still voreinander stehen, zwei entschlossene Müdigkeiten, die sich aneinander maßen, starr wurden und sich endlich erkannten, Todfeinde, die sich begegneten, Todfeinde, die sich verständigten, eisig in der höllisch heißen Kajüte des teuflischen Engels die harte Müdigkeit des Komplotts der Todfeinde.

Patrick kam zurück, eine Bierflasche und ein Glas in der Hand, er zog einen kleinen Hebelöffner aus der Tasche und entfernte damit den Verschluß von der Flasche, ein wenig Rauch stieg aus der Flasche auf. Franziska beobachtete die Gier in Kramers Gesicht, Schweißbäche rannen ihm über die Stirne, *ob er nachher wieder niesen wird, sein gastrisches Niesen?*

»It tastes so clean, it tastes so cool«, sagte Patrick, »O'Malleys beer from Liverpool.« Er machte eine Pause, während er das Glas füllte. »Der Vers ist von mir, Kramer, er hat den Umsatz von meines Vaters Bier gesteigert.«

Er reichte Kramer das Glas. Aber Kramer trank noch nicht. Er sah Patrick an und fragte: »Ich bin doch kein kleiner Mörder, O'Malley, nicht wahr?« Er flüsterte es fast.

»Nein«, sagte Patrick, »Sie sind der Böse.«

Franziska sah schaudernd auf die Struktur aus Kälte, die das Bierglas beschlug, während Kramer es hob und trank. Dann wurde sie durch eine merkwürdige Handlung Patricks abgelenkt; sie sah, wie er mit der Hand in seine rechte Hosentasche griff, er zog etwas heraus, es war der goldene Knopf, er legte ihn auf den Kajütentisch, er lag auf dem Tisch wie ein Auge, wie ein böses goldenes Auge, während der Stuhl, auf dem Kramer gesessen hatte, umfiel, während die weiße Pappmaske herunterrutschte, bis sie sich nur noch knapp über der Tischkante befand, während die kleinen rötlichen Augen weit aufgerissen einen qualvollen Blick über die Platte aus Teakholz sinken ließen, während der große, rote, in die Maske eingeschnittene Mund sich öffnete, Bläschen von Bierschaum zu erbrechen versuchte, einen Kranz von Bierschaum um die auseinanderklaffenden Lippen bildete, bis er hinter der Tischkante versank, bis die weiße Maske verschwand, indes das Bierglas auf dem Boden der Kajüte langsam ausrollte.

Franziska stand auf, nicht schnell, beinahe vorsichtig, sie trat vom Tisch weg, sie sah Kramer auf dem Boden liegen, er lag auf dem Bauch, das Gesicht auf dem Fußboden, mit dem linken Bein machte er noch eine Bewegung, er hob es hoch, im Knie abgewinkelt, dann ließ er es wieder fallen, es schlug schwer auf den Boden, neben dem umgestürzten Stuhl, und lag still.

»Giovanna wollte mir ihn zuerst nicht wiedergeben«, hörte sie Patrick sagen. Sie blickte zu ihm hin; er nahm den goldenen Knopf an sich und steckte ihn wieder in die Hosentasche. Er saß ruhig auf seinem Stuhl.

»Strychnin«, erklärte er. Er verzog sein Gesicht nicht. »Mit anderen Worten: eine Dosis Rattengift. Man kann das Zeug überall kaufen. Ich hatte auch eine Flasche Whisky präpariert. Aber ich habe mit mir selber gewettet, daß ich es mit dem Bier schaffen würde. Ich habe Kramer zu oft nach Bier verlangen sehen.« Er sprach, als vollführte er eine sachliche Demonstration vor dem Hintergrund eines kalten Triumphes; sein Gesicht blieb unbewegt, nur seiner Stimme war anzumerken, daß sie ihre Kälte genoß.

»Ist er tot?« fragte Franziska. »Wirklich tot?«

»Hundertprozentig«, erwiderte Patrick. »Friede seiner Asche. Oder vielmehr seiner Wasserleiche. Ich werde ihm, wenn wir auf der Adria sind, ein paar schöne Gewichte in seinen Mantel stekken und ihn über Bord kippen. Er wird nie gefunden werden, und kein Hahn wird jemals nach ihm krähen.«

Er schwieg. Er erhob sich. Der Körper Kramers verhinderte, daß er dicht vor sie hintreten konnte. »Na«, fragte er, nun offen triumphierend, »war es der perfekte Mord? Habe ich den Einsatz verpaßt? Wollte ich ›nichts dergleichen‹ tun? Bin ich ein Versager?« Seine Stimme klang zuletzt haßerfüllt, wenn Franziska sich nicht täuschte.

Sie nahm ihre Handtasche von der Bank, auf der sie gesessen hatte.

»Wenn ich nur wüßte«, sagte sie, »weshalb Sie mich dazu gebraucht haben? Ich weiß es immer noch nicht. Ich kann es mir einfach nicht erklären.«

»Ich wollte eine Zeugin«, antwortete er. »Ich habe es Ihnen doch gesagt.«

»Das ist nicht die ganze Wahrheit«, sagte Franziska.

»Nein«, sagte Patrick, »es ist nicht die ganze Wahrheit. Die Wahrheit ist, daß ich eine Vision hatte, als ich Sie sah, als ich Ihnen folgte, als ich Ihre Unterhaltung mit dem Portier im Pavone mit anhörte. Später erfuhr ich, daß Sie Deutsche sind, und dann von Ihnen selbst, in welcher Lage Sie sich befanden. Ich lernte Sie kennen, ich wußte auf einmal, daß Sie es sein würden, die mir Kramer liefern würde, hierher in meine Kajüte liefern. Sie sind eine wunderbare Frau, Franziska, Sie sind so ernst, Sie sind so konsequent, ich wußte, daß Ihnen gelingen würde, was mir nie gelang: von Kramer ernst genommen zu werden. Ich war für ihn nur ein lästiges Insekt, das er kaum beachtete, aber als er Sie sah, wußte er sofort, daß es ernst wurde. Und ich wußte, daß er Sie verfolgen würde, verfolgen bis ans Ende der Welt oder in meine Kajüte. Meine Rechnung ging auf. Sie waren mein Lockvogel, Franziska, ein erstklassiger Lockvogel.«

Schaudernd drückte sie ihre Handtasche an sich. »Also bin ich daran schuld?« fragte sie. Sie sah auf Kramer hinab, sein unförmiger Mantel aus undefinierbarer Farbe lag ausgebreitet über ihm; sie konnte von ihm nur die weißen Haare auf seinem Hinterkopf sehen.

»Mittelbar«, sagte Patrick, »nur mittelbar. Die Sache geht auf meine Rechnung. Ich bin dafür verantwortlich, und sonst niemand.« Er sah sie an, erschrak plötzlich; er sagte: »Sie wollen doch nicht gehen?«

Es würde keine Meerfahrt geben, keinen Winter in Sizilien, keinen Riviera-Aufenthalt, keine von dem kleinen Teufel ver-

goldete Riviera-Schwangerschaft, keine süße Lebensrente für erstklassige Lockvogel-Dienste, keine Rente aus Liverpooler Bieraktien für die Mithilfe an einem Mord.

Er sah ihre Entschlossenheit. Er versuchte sie zu halten, indem er sie verhöhnte. »Ich weiß fast alles über Sie, Kramer«, äffte er sie nach, »Sie sind ein Mörder, Kramer, und Sie wissen, daß Sie ein Mörder sind.« Höhnisch zog er seine Schlüsse. »Es war atemraubend, zu sehen, wie Sie auf meinen Leim gegangen sind. Ich hatte gar nicht zu hoffen gewagt, daß es so schnell und so gut gehen würde. Und Kramer zu sehen, wie er darauf hereinfiel, wie er Sie sofort ernst nahm – oh, es war eine vollkommen aufgestellte Falle!«

Sie wandte sich zum Gehen. *Immerhin gibt es keine Gefahr mehr für mich, draußen. Ich bin wieder frei.*

»Aber was ist denn?« hörte sie Patrick fragen. »Tut er Ihnen denn leid?«

Sie wendete sich noch einmal zu ihm um. Sie sah ihn über der Leiche stehen, sie sah, daß er begriff. Weil sie ihn verließ, begriff er endlich die Sinnlosigkeit seiner Tat. Sie wußte nicht, ob Kramer ihr leid tat, aber es tat ihr leid, daß sie Patrick verurteilen mußte, verurteilen zu der Erkenntnis, daß er den Falschen getötet hatte. *Es war kein Mord, für den er von den Erinnyen gejagt werden würde; es war nur ein Irrtum, aber ein Irrtum, der groß genug war, ihn für den Rest seines Lebens zur Einsamkeit zu verurteilen. Er hatte in Blindheit getötet, und von jetzt an würde er sehend sein.* Sie sah, daß die Einsamkeit in seinem Gesicht sich schon zu formen begann, daß sie in seinem Blick aufstand als die Verdammung dazu, für alle Zukunft klarzusehen. In seinen Augen war der abwesende Blick aller Verurteilten. Leise ging sie hinaus.

Aber draußen in der kalten Nebelluft fühlte sie sich elend. Es war nicht die Übelkeit von vorhin, sondern eine Schwäche, die ihren ganzen Körper ergriff. *Wie spät mag es sein? Es kann höchstens eine halbe Stunde vergangen sein, seitdem Kramer die Treppe herabkam, es wird halb acht sein, es ist früher Abend,* viele Leute gingen über die Accademia-Brücke, *wohin gehe ich jetzt, in irgendein Hotel?, oder reise ich ab?, endlich ab aus Venedig, ich bin frei, niemand hindert mich mehr, Venedig zu verlassen,* sie fühlte sich zu schwach, irgendeine Entscheidung zu treffen, es gelang ihr, bis zur Mauer zu kommen, hinter der sich der Park des Hotels Gritti befand, sie lehnte sich ein paar Augenblicke an die Mauer, sah den Menschen zu, die von der Brücke kamen, zur Brücke gingen, sie gingen schräg über den Platz auf die Brücke zu oder von ihr weg, so daß sie den Winkel mit der Treppe, an dem die Boote lagen, je nach der Richtung, in der sie sich bewegten, links oder rechts liegen ließen, sie ließen den mit großen Steinplatten gepflasterten Winkel liegen, der Anlegeplatz war ein toter Winkel neben der Brücke, *er ist der Winkel des Toten, der da unten im Boot liegt, als er auf dem Gesicht lag, als ich nur noch die weißen Haare sah, die seinen Hinterkopf bedeckten, sah Kramer aus wie ein Mensch. Wie ein Mensch, und ich habe mitgeholfen, ihn zu töten.* Franziska bemerkte, daß die Leute, die an ihr vorübergingen, sie ansahen, *ich nehme mich gewiß merkwürdig aus, hier in der Nacht, an die Mauer gelehnt, ich muß weitergehen, sonst kommt jemand und fragt, ob etwas mit mir los ist, ob ich mich nicht wohlfühle, oder der nächste Trupp Jugendlicher hält mich für eine Dirne und geht auf mich los, um mich zu verspotten,* sie tastete sich vorsichtig weiter, an der Mauer entlang, *es geht schon, ich muß mich nur zusammennehmen, ich muß mich in irgendeinem Hotel in die Halle setzen, nachdenken, was ich tun soll, ich weiß, daß alle Richter mich freisprechen würden, auch wenn ich ihnen erklärte, daß es mindestens fahrlässige Tötung war, es war fahrlässig von mir, Patrick zu unterschätzen, aber sie würden die Köpfe schütteln und mich freisprechen, obwohl ich nicht einmal genau weiß, ob es wirklich nur Fahrlässigkeit war, sondern vielleicht mehr, vielleicht ein Verlangen, ein Wunsch in meinem Unterbewußtsein, der Trieb, zu töten, der mich zwei Tage lang in Venedig umhergetrieben hat, statt daß ich abgereist wäre, wie ich es doch vorhatte, noch Samstag um Mitternacht. Ich glaube nicht, daß alles zufällig so gekommen ist, oder weil ich hereingelegt wurde. Ich habe mitgemacht, mein Wunsch, Kramer zu töten, war stärker als mein Wunsch zu fliehen. Aber warum nur, warum?* Franziska wußte, daß sie niemals eine Antwort auf diese Frage finden würde. *Vielleicht wird es mir jemand einmal erklären? Erklären, was dieser Mensch, der auf seinem Gesicht lag, der mir zuletzt nur seinen Hinterkopf zeigte, einen Kopf, bedeckt mit weißen Haaren, in meinem Leben für eine Bedeutung hat.*

Vor der Weite des vom Nebel erfüllten Campo Morosini schauderte sie zurück. Hinter dem Nebel sah sie die Häuser stehen, dunkle Häuser, erleuchtete Häuser, eine Kirche, da und dort ein Neonschild, über einem Laden, einem Lokal. *Niemals werde ich auf die andere Seite kommen. Ich muß mich zwingen, an etwas anderes zu denken.* Ein Bild aus ihrer Kindheit fiel ihr ein, *mit neun Jahren habe ich Ballettstunden nehmen dürfen, zwischen den Stunden hat meine Mutter mit mir geübt, sie stand vor mir, in unserer Kleinbürgerwohnung in Düren, und machte mir die Positionen vor, sie war nur eine Hausfrau, aber sie erinnerte sich an die Positionen, sie hatte selbst einmal Ballettstunden nehmen dürfen, als sie neun Jahre alt gewesen war, wie viele Frauen hatte sie einmal ein kleines Stück jäher Hoffnung nähren dürfen, ehe sie Hausfrau wurde, Mietwohnungsfrau wurde, mit dem kleinen Beamten lebte, der übrigblieb, während sie umkam, unter den Bomben, wenn sie noch lebte, wüßte ich, wohin ich zu gehen hätte, jetzt, sie war lebendig, sie war fröhlich und ernst, sie kannte die Ballettpositionen, ich stand vor ihr, hielt mich mit der einen Hand ausgestreckt an einem Schrank fest, als wäre er die Stange, ich hatte eine lange Baumwollunterhose an, mein Trikot, und eine rote Bluse, ich war ein kleines Mädchen, sehr ernsthaft, mit einem ernsthaften Traum beschäftigt, sie hatte mir die Haare hinten zu einem Schwanz gebunden, mit einer großen blauen Schleife, und sie machte mir die erste Position vor, die beiden Füße mußten in einer einzigen Linie völlig nach außen gedreht werden, aus der ersten Position mußte ich das linke Bein nach vorne schieben, nein, nochmal, sagte meine Mutter, du darfst das Knie nicht abwinkeln, und ich bewegte das Bein in einem Viertelkreis nach links seitlich, die Fußspitze immer nach außen, sagte meine Mutter, ich führte das Bein nach rückwärts, und dann kam das schwerste, ich mußte es wieder an den Körper heranziehen, von hinten nach vorne nehmen, ohne das Knie abzuwinkeln, zurücknehmen in die erste klassische Ballettposition,* Franziska bemerkte plötzlich, daß sie den Campo Morosini überquert hatte, *mein Gott, habe ich Ballettpositionen über den Campo Morosini hinweg geübt?,* es war eine Halluzination, sie war nur langsam und sehr vorsichtig und unmerklich schwankend von einem Rand des Platzes zum anderen gegangen, *aber jetzt komme ich nicht mehr weiter,* doch da erblickte sie den Eingang der Bar dicht vor sich, ein Neonlicht leuchtete über der Glastüre, sie hielt sich einen Augenblick am Türgriff fest, ehe sie eintrat.

Sie sah ihn sofort. Er stand an der Theke, zwischen anderen

Männern, aber allein, und sie ging ohne zu zögern auf ihn zu. Sie erkannte ihn an seinem Profil und an seiner Canadienne und an allem. Während sie ihn am Arm berührte, dachte sie heftig darüber nach, was sie zu ihm sagen sollte, wenn er sich zu ihr umwandte, es war sehr einfach, sie brauchte sich nur an den jungen Menschen zu erinnern, der sie heute nachmittag gebeten hatte, ihn auf ihre Reisen mitzunehmen, es war sehr einfach und sie erinnerte sich an ihn, natürlich, dachte sie, es gibt nur eine einzige Rechtfertigung für die unerhörte Tat, einen Fremden anzusprechen: man muß ihn um etwas bitten. Mit tiefem Erschrecken sah sie, daß er sich ihr zugewendet hatte, er blickte sie an, voller Erstaunen, ich muß ihn um etwas bitten, sie sagte das erste beste, was ihr in den Sinn kam, und es war das Erste und Beste, eine Bitte, eine Bettelei.

»Können Sie mir helfen?« fragte sie. »Wissen Sie vielleicht irgendeine Arbeitsstelle für mich?«

Er sah sie an. Er lächelte nicht. Er war der Mann vom Campanile. Mit einer sicheren Bewegung faßte er sie am Arm und hielt sie aufrecht. Er schob sie von der Theke weg, bis zu einem der Stühle, die an der Wand standen. Sie saß zuerst eine Weile sehr steif, sehr aufrecht.

Der alte Piero, Ende der Nacht

die messer des schilfs, die rosa ist dumm, ich eis im licht, ich wünsch ihr ein kind, im kalten schilf, von irgendwem, der frau einen tod, bei torcello im schilf, im bett und schnell, das boot ist so stumm, für fabio wünsche ich nichts, noch immer schlafen die aale, nur daß die geige, im schilf von torcello, so spielt wie er will, gefroren und heiß, er gibt ihnen geld, im weißen licht, das geld meiner fänge, ich spähe gefroren, das geld aus den aalen, gefroren und heiß, das gold der paludi, ich spähe so kalt, im vaterunser, durch die messer aus schilf, sie werden mich finden, der du bist im himmel, mich bringen nach mestre. mich eis im licht

Die Rote entstand in den Jahren 1958/1959.

Die vorliegende Ausgabe (1972) stellt eine Neufassung dar. Der Text wurde einer durchgehenden Revision unterzogen. Das in den bisherigen Ausgaben enthaltene letzte Kapitel, eine Art Epilog darstellend, wurde ganz gestrichen. Heute bin ich der Ansicht, daß es besser ist, dem Roman einen ›offenen Schluß‹ zu geben und das weitere Schicksal Franziskas und Fabios der Phantasie des Lesers zu überlassen.

Die Geschichte *Das Meer* wurde Michelangelo Antonionis Film *Il Grido* frei nacherzählt.

Berzona (Valle Onsernone), im Frühjahr 1972 A. A.

Alfred Andersch im Diogenes Verlag

Die Kirschen der Freiheit
Ein Bericht. detebe 1/1

Sansibar oder der letzte Grund
Roman. detebe 1/2

Hörspiele
Fahrerflucht. Russisches Roulette. Der Tod des James Dean. In der Nacht der Giraffe. detebe 1/3

Geister und Leute
Zehn Geschichten: Weltreise auf deutsche Art. Diana mit Flötenspieler. Die letzten vom ›Schwarzen Mann‹. Ein Auftrag für Lord Glouster. Vollkommene Reue. Blaue Rosen. Cadenza Finale. Mit dem Chef nach Chenonceau. In der Nacht der Giraffe. Drei Phasen. detebe 1/4

Die Rote
Roman. Neue Fassung 1972. detebe 1/5

Ein Liebhaber des Halbschattens
Drei Erzählungen: Ein Liebhaber des Halbschattens. Opferung eines Widders. Alte Peripherie. detebe 1/6

Efraim
Roman. detebe 1/7

Mein Verschwinden in Providence
Neun Erzählungen: Brüder. Festschrift für Captain Fleischer. Tochter. Die erste Stunde. JESUSKINGDUTSCHKE. Ein Vormittag am Meer. Noch schöner wohnen. Die Inseln unter dem Winde. Mein Verschwinden in Providence. detebe 1/8

Winterspelt
Roman. detebe 1/9

Aus einem römischen Winter
Reisebilder: Asa und Imogen oder Der März am Oslofjord. Interieurs für Charles Swann. Schlafende Löwin. Alte Linke in London. Aus einem römischen Winter. Nach Tharros. Von Reisen lesend. detebe 1/10

Die Blindheit des Kunstwerks
Literarische Essays und Aufsätze: Thomas Mann als Politiker. Nachricht über Vittorini. Die Blindheit des Kunstwerks. Notizen über Atmosphäre. Après. Das Kino der Autoren. Anamnese, déjà-vu, Erinnerung. Auf den Spuren der Finzi-Contini. Auf der Suche nach dem englischen Roman. Was alle lesen. Anzeige einer Rückkehr des Geistes als Person. detebe 1/11

Ein neuer Scheiterhaufen für alte Ketzer
Kritiken und Rezensionen zu Werken von Heinrich Böll, Thornton Wilder, Ernest Hemingway, Giuseppe Tomasi, Wolfgang Koeppen, Hans Magnus Enzensberger, Ernst Wilhelm Eschmann, Alain Resnais und Marguerite Duras, Max Bense, Per Olof Sundman, Aidan Higgins, Yasushi Inoue, Alain Robbe-Grillet, Ernst Jünger, Norman Cohn, Jean-Paul Sartre, Arno Schmidt. detebe 1/12

Öffentlicher Brief an einen sowjetischen Schriftsteller, das Überholte betreffend
Reportagen und Aufsätze: Die Reise nach San Cristóbal. Regen in Andalusien. Reise in die Revolution. Aus Torheit? Ein Gedenkblatt. Jünger-Studien: 1. Amriswiler Rede, 2. Achtzig und Jünger. Aus der grauen Kladde. Zeichensysteme: Ein (ergebnisloser) Exkurs über ihre Verschiedenheit. Wie man widersteht. Porträt eines Mondfetischisten. Der Buddha mit der Schmetterlingskrawatte. Der Geheimschreiber: 1. Wolfgang Koeppen, 2. Ernst Schnabel. Mr. Blumenfelds Inferno. Öffentlicher Brief an einen sowjetischen Schriftsteller, das Überholte betreffend. detebe 1/13

Neue Hörspiele
Die Brandung von Hossegor. Tapetenwechsel. Radfahrer sucht Wohnung. detebe 1/14

Einige Zeichnungen
Grafische Thesen. Mit Zeichnungen von Gisela Andersch und einem Nachwort von Wieland Schmied. detebe 151

empört euch der himmel ist blau
Gedichte und Nachdichtungen 1946–1976

Wanderungen im Norden
Reisebericht. Mit 32 Farbtafeln nach Fotos von Gisela Andersch

Hohe Breitengrade oder Nachricht von der Grenze
Reisebericht. Mit 48 Farbtafeln nach Fotos von Gisela Andersch

Über Alfred Andersch
Essays, Aufsätze, Rezensionen, Äußerungen von Jean Améry, Lothar Baier, Max Bense, Rolf Dieter Brinkmann, Heinrich Böll, Peter Demetz, Hans Magnus Enzensberger, Helmut Heißenbüttel, Bernd Jentzsch, Hanjo Kesting, Wolfgang Koeppen, Karl Krolow, Siegfried Lenz, Thomas Mann, Ludwig Marcuse, Karl Markus Michel, Heinz Piontek, Hans Werner Richter, Arno Schmidt, Franz Schonauer, Konstantin Simonow, Werner Weber u. v. a. Mit Lebensdaten, einer Bibliographie der Werke und einer Auswahlbibliographie der Sekundärliteratur. Herausgegeben von Gerd Haffmans. Erweiterte Neuauflage 1980. detebe 53

Das Alfred Andersch Lesebuch
Ein Querschnitt durch das Gesamtwerk. Herausgegeben von Gerd Haffmans. detebe 205